한민족 문화

LA CORÉE, LE PEUPLE ET SES VALEURS CULTURELLES

D'HIER À AUJOURD'HUI

DANS LA MÊME COLLECTION

Sociétés et cultures de l'Asie
Collection dirigée par Charles Le Blanc
du Centre d'études de l'Asie de l'Est,
Université de Montréal

Sous la direction de

Yim Seong-Sook

La Corée, le peuple et ses valeurs culturelles

D'HIER À AUJOURD'HUI

LES PRESSES DE L'UNIVERSITÉ DE MONTRÉAL

Données de catalogage avant publication (Canada)

Vedette principale au titre :

La Corée, le peuple et ses valeurs culturelles : d'hier à aujourd'hui

(Sociétés et cultures de l'Asie)
Textes en français et en anglais.

ISBN 2-7606-1785-8

1. Corée — Civilisation. 2. Corée. 3. Coréens. 4. Coréens à l'étranger. I. Yim, Seong-Sook. II. Collection.

DS904.C67 2000   951.9   C00-941382-0F

Canadian Cataloguing in Publication Data

Main entry under title:

La Corée, le peuple et ses valeurs culturelles : d'hier à aujourd'hui

(Sociétés et cultures de l'Asie)
Text in French and English.

ISBN 2-7606-1785-8

1. Korea—Civilization. 2. Korea. 3. Koreans. 4. Koreans—Foreign countries. I. Yim, Seong-Sook. II. Series.

DS904.C67 2000   951.9   C00-941382-0E

Couverture: *Heavenly Horse* (National Museum of Korea, Seoul).

Dépôt légal 3e trimestre 2000
Bibliothèque nationale du Québec
© Les Presses de l'Université de Montréal, 2000

Les Presses de l'Université de Montréal remercient le Conseil des Arts du Canada, la Société de développement des entreprises culturelles du Québec (SODEC) et le ministère du Patrimoine canadien du soutien qui leur est accordé dans le cadre du Programme d'aide au développement de l'industrie de l'édition.

L'éditeur remercie également la Korea Foundation qui a accordé une subvention pour la publication de cet ouvrage.

IMPRIMÉ AU CANADA

TABLE

INTRODUCTION

Il est généralement admis que les habitudes alimentaires, la tradition culinaire et le service à table forment une partie importante de la culture d'un peuple. Or, on peut remarquer de petites différences dans la façon dont on sert un repas en Occident, en Chine et en Corée. Ainsi, en Occident, le repas est composé d'un certain nombre de services séquentiels : on sert les aliments l'un après l'autre et une chose à la fois, allant de la soupe jusqu'au café ou thé, en passant par les hors-d'œuvre, le plat principal et le dessert. Tandis que dans la tradition chinoise, si un bon repas doit également être composé de plusieurs services séquentiels, chaque service se doit de comporter un certain nombre de plats. En revanche, lors d'un repas coréen, on sert tout à la fois, petits plats de légumes piquants ou autrement marinés, plats principaux, soupe, riz... tout est mis sur la table en même temps.

C'est précisément à la manière d'un repas coréen que nous avons choisi de servir à nos lecteurs le contenu du présent ouvrage consacré à la culture du peuple coréen, c'est-à-dire un peu de tout et tout à la fois : douze articles sur ce peuple, ses valeurs culturelles, son histoire, sa littérature, son économie, son architecture, ses mouvements populaires, son immigration, etc.

Les Coréens habitent principalement, et depuis plus de dix mille ans, sur le territoire de la péninsule coréenne qui couvre une superficie de 220 000 km², péninsule actuellement divisée entre la Corée du Sud (99 392 km²) et la Corée du Nord (120 538 km²). La Corée du Sud, appelée officiellement « République de la Corée 대한민국 », compte présentement 46 860 000 habitants, ce qui donne une densité de 471,5 habitants au km², soit la deuxième plus forte au monde après le Bangladesh, qui compte 810 habitants au km². À titre comparatif, le Canada a une densité de 3 habitants au km², le Québec de 4,5, la France de 103 et le Japon de 333. La Corée du Nord, appelée officiellement « République populaire de Chosŏn 조선인민공화국 », a une population de 23 066 573 habitants, soit un tiers de la population coréenne totale, avec une densité de 191 habitants au km². Le peuple coréen constitue néanmoins une ethnie homogène qui possède sa langue, son écriture et sa source lointaine de culture.

Dans son article, Yoo Junghwan se propose de nous décrire le fondement et la structure des croyances populaires et religieuses mise en place depuis l'époque des Trois Royaumes, soit les royaumes Koguryŏ 고구려/高句麗 (37 av. J.-C.-668), Silla 신라/新羅 (57 av. J.-C.-676) et Paekche 백제/百濟 (18 av. J.-C.-660). C'est une époque cruciale dans le façonnement de la Corée telle qu'on la connaît aujourd'hui. L'auteur met l'accent sur les quatre grandes traditions spirituelles, à savoir le chamanisme, le bouddhisme, le taoïsme et le confucianisme. Ces traditions occupent une place importante dans la vie quotidienne des Coréens, bien qu'aujourd'hui, un tiers de la population se déclare aussi temps d'allégeance chrétienne. La mentalité coréenne est profondément imprégnée de la pensée confucéenne, laquelle pensée a même été instituée comme fondement politique durant la dynastie Chosŏn 조선/朝鮮 (1392–1910). Parmi les valeurs culturelles auxquelles la population coréenne se sent encore fortement attachée aujourd'hui, on peut mentionner la piété filiale, l'obéissance et la loyauté aux supérieurs, aux autorités et à la patrie, le respect envers les personnes âgées, la distinction des rôles entre l'homme et la femme, la conscience aiguë d'autrui et le sens de la collectivité, la politesse formelle selon les statuts socio-hiérarchiques ainsi que le sens de l'amitié (basé sur les sentiments de justice, d'aménité et de camaraderie, c'est l'équivalent de *yiqi* 義氣 en chinois).

Les Coréens ont également une longue tradition de rapprochement à la nature pour méditer et pour parvenir au sens profond de la vie et ce, sous l'influence de la pensée taoïste. Cette pratique a donné lieu à une quantité de textes littéraires classiques, des textes poétiques notamment. À ce propos, nos lecteurs pourront apprécier l'étude de cas fournie par Lee Sung-Il, qui, par le biais de la traduction, tente de faire sentir toutes les finesses d'un morceau de prose classique, *Kwandong-pyŏlgok* 관동별곡. Les passages d'une telle prose sont composés en respectant un certain nombre de règles concernant le rythme, l'enchaînement, l'harmonie sonore des mots, etc. Il va sans dire que leur traduction est particulièrement difficile, en raison de cette complexité structurelle mais, aussi, en raison de la distance culturelle qui sépare le coréen du langage poétique occidental.

Comme il s'agit d'un livre consacré à un peuple riche d'une civilisation millénaire, il serait inconcevable de ne pas inclure des articles qui traitent spécifiquement de sujets historiques; mais il est tout aussi inconcevable de vouloir traiter de toute l'histoire. Nous nous proposons plutôt d'offrir à nos lecteurs trois articles portant sur des périodes bien délimitées.

Entre autres centres d'intérêt, Li Ogg s'intéresse depuis longtemps à la question de la situation démographique à l'époque des Trois Royaumes. Dans son article, l'historien cherche à évaluer avec précision la population de Koguryŏ au moment de sa disparition au VIIᵉ siècle et ce, en analysant rigoureusement plusieurs sources historiques chinoises et coréennes. Ce souci de précision est d'autant plus pertinent que les documents historiques ont souvent tendance à amplifier l'importance démographique du royaume Koguryŏ dont le territoire s'étendait, vers la fin du Vᵉ siècle, jusqu'à Nongan 農安 au nord, au cœur de la Mandchourie et, au sud, jusqu'à la province de Ch'ungch'ŏng du Sud 충청남도et du fleuve Liaohe 遼河 situé à l'ouest à la Mer de l'Est 東海 (ou Mer du Japon). Toutefois, la population totale du royaume Koguryŏ au VIIᵉ siècle ne comptait vraisemblablement que 900 000 à 1 000 000 d'habitants, conclut Li Ogg au terme de son examen des sources.

Dans son étude historiographique, Alain Delissen analyse la manière dont les Coréens du Sud abordent l'histoire de la période de la colonisation japonaise. Au lieu de constituer une simple mémoire des faits du passé, l'histoire y semble remplir plutôt une fonction socio-politique, dans un contexte post-colonial, au service du nationalisme extrême en général et du sentiment anti-japonais en particulier. Si elle était jadis marquée par un silence volontaire sur cette période sombre, cette histoire est depuis un certain temps remise en question et ravivée, sous une forme plus démocratique, comme si l'on voulait délivrer la nation des vestiges de la colonisation impérialiste japonaise.

Le rapport de Heo Man-Ho concerne un autre aspect sombre de l'histoire de la Corée et dévoile une séquelle douloureuse de la guerre de Corée : le sort tragique des prisonniers de guerre sud-coréens toujours retenus en Corée du Nord à l'heure actuelle, et ce, en complète violation des Conventions internationales en la matière. Ce véritable cri du cœur et les interpellations que l'auteur lance à l'attention des gouvernements des deux Corées ont une pertinence d'autant plus actuelle que ceux-ci, lors de leur sommet historique en juin dernier, ont franchi ensemble un premier pas vers la normalisation des relations inter-coréennes, voire même vers une réunification pacifique.

La culture coréenne, qui puise dans des sources millénaires, se reflète non seulement dans la littérature et dans les relations interpersonnelles, mais influence également la vie économique du pays. Il est notoire qu'après la guerre de Corée, la Corée du Sud a connu un essor économique des plus spectaculaires sur la scène mondiale pour devenir un des quatre dragons de l'Asie. Cette réalisation s'appuie sur un modèle d'organisation et de développement sous-tendu par un fondement culturel qui, hélas, comme toute médaille, possède aussi son revers. On a pu le constater lors de la crise financière de l'Asie qui a frappé lourdement la Corée du Sud en décembre 1997.

L'article de Yang Tae-Kyu est consacré à une analyse de certains aspects de ce modèle à la lumière des leçons qu'il tire de cette crise. Le style de gestion coréen, de tradition confucéenne, a favorisé les relations de travail paternalistes et loyalistes dans les entreprises et l'interventionnisme d'État a encouragé l'émergence des grands conglomérats coréens, les *chaebol* 재벌, dont la performance a permis de propulser l'économie coréenne jusqu'au onzième rang mondial. Toutefois, le lien étroit entre le gouvernement et les conglomérats a encouragé des pratiques irrégulières et a diminué la compétitivité, d'où la nécessité de restructurer l'économie coréenne de manière à créer, à la place du style confucéen de gestion, une nouvelle forme susceptible de rendre les entreprises coréennes plus compétitives sur le marché international.

De son côté, Geneviève Marchini examine en détail l'origine de la crise et décrit le processus de restructuration dans le secteur bancaire. Plus spécifiquement, elle se propose d'analyser et d'évaluer les mesures de réforme financière et bancaire adoptées par le gouvernement coréen au début des années 80, et celles instaurées en 1998 à la demande du Fonds monétaire international.

La culture coréenne comporte aussi un aspect évolutif qui se révèle dans l'architecture, le mode de vie, l'organisation sociale et dans les mouvements populaires notamment. Sous cet angle, Robert Fouser nous découvre la transformation de la culture rurale coréenne à travers la modernisation de l'architecture commerciale et de la planification urbaine actuelles en Corée. L'émergence d'une culture urbaine en pleine effervescence, conséquence inévitable du progrès économique rapide que connaît la Corée depuis les années 60, offre un frappant contraste avec le tableau poétique et imaginaire que projettent les proses classiques. Surtout, l'urbanisation de Séoul, capitale de 13 millions d'habitants sur une superficie relativement limitée, a apporté non seulement un grand changement au style de vie, mais aussi a encouragé la prolifération d'une architecture occidentale et commerciale à multi-étages appelée « architecture modifiable ». C'est une invention conjointe des commerçants, architectes et constructeurs afin de faire face au problème du manque d'espace et à la forte concurrence du marché intérieur dans la société de consommation coréenne. L'« architecture modifiable » satisfait ainsi aux besoins commerciaux; de plus, elle est économique, attrayante et transformable selon les besoins des différents types de commerces. Cette architecture, essentiellement post-moderne par nature, reflète le rythme de vie dynamique de la société coréenne contemporaine.

Parallèlement au progrès économique, la Corée du Sud a connu un progrès en termes de démocratisation et ce, grâce aux mouvements populaires. Dès les années 60, les Sud-Coréens, notamment les étudiants, ont organisé de nombreux mouvements populaires pro-démocratiques, ce qui fait qu'aujourd'hui non seulement la Corée du Sud jouit d'un système politique démocratique stable, mais en plus, ce changement dans les mœurs politiques permet au peuple sud-coréen de déplacer désormais son attention vers d'autres types de problèmes, en particulier ceux liés à l'environnement. L'article de Lee Su-Hoon retrace brièvement l'historique des mouvements populaires en Corée du Sud, pour ensuite décrire les mouvements actuels à caractère environnementaliste.

Au cours de son histoire, la Corée a connu plusieurs vagues d'émigration. Selon diverses sources, la population actuelle de la diaspora coréenne compte environ cinq millions de personnes, réparties essentiellement en Chine, au Japon, en Amérique du Nord et en Russie.

Dans son article consacré aux immigrants coréens au Mexique, Alfredo Romero-Castilla a tenté de rassembler les rares documents et récits pour retracer l'arrivée des premiers immigrants coréens au Mexique, plus précisément ceux débarqués au Yucatan vers le début du XXᵉ siècle, en tant que « *indentured labourers* ». L'étude des immigrants coréens, au Mexique comme ailleurs, a été négligée ou éclipsée par celle des immigrants japonais et chinois, ceux-ci étant en nombre de beaucoup supérieur. Selon l'auteur, bien des aspects historiques et sociaux relatifs à l'histoire de l'installation et de l'intégration des immigrants coréens au Mexique gagnent à être étudiés; toutefois cette histoire reste encore à écrire. Aussi le tableau qui nous est présenté ici revêt-il une importance particulière en raison de son caractère pionnier.

Le compte rendu de Seong-Sook Yim au sujet de l'utilisation des médias ethniques versus les médias dominants par les immigrants coréens de Montréal est basé sur une enquête de grande envergure menée par l'auteur autour de la problématique de l'intégration des immigrants coréens au Québec et vise à dégager les motivations et les attitudes des immigrants de différents groupes sociaux à propos du rôle, de l'importance, du contenu et de la qualité des médias ethniques. Ces médias ethniques sont comparés avec les médias dominants quant à leur influence sur l'intégration des immigrants à la société d'accueil. De façon générale, l'intégration d'une ethnie minoritaire à la société dominante soutenue par un groupe ethnique majoritaire suppose toujours un processus de communication interculturelle où les deux parties sont en constant processus de négociation et où le récepteur comme l'émetteur de messages peuvent jouer un rôle actif dans la détermination de la signification de la communication.

Dans ce sens, l'analyse de Bernard Olivier, qui a étudié comment les Coréens de Chine « jouent la carte ethnique » dans leur rapport avec le gouvernement central chinois, peut illustrer, en quelque sorte, un tel processus d'interaction. En effet, dans le cas de ces Chinois d'origine coréenne vivant dans le nord-est de la Chine, faire valoir à bon escient la carte ethnique constitue, pour les membres de cette ethnie minoritaire, un moyen efficace pour à la fois satisfaire aux exigences politiques, culturelles et commerciales de la société dominante et protéger ses propres intérêts.

La publication du présent ouvrage a lieu à un moment où la péninsule coréenne attire l'attention du monde entier en raison du succès du premier sommet entre les deux Corées. L'atmosphère de franche sincérité, également empreinte d'une émotion certaine, dans laquelle se sont déroulés les entretiens entre les deux chefs coréens, ainsi que les accords signés à l'issue de la rencontre laissent entrevoir une lueur d'espoir pour une normalisation des relations entre les deux Corées et, partant, pour une amélioration des chances pour une paix durable dans la péninsule coréenne. Si le présent volume permet à nos lecteurs de mieux saisir la signification et l'enjeu des événements en cours, notre but sera atteint.

Yim Seong-Sook

Births of a Citizen History?

DEMOCRATIC SOUTH KOREA COMING TO TERMS WITH ITS COLONIAL PAST

Alain Delissen

Japan plays a difficult role in the contemporary historiography of South Korea commensurate with its historical responsibilities towards this nation. Accordingly, Korean nationalism has for a long time taught a writing of history that imposed a range of radical readings which pitted a guilty Japan against a victim, Korea. In this article, we examine a recent theme in South Korea historiography: relief of Japanese imperialism and the question of its elimination. Far from being a rehashing of old ideas, this theme instead demonstrates a noteworthy and unexpected revival. From the problem of collaboration to the material and institutional legacy, via social and cultural continuities, it assigns historiography as a citizen's duty, which is geared toward reunification. Displaying the relief of Japanese imperialism is to therefore dismantle the fundamental myths of South Korea and to ask South Koreans themselves to reflect upon their society— even its darker aspects— for its betterment. The fact that history is even written about outside the community of historians, illustrates the democratic zeal of the debates. While progress is still unclear, we might wonder if Japanese and American societies, both deeply involved in these questions, are equally active in this field.

> *Untouched resentments and failures are accumulating in the warehouses of South Korean History. No sooner are their doors opened that we can hear them closing up again.*
> Pak Wŏnsun 박원순, *Yŏksa-rŭl pa-ro sewŏya minjog-i sanda*
> 역사를 바로 세워야 민족이 산다 [Redressing History so that the Nation Can Live], 1996, p. 6.

THE SAME PHRASE is being repeated everywhere: "history is in crisis".[1] In the West, the same statement is readily dependent upon a largely epistemological approach. The explosion of research subjects, competition with other social sciences, and the multiplication of methodologies

1. See Gérard Noiriel, *Sur la "crise" de l'histoire*, Paris, Belin, 1996.

and schools of history all participate in a problematic which even goes as far as denying to the historic discipline the status of a type of knowledge. We rarely question other possible, doubtlessly more profound, reasons for this "crisis", reasons which call into question or overturn the social function of history and the role of the historian as mediator in relation to the past.

In effect, it is precisely the articulation of the historian with regards to public and social life (an articulation that has seen various forms and norms through the centuries), which has most recently suffered a series of displacements experienced as upheavals. Following the figure of the annalist of the State and dynasty, following the national herald utterly committed to the consolidation of the Modern Nation-State, a new role emerges. Henceforth, the historian will have to account for heterogeneous nation-societies, highly mobile and inter-dependent. The historian must also be accountable to our societies. The causes for this metamorphosis are numerous. They participate in the changing regime of historicity (the post-modern condition and the collapse of 19th century historicism), the globalization of exchange that relegates the primacy of national reference to an accessory department and, finally, a democratization wave involving a relationship to the past that willingly bypasses the imposed mediation of the historian (the memorialization, the judicialization and the commercialization of the past).

As evidenced by the vitality of its historical debates, South Korean society is far from unwilling to face such disturbing questions. An attempt will be made in this paper to further clarify and localize certain general features and operations of South Korean history. In this way, the specific context that makes up the recent departure from politically authoritarian regimes, the crisis of a development model and the enduring Korean national problem may explain the continued, sometimes disconcerting, particularities of South Korean historiography. Tightly intertwining the past and the present, as it usually does, modern history is particularly revealing in this regard, and colonial history even more so. I have chosen to start out from a debate that arose in the 1990s, which by itself had less to do with the historiography of Japanese colonization itself than with the traces or reliefs of this key period [*Ilche chanjae* 일제잔재] in present day South Korea. However an apparently hackneyed subject, it may contribute to shed light on some new functions of history in this country.

The Japanese colonial period and Korean history

Until recently, contemporary South Korean public culture was built upon two negative pillars. One pillar was shared with North Korea: an anti-Japanism. The other was held in opposition to North Korea: anti-communism. When it came to concern itself with relations with the world at large, South Korea indulged in concentrating on the role played within itself by Japan, whereas North Korea added another anti-American dimension.

To frame its general perception of the 20th century, South Korea had then to resort to two parallel devices. For a long time, one sought to minimize, dissimulate, or simply ignore the problem of American occupation, while the other sought, in a significant way, to affirm the principle of a complete rupture between the colonial period and the new republic. In such a construction, the formal Japanese colonization of the peninsula (1905–1945) was viewed as a sort of parenthesis otherwise empty of anything really meaningful to national history. Consequently, the task of history (here, the ordinary social construction of a relationship to the past) consisted in simply re-establishing a continuity between the present and the pre-colonial period and in erasing, as non-existent, the colonial period itself. That which is avoided need not be historicized. At least this is what drove the popular, non-historian, consciousness of national history.[2]

Nevertheless, scholarly writing about history could not similarly pass over in total silence the dark period represented by the first half of the twentieth century. It demanded the assurance of a connection between the past and the future and the re-establishment of a certain continuity. The State itself, endowed with a monopoly on educational programs, also took great interest in this period. In order to do this, the dominant historiography concerning the colonial period and its pedagogy have, for a long time, performed a series of reductions: from the history of Koreans to the history of Korea, from national history to the history of nationalism, and from the history of nationalism to the glorious history of the independence movement [tongnip undong 독립운동]. Until 1997 for example, in history textbooks written for junior high schools, there was not one chapter concerning the colonial period in general. The only theme taken up at length concerned the independence movement and its great

---

2. See Alain Delissen, "The Aesthetic Pasts of Space: Konggan, Han'gug-ŭi kŏt and Lieux de mémoire", In Identity Through History, Wells, Walraven, De Ceuster (eds.), forthcoming.

events and heroes.[3] Whereas historical research findings have profoundly changed the way history was taught to young Koreans with regards to more ancient periods, modern history remained largely static. Putting stress on the sole movement for independence created a certain resonance in contemporary South Korean society, a resonance for founding myths of the republic and the nation: the historical legitimacy of political elites and the modern Korean nation [*Han'guk* 한국] originating out of the anti-Japanese struggle.

And to this picture, as coarse as it is indispensable, we can also briefly add that colonial historiography tended to function according to an interpretive grid based upon convenient and heavy-handed dichotomies, which could also be found in more sophisticated high school textbooks. The binary pair of Japan/Korea corresponded to the implicit pairs of victimizer/victim or guilty/innocent, which in turn affected both societies on the whole. Such dichotomies served as guides to interpretative attempts and accounts that lead to forced categories without halftones. For example, economic exploitation was placed in opposition to development (notions that proceed not so much from different points of view than from very different temporal scales) or the resistance of a whole people in opposition to an ultra-minority of "collaborators". In brief, even the best and most influential historians of contemporary Korea, such as Sin Yongha[4] or Kang Man'gil[5] promoted a nationalist perspective of national history, willingly proclaiming and making claims for such a perspective.

How can we understand the quasi-monopoly of a nationalist, almost nationalitarian, point of view— surprising to those who are starting out in Korean studies— in the most recent South Korean historiography? Scholarly writing about history plays a compensatory role here. It accompanies and supports the construction of the Modern Nation-State while at the same time being haunted by a century and a half of failures and dramas. If epic posture and the hagiographical grand style are the most well distributed things in the world, most contemporary historians often correspond to a formula which, if not completely a thing of the

---

3. Kyoyukpu 교육부 [Minister of Education], *Kuksa* 국사 [The National History], vol. 2, 1996, p. 125–184.

4. See Shin Yongha, *Formation and Development of Modern Korean nationalism*, Seoul, Dae Kwang Munhwasa, 1987.

5. See Kang Man'gil, *Koch'yŏssin Han'guk (kŭn) hyŏndaesa* 고쳐쓴 한국 (근)현대사 [The Contemporary History of Korea Rewritten], Seoul, Ch'angjak-kwa pip'yŏng 창작과 비평, 2 vol., 1994.

past, it is at least an already-surpassed and outmoded form. The act of confronting the traumas experienced on the road of modern history in South Korea, the recurring problems of the present and a certain incomplete future, "justify" a historiographic positioning which places the subject "nation" at the heart of its own narrative. In effect, the national duty of the historian is not limited to bearing witness to a belated, failed, or recalcitrant modernization in which, from the mid-nineteenth century onwards, an old nation was slowly broken down in the face of imperialism and colonization. The nation should, above all, situate its point of accomplishment in the future and the urgency of national reunification. The national division of the last fifty years and the social, economic and even cultural divergence between the two Koreas, constitutes a major obsession.[6] This is what South Korean historians call the "time of division [*pundan sidae* 분단시대]", which could be translated as the "horizon of division".

Therefore, sensitive and emotional, contemporary nationalism in South Korea is far from being the expression of a youthful crisis characteristic of an emerging power ill at ease with its position in the background. Understanding its political expression and interpreting its forms and meanings, with respect to the dominant models of analysis of nationalism, implies the formation of ancient pre-modern constructions of the Korean nation, integrating these constructions with the colonial and post-colonial problematic,[7] posing questions which a long-lasting division raises in this period of globalization and cultural nationalism. *Where does one situate the nationalism of an old nation and a new country?* The Korean case is not so common. Thus, care should be taken, when an attempt is made to come to terms with South Korean historiography, so as not to place it in the convenient and comfortable position of post-nationalist historiographies that associate all expressions of nationalism with an insupportable archaism. Confronting the traumas of the past and present, the Korean historian knows no comfort. His nation is his comfort.

---

6. Henry H. EM. "'Overcoming Korea's Division: Narrative Strategies in Recent South Korean Historiography", *Positions*, vol. 1, n° 2, Fall 1993, p. 450–485.

7. To be more precise, analyses of post-colonial nationalism ordinarily concern political groups stemming from decolonization, which were not in existence before colonization. This is not the case with Korea, whose nationalism nevertheless proceeds from the post-colonial situation. Korean nationalism proceeds from a very particular type of colonialism (i.e., that of Japan), which has, until the present, resisted being integrated into the general morphologies of colonialism.

Ilche chanjae: the stifling weight of the past

In this context, history is ascribed with a special function and meaning as a result of the complex forms and urgencies of Korean nationalism. South Korea attempted to establish its legitimacy on the idea of a complete rupture with the colonial period while putting stress on the national independence movement, the sole legitimate and legitimating historical continuity. This is why the so-called "reliefs of Japanese imperialism [*Ilche chanjae* 일제잔재]" could not be so simply conceived as unavoidable residues of historical inertia, already moribund and soon to be extinct.

This theme and expression are not new in the social or scholarly landscape of the South Korean historical consciousness. Nowadays, however, another approach imposes itself. An active craftiness and insidiousness, stemming from four decades of colonialism, would possibly continue to influence a whole society and help to explain a number of its contemporary problems. In Korean, the word *chanjae* 잔재is far from neutral. It does not simply refer to residues, but to a heritage stamped with a negative seal. It is possible to recall that, with regards to its semantic resonance, the Japanese colonial period is at times associated, in the "official history [*Han'guksa* 한국사]" for example, with the term for the "Dark Times [*amhŭk sidae* 암흑시대]" of national destiny. This expression derives its meaning in a structural contrast which opposes darkness to light— the liberation of Korea being referred to with the term "restoration of light [*kwangbok* 광복]"— the dirty or impure with the clear and pure [*kkaekkŭthada* 깨끗하다].

Therefore, we have a right to question the remarkable return of the problem of *Ilche chanjae* in the 90s. Does it reveal an eternal return to post-colonial disputes between Korea and Japan, disputes that will finally provoke a liquidation [*ch'ŏngsan* 청산] so that history may advance? Or does it presage something else? One example already opens up new perspectives on this problem. When, at the beginning of his mandate (1993–1997), President Kim Young Sam made the decision to demolish the monumental building in the heart of Seoul which had been the seat of the Japanese colonial government, his action could have been interpreted as the physical suppression of a cumbersome symbol. Nevertheless, although the powers that be were able to bank on the nationalist dividends of his decision, this purification of the landscape certainly opened up public debate in which the stakes largely overwhelmed the sole post-colonial logic of identity. In effect, a certain number of major colonial buildings remain standing in Seoul (the central station, bank and city hall) and will probably remain standing as long as their relative functionality and land pressure will allow. The city has urban rationales which the national rationale does not know. In the actual, by demolishing the Capitol, the new democracy of South Korea was not merely getting rid of a vestige of colonialism, it also represented the obliteration of five decades of Korean authoritarian and military power. Having other more pressing matters than the symbolic management of architecture, they had simply installed themselves in the abandoned buildings of the Japanese occupation. Symbol of a double entendre, this colonial relic, designated therefore a *principle of covert continuity* between the Japanese period and the history of South Korea (military authoritarianism). The demolition of this building signalled the decomposition of post-war founding myths born under the sign of a supposed rupture between these two episodes.

The debate around the *Ilche chanjae* is largely revealing, therefore, of the emergence of a new historic consciousness in South Korea engaging the relations between the State and civil society, and summons the historian to bind himself to new tasks. An attempt will be made to decode this turning point down to its ambivalence, traversing objects which do not necessarily proceed from a material heritage. Certain historic events in the country (the superficial purge of 1948), certain psychological traits (linguistic contamination), certain institutions and their names (The Committee for the Compilation of National History [*kuksa p'yŏnch'an wiwŏnhoe* 국사편찬위원회]) and even primary schools [*kukmin hakgyo* 국민학교] are subject to re-examination these days. What is remarkable, and I'll return to this, is the fact that these endeavors are being carried out beyond or alongside the milieu of professional historians. Hence the ambiguities of a "liquidation" which comes forward at times— but not always— beneath the disquieting veils of a veritable national purification.

Purifying the past: Japanese collaboration and its purges

Taking up the post-colonial work, it seemed necessary to return to what lead up to the national division. Japan wasn't *directly* responsible and the Korean war period (1950–1953) couldn't simply be described as a pure ideological confrontation involving, within and in spite of Korea, the great rival powers. Korean society was not the passive spectator of this murderous conflict; rather, Korean society was an active participant in an actual civil war, a painful idea which took decades to win over the historic consciousness of South Koreans. Japanese colonization then became *indirectly* responsible for having been the first cause of national division. Not only had the mode of colonial development on the peninsula caused the appearance of an industrial and working North Korea facing a South Korea more distinguished by the socio-economic domination of Korean large landowners, but it was especially this period which succeeded in profoundly dividing the nation against itself. Set against the suffering society of landless peasants and exploited workers[8] was the relatively privileged world of certain Korean elites, *nolens volens* engaged in colonization. Indeed, this compromise with the colonial enterprise was able to last several decades, from the political period referred to as one of the "cultural politic [*munhwa chŏngch'i* 문화정치]" of the 20s to the even more terrible period of assimilation in the 30s and 40s [*naesŏn ilch'e tonghwa* 내선일체동화] and forced imperialization [*hwangminhwa* 황민화].

The question of pro-Japanese collaboration, when it was not swept under the carpet, used to be regarded as negligible by dominant historiography. Therefore, the scandal of a largely buried reality was assigned to the unbelieving historian respectful of the national truth as the task of returning to the stigmata of a visibly failed post-war purge [*sukch'ŏng* 숙청]. The work of an independent historian, Im Chongguk, was pioneering and upsetting in its hunt for false heroes, old collaborators who became "nationalists of the first hour" at the moment when Yi Sŭng Man and the occupying Americans were looking to seat their power through a sleight of hand.[9] If denied, collaboration is a relief of Japanese imperialism which would be possible to liquidate by simply re-establishing the historical truth. With regards to this task, according to modes of distanciation not without a certain resemblance to the historiography of Vichy, France, American historians of Korea have also not played a negligible role. Bruce Cumings succeeded in monumentally underlining the role played by the collaboration in the genesis of the Korean civil war and brought forth evidence for internal forces which lead to national division.[10] Carter Eckert has shown how, with the colonial birth of a Korean chaebŏl, inevitable economic collaboration could have been disguised as nationalism by the enterprises— and their historians— in the post-war period.[11]

---

8. See Kang Man'gil, *Ilche sidae pinmin saenghwalsa yŏn'gu* 일제시대 빈민생활사 연구[Everyday Life of the Poor during the Colonial Period], Seoul, Ch'angjaksa, 1987.

9. Amongst the ten books he has devoted to this subject, see Chongguk Im, *Ilche ch'imnyak-kwa ch'inilp'a* 일제침력과 친일파 [The Japanese Invasion of Korea and the Pro-Japanese Faction], Seoul, Chŏngsa, 1982.

10. Bruce Cumings, *The Origins of the Korean War*, vol. 1, 1981; and vol. 2, 1990, Princeton, Princeton University Press.

11. Carter Eckert, *Offspring of Empire, The Koch'ang Kims and the Origins of Korean Capitalism*, Seattle, University of Washington Press, 1991.

Therefore, the idea of a purge is set out, a purge which could never be carried out. A quick comparison between the Korean case after 40 years of colonial occupation and the French case after five years of Nazi occupation may be helpful here. The South Korean law for "the punishment of crimes against the nation" [*pan minjok haengwi ch'ŏbŏl pŏp* 반민족행위 처벌법], voted-in in September 1948, gave birth to a special committee of the same name that sat until August 1949.[12] This committee investigated 682 files (320,000 in France), called 38 people before the judges (120,000 in France) and condemned 7 (1,500 executions in the "official" French purges[13]) before finally being given amnesty.

We now know the international and national contexts in which this purge took place. Beyond the parallels that present themselves with the preceding Tokyo trial and the birth of two Koreas in the summer of 1948, the same calculations produced the same results. In spite of their intense propaganda, both Rhee Syngman whose power was shaky and the occupying American army (USAMGIK) urgently needed political support which they had trouble finding in the population— as favorable to various strands of social reformism as it was exposed to a forceful army repression. And because they had chosen to maintain the administrative work force of the colonial period, they could only count on conservative elements in the Democratic Party [*Minjudang* 민주당] largely made up of old "collaborators". Therefore, the purge could only be symbolic, focusing on intellectual toadies who had been compromised but had by then become useless.[14]

Because of this past failure to punish collaborators, a delayed purge is happening today which takes the form of a historical manhunt which

12. From an unpublished document by Koen De Ceuster, "Liabilities of the Past. South Korea's Failure to Come to Terms with Collaboration" (AKSE, Conference, Stockholm, 1997).

13. Leaving to one side the problem of the savage purge. There are no data concerning this problem in Korea. The Korean War also doubtlessly became a substitute.

14. Han Sŭngjo, "Ch'inilp'a-ŭi sukch'ŏng, Namhan-essŏnŭn ottŏkhe ch'ŏridoeŏ wanna 친일파의 숙청, 남한에서는 어떻게 처리되었나 [How the Administration of the Purge of Collaborators in South Korea Came About]", *Chaengjŏm / Han'guk kŭn hyŏndaesa* 쟁점/한국 근현대사 [Contemporary Korean Historical Debates], Special Issue *"Ilche chanjae-nŭn ch'ŏngsandoeŏnnŭnka?* 일제잔재는 청산되었는가? [The Reliefs of Japanese Imperialism, Were They Truly Liquidated ?]", n° 2, June 1993, p. 25–42. See also Kim Namsik (p. 43–51) for North Korea. In the North, the nationalization of the modes of production (land and companies) could not at first play the same role as social purging.

dashes to pieces well (re)established reputations. This project for national purification poses immense problems, not without maintaining a common and unfortunate confusion concerning the "judgement of history [*yŏksa-ŭi simp'an* 역사의 심판]" which puts the Hegelian historian in the simultaneous positions of prosecutor, defense, judge and civil party. Above all, the accusation dispenses with all perspective and all definition of that which constitutes a fact of "collaboration" in a *lasting* colonial situation. The terminology used is vague when it does not proceed purely and simply from the effects of a quick labeling. The Korean language often retains the word *ch'inilp'a* 친일파for the "pro-Japanese faction". But this word itself had a very different historic meaning when it was used as a name to describe certain modernizing elites at the end of the 19th century or the partisans and heroes of imperialism in the 30s. Anachronism lies in waiting. The American historiography, which often ignores our useful distinction between collaborators and collaborationists, will not necessarily clarify a debate which is found rarely enough put in these terms in the general history of colonialism. Missing from the research/trial in progress are more subtle categories and another vocabulary. If the word *puyŏkcha* 부역자is starting to appear to express "criminal complicity", we can only regret that the problematic of strategies of accommodation [*t'ahyŏp* 타협] is still insufficient to describe a complex, long, and painful historical experience.

The actual return to the problem of collaboration is also interesting under a different heading. The field of this concept has taken an interesting turn by abandoning its sole focus on individuals to evaluate the case of institutions. One example of this could be the prominence given to forms of "collaboration Buddhism".[15] Elsewhere, it's the manner in which South Korean institutions (administrative, regulative) have incorporated the colonial heritage which is questioned.[16] In such cases, the point is not to redress a false representation or a bad memory of a dead past, but to mark out, in order to eliminate, the reliefs of Japanese

15. Im Hyebong, "Pulgyogye-ŭi Ilche chanjae 불교계의 일재잔재 [The Reliefs of Japanese Imperialism in the Buddhist World]", In *Ilche chanjae 19 kaji* 일제잔재 19가지 [19 types of Reliefs of Imperialism], Seoul, Karam kihock, 1994, p. 257–269.

16. See for example An Taejŭng, "Ilche-ŭi sanggongŏp chŏngch'aek-kwa kŭ ch'ŏngsan 일제의 상공업정책과 그청산 [The Agricultural and Industrial Politics of Colonization and the Liquidation of these Reliefs]"; or Kang Hundŏk, "*Ilche-ŭi sahoe chŏngch'aek-gwa kŭ chanjae ch'ŏngsan* 일제의 사회 정책과 그 잔재청산 [The Colonial Social Politics and the Liquidation of these Reliefs]", *Chaengjŏm/Han'guk kŭn hyŏndaesa*, n° 2, June 1993, respectively p. 52–72 and 98–114.

imperialism which would still be powerfully and perniciously active in the present.

Purifying the present: the new life of *Ilche chanjae*

The 90s debate surrounding the liquidation of the reliefs of Japanese imperialism is no longer linked to chasing-down a few dead and scattered remainders with no stake in the present. Once pointed out, the false rupture in the founding of the Republic of Korea comes the inventory of a true heritage, all the more pernicious as it is unconscious, because repressed. This is what justifies the sub-title of a *Mook* 묵[17] published in 1994: *The Reliefs of Japanese Imperialism We've Been Nursing Inside Us for Half a Century*.[18] In this newer perspective, a group of hidden continuities between the two periods needs to be exhumed. Re-reading the biography of Pak Chung Hee (1917–1979), "father" of modern South Korea, implies other questions than his possible "collaboration" in the past, at the Manchurian military academy. He was, indeed, a president deeply marked by his colonial education and by the effective, if not democratic, models of political, economic, and social management he learnt from it. It is then no surprise that, in the 1970s, he imposed his dictatorial *Yusin* 유신/ *Ishin* 維新 constitution while launching the "new village movement [*sae maŭl undong* 새마을운동/ *atarashii mura undo*]": while he displayed an exterior of respectable anti-Japanism, the words, institutions, and practices of the Meiji guided his politics. The length of time of colonization had created affinities with the Japanese "model", and this cultural heritage would largely explain the difficulties and sufferings endured by South Korean society since the end of the war.

The heritage inventoried in the *Mook* is multiform. It brings together material vestiges (the iron nails planted in the soil to block geomantic energy[19]), signs (altered place names[20] and patronymics), art forms (architecture, music,[21] the fine-arts), institutional (law, economic life,

17. *Mook* 묵, an umbrella term for book and magazine, designating a semi-scholarly, semi-popular type of publication.

18. It's my emphasis. Textually, Pansegi-rŭl pojonhaeon uri sog-e ch'inil chanjae 반세기를 보존해 온 우리속에 친일잔재.

19. Sŏ Kilsu, "*Ilche-ŭi p'ungsu ch'imnyaksa* 일제의 풍수침략사 [The Colonial History of Aggressions Against the P'ungsu]", In *Ilche chanjae 19 kaji*, 1994, p. 144–167.

20. Pae Uri, "*Chitpalp'in uri ttang irŭm* 짓밟힌 우리땅 이름 [Our Trampled-on Place Names]", In *Ibid.*, p. 90–109.

21. No Tongŭn, "*Kulchŏldoen ŭmagin-ŭi hŏwi ŭsik* 굴절된 음악인의 허위의식

pedagogical institutions) or academic domains (history,[22] scientific organization), modern prostitution,[23] deformed vernacular customs or, in the end, a contaminated language. It is important to note as well, and this is an essential point, that among seventeen authors, only six belong to a university. The other contributors are independent researchers attached to scholarly societies, foundations, or civic associations. Therefore, it's difficult to demand an *a priori* unified approach and methods with respect to each problem posed.

For example, for Yi Odŏk, a children's author, the objective is to show aspects of enduring and unconscious Japanese influence.[24] He chooses to show how the Korean language had been affected by colonization. His remarks are first of all concerned with the lexicon: where a word in pure Korean had already existed before, colonization would have imposed the frequent usage and circulation of Chinese ideograms. Thus, *ŏnŏ* 언어/ *gengo* 言語would have been wrongly injected in the Korean vocabulary in place of *mal* [a word]. However, what he calls "linguistic pollution"[25] has also touched upon deeper layers of language, affecting its syntax, its genius, and its order [*chilsŏ* 질서]. The multiplication of logical conjunctions, the accumulation of useless enclitics, the abuse of the particle *ŭi* 의 on basis of the model of the Japanese *no* の and, above all, the abandonment of verbal for nominal forms,[26] would be way beyond the undeniable linguistic affinity linking both languages. Subverting the national language would lead a whole people, little by little, to think in Japanese with a Korean exterior. By way of liquidation, the author reminds each reader of his/her responsibility as a speaker and encourages him or her to find the "natural" manner of good Korean. This is the

[The False Consciousness of Our Delinquent Musicians]", In *Ibid.*, p. 168–181.

22. Kim Sunsŏk, *"Sahakgye-ŭi ilche chanjae* 사학계의 일제 잔재 [The Reliefs of Japanese Imperialism in Historiography]", In *Ibid.*, p. 223–236.

23. Yang T'aejin, *"Ilche sidae-ŭi maech'un, yugwak* 일제시대의 매춘유곽 [Prostitution and the Pleasure Quarters During the Colonial Period]", In *Ibid.*, p. 285–302.

24. Yi Odŏk, *"Uri kyore-ŭi ŏr-ŭl ppaesin Ilbon mal* 우리겨레의 얼을 뺏은 일본말 [The Japanese Language Affects the Soul of Our Country]", In *Ibid.*, p. 285–302.

25. *Ibid.*, p. 35.

26. Original Korean adverbs get thrown out (*t'ŭkhi* 특히 replaces *tŏguna* 더구나], improper enclitical sequences (*-e issŏsŏŭi* -에 있어서의), the invasion of logical conjunctions (*kŭraesŏ* 그래서, *kŭrŏna* 그러나, *etc.*). "Natural" Korean should avoid nominalization and say for example *mannanŭn kot* 만나는 곳 [the meeting place] instead of *mannan-ŭi kot* 만남의 곳 [the place of meeting].

position he adopts in the editing of his text in which almost all words originating in Chinese—comprising 60% of the actual lexicon—have disappeared, making the text anything but "natural" and a bit difficult to read.

In an article devoted to colonial historiography, a member of the Independence Movement Research Institute, Kim Sunsŏk, proceeds differently. He tends to show that post-war historians in South Korea, formed in the colonial mold, were incapable of establishing a truly national Korean historiography, and at the price of a superficial nationalist repair, they corroborated its distortions. To accomplish this, he researches the path taken by Yi Nŭnghwa (1863–1943), an influential historian of Korean religion who was, with Ch'oe Namsŏn (condemned in 1948 as a collaborator), Sin Sŏkho and Yi Pyŏngdo, one of the writers involved in the first outline of the famous book *History of Korea* [*Chosen shi* 朝鮮史[27]], published in 1938 by the general Government. Yi Nŭnghwa is a very complex scholar and his file is too thick to go into detail here. It is sufficient to remind the reader that he was representative of the compromises of the "cultural politics" period and his historiography was affected as a result. His historical writing is inscribed in a colonial analytical model drawing on three principles: the common origins of Korea and Japan [*Ilsŏntongjoron* 일선동조론], the heteronomy—the dependence upon China—of Korean history [*t'ayulsŏnron* 타율선론] and the stagnation of Korean civilization [*chŏngch'esŏnron* 정체선론]. Under colonization, Korea would have re-entered the ancestral fold, thereby regaining autonomy, homogeneity and greatness. This interpretive grid, with the added Buddhist biases of Yi Nŭnghwa, imprints a twist to national religious history. The myth of Tan'gun is explicitly subordinated to that of Amaterasu[28] while Shamanism is regarded through Buddhist glasses. Kim Sunsŏk, in a slightly insidious manner, goes even further. His article is accompanied by a photo of the actual Korean Committee for the Compilation of National History [*Kuksa p'yŏnch'an wiwŏnhoe* 국사편찬위원회] where, after 1945, Yi Pyŏngdo (another influential historian and collaborator of Yi Nŭnghwa) worked. The institutional continuities and sociological affiliations seem to affirm that the tendencies for historiographical "distortion" are always active in contemporary South Korean history.

27. A false heritage, he returned to colonial power to compile the traditional dynastic history [*t'ongsa*] which accompanies each new era.

28. Kim Sunsŏk, *op. cit.*, p. 223.

Han Sangbŏm, professor of law at Tongguk, is one of the few authors in the *Mook* with a position in a renowned university.[29] He isn't a historian, but his contribution evidences a clear interest in history. When dealing with the problem of collaboration, not only does he know how to mobilize a more subtle vocabulary and categories than his colleagues who are recognized historians, but to his benefit he has, above all, brought fundamental historical continuities to the fore. To characterize the dysfunction of the socio-political system or the deficiencies in South Korean legal culture, he re-established the genealogy of the fundamental principles in Korean law from the Yi dynasty to the present. Within this perspective, colonization merely constituted a moment of forced rationalization which would later develop its authoritarian form through the period of American military occupation. He also adds a generational sociology by noting that most Korean law professors in the post-war period were trained in Japanese universities during the authoritarian 30s, where the lessons of the liberal jurists of Taisho were forgotten. Political authoritarianism and the stifling weight of an all-powerful bureaucracy would not be, therefore, simply a colonial heritage, they would also bear relation to Korean realities marked by a Korean vocabulary *narannim* 나라님[father of the people] and *nari* 나리 [a reverent appellation given to magistrates under the Yi] which gives testimony to a long-enduring phenomenon. Hence potential trouble, if South Korea were to erase this heritage.

A desire for history: towards a citizen's history?

The return of *Ilche chanjae* 일제잔재 in the South Korean historical consciousness marks a turning point. To explain it, it seems difficult to ignore the active role played at the beginning of the 70s by the counter-culture referred to as *minjung* 민중 and its particular historiography.[30] On

29. Han Sungbŏm, *"Pŏph'akgye-ŭi ilche chanjae* 법학계의 일제잔재 [The Reliefs of Japanese Imperialism with the Jurists]", In *Ilche chanjae 19 kaji*, 1994, p. 110-127.

30. See Alain Delissen, "Démocratie et nationalisme: le moment *minjung* dans la Corée des années 80", In *Matériaux pour l'histoire de notre temps*, n° 45 spécial *Modèles d'Asie*, Gilles Baud-Berthier (ed.), Jan.–March 1997, p. 35-40. For a general introduction to the *minjung* movement, see Kenneth Wells (ed.), *South Korea's Minjung Movement. The Culture and Politics of Dissidence*, Honolulu, University of Hawaii Press, 1995. For an example of *minjung* historiography, see *Kuro yŏksa yŏn'guso* 구로역사연구소 [The Kuro Institute of History], *Paro po-nŭn uri yŏksa* 바로 보는 우리역사 [Our History in Revision], Seoul, Kŏrum, 1990, 2 vol. (NB: *Kuro* 구로 is an industrial quarter in Seoul.)

the whole, the participants in this debate are clearly marked by a leftist liberal consciousness. The scene of the 90s reveals heterogeneous mutations which all contribute to alter a hackneyed topic in new problematic. On the one hand, the victory of democracy in 1987, the struggle for human rights, the emergence of a civil society, the liberalization of cultural life and, on the other hand, the dismantling of the cold war system, the regionalization of commercial exchanges in East Asia and the repeated stalling of Japan in its own past, have greatly contributed to making this return of problems into more of an opportunity for a return to the Self than the repetition of a Japanophobic nationalism.

It is customary to identify the historiographical biases which mark the historic production of Marxist countries in order to reject certain interpretations. However, it is much rarer to evaluate the historical production of a country with no reverence for Marxism— indeed, a fiercely anti-Marxist country— which, nonetheless, brought about a "history under influence". It can be safely said that from Park Chung Hee to No T'ae Woo, the practice of history (and the social sciences in general) was not a free activity in South Korea. Prison, forced resignation, threats, censure and self-censure were the lot of a whole generation. Nowadays, the idea of a citizen's history— highlighting the actions of social players (citizens, civil society) by way of social knowledge— bears witness to the incredible changes that have occurred in Korea since 1987.

Thus, as has already partially been revealed, it is significant that the new writing about history is being carried out beyond the great university chairs as evidenced by the collective work of reflection and publication taken up by new institutions, such as the Institute for the Study of Historical Problems [*Yŏksa munje yŏn'guso* 역사문제연구소] created in 1986 under the leadership of Yi Ihwa, or the Historic Society of South Korea [*Han'guk yŏksa yŏn'guhoe* 한국역사연구회] created in 1987[31]. They somehow urged a refreshing aggiornamento in the older Korean Historic Society [*Han'guksa yŏn'guhoe* 한국사연구회] created in 1967. It is not without cause either that a number of contributors to the collective works and new journals, such as *Yŏksa pip'yŏng* 역사비평[Historical Critique], are women historians without a university position, or else they are from

31. Compare for example *Han'guk yŏksa yŏn'gu hoe* 한국역사연구회 (collective), *Uri-nŭn chinan 100 nyŏn tongan ŏttŏkae sarassŭlkka* 우리는 지난100년동안 어떻게 살았을까 [How We've Lived the Last Hundred Years], Seoul, Yŏksa pip'yŏngsa 역사비평사, 1998, 2 vol. and Yŏksa munje yŏn'guso 역사문제연구소 (collective), *Uri yŏksa-ŭi 7 kaji p'unggyŏng* 우리역사의 7가지 풍경 [Seven Social Landscapes of Korean History], Seoul, Yŏksa pip'yŏngsa, 1999.

provincial universities; indeed, some aren't even historians at all.[32] And linked to these publications, within a visibly lucrative editorial market are a number of publications, very often stimulating and new, which have been cleared off of any sign of academic engineering. This is visibly the price to pay for a mass history to exist in South Korea.[33]

Within this context, how meaningful can the idea of a "liquidation" of *Ilche chanjae* be? Contemporary South Korean society has not given up the Japanese prey and their original sin, but obviously desires to examine its own historical sins: how could the colonial heritage be incorporated and unceasingly reactivated? Pak Wŏnsun, a lawyer wearing the self-made suit of the historian, shows well the way in which the center of gravity gets displaced at the end of the 90s.[34] In a narrative that creates the image of a permanent failure, the writer points out that an actual liquidation of the past is in reality a task implying the *restitution* of the past, made necessary by a former liquidation (falsification) carried out by official Korean historians. Of course, his work refers to a colonial heritage, but it also leads towards the only question driving his battle: the establishment of the truth surrounding the Kwangju massacres in 1980 as the minimal principle of atonement [*paesang*] for the victims' families. His critique doesn't simply consider the unfulfilled promise of president Kim Young Sam to "provide justice, truth and law"[35] but may be understood in the closure of a historic period of South Korean history: the period of authoritarian modernization and official nationalism. And because the guilty and the victims must be named while history is still fresh, it is no longer Japan or the rest of the world who are the targets of the critiques; rather, in general, the targets are the South Korean elites, those who were compromised with the dictatorship, corruption, social regression and, most recently, the financial crisis.

---

32. See for example the intervention of the novelist Pak Wansŏ, in the book *Uri yŏksa-ŭi 7 kaji p'unggyŏng* [Seven Social Landscapes of Korean History], p. 330–339.

33. Where another expression may be found in the massive success of the historical novel.

34. Pak Wŏnsun, *Yŏksa-rŭl paro sewŏya minjog-i sanda. Han'guk hyŏndaesa-ŭi kwagŏ ch'ŏngsan yŏn'gu* 역사를 바로 세워야 민족이 산다. 한국현대사의 과거청산연구 [Redressing History so that the Nation Can Live. The Liquidation of the Past in Contemporary Korean History], Seoul, Han'gyore sinmunsa 한겨레신문사, 1996; and *Ajikto simp'an-ŭn kkŭtnaji anassta* 아직도 심판은 끝나지 않았다[The Judgement Hasn't Been Passed Yet], Seoul, Han'gyŏre sinmunsa, 1996. These two volumes are grouped together under the following title: *Pŏb-ŭro pon yŏksa pa-ro seugi* 법으로 본 역사 바로 세우기 [The revision of History form a Legal Point of View].

35. Cited in the page 4 of the first volume.

This position doesn't completely solve the problem of the liquidation of obsessions with the past. What can be done when they were so deeply buried? Is such a liquidation even desirable? The answer partly lies, of course, in the arena of political action, since what is implied is a series of reforms, promised by the new president Kim Dae Jung. An extreme position—tempting to wave like a flag—of purification and national exclusivity seems unlikely to succeed, because it could hardly be reconciled with dominant slogans for globalization [segyehwa 세계화]. What remains, then, is the examination of a national consciousness. In academia, this may be done by precisely dismantling the affiliations which permitted the continuity between the colonial period and the South Korean republics that followed. This is often the bias of professional historians. Within the more symbolic framework of a larger national historic consciousness, it could also be a matter of resolving a situation—through a shaman device of salp'uri 살풀이 or that of a psychoanalytic cure—in the simple act of making manifest through a liberating revelation. This is how the authors of the Mook referred to above ceaselessly waver between a miserable and a critical consciousness.

Conclusion

Contemporary South Korean society seems to wish us to understand its immediate past. As Pierre Nora has noted, in this way it is less a duty of memory—a fashionable expression, but often used without rhyme or reason—than a veritable desire of history that haunts our modern societies at the end of the twentieth century.[36]

The recovering of old place names, or the reform of administrative terminology (like the recent suppression of Kungmin hakkyo to designate primary schools) and, more importantly, the question of Ilche chanjae, have actually very little to do with the duty of memory. This desire of history even if it is not always clearly manifested, is no longer a desire for a national history [kuksa 국사], but the desire for a social knowledge of South Korean society by and for itself.

History should no longer recount the teleological narrative of a nation moving towards completion, or a modernization moving towards happiness. History seeks to become a citizen's history. The metaphorical expression "citizen's history" is without a doubt not itself deprived of the ambiguity of an era, when the framework—always national—of the

36. Pierre Nora, "Entre Mémoire et Histoire, la problématique des Lieux", In Les Lieux de mémoire, Pierre Nora (ed.), Paris, Gallimard/Quarto, 1997, vol. 1, p. 23-43.

political exercise of citizenry is itself upset by the massive reality of commercial exchange and trans-national cultures. A reality which, at any rate, signals our situation as historians.

From this angle, the South Korean willingness to liquidate the ghosts of the past is without a doubt positive and useful since it values the restitution of a lived and not a haunted past. Furthermore, this willingness is not without a certain ambivalence. We've seen the nationalist exclusionist form it was still susceptible of adopting. We've also discussed how in the actual context of South Korea, this form could be instrumented in the political and social field for a severe critique of elites and for the affirmation of a younger generation. We should at least consider it as a revealing experience that the *Ilche chanjae* and their liquidation have variously reconstructed the subjects of analysis and succeeded in the parallel decomposition of a number of fine and improbable founding national myths.

I wanted to speak of a turning point in South Korean historiography because new tendencies and new subjects are put forward— not so much relative to a method as to a meaning and social function of history— which haven't completely escaped from the nationalist straight-jacket where they took form. Recalling certain borderline cases could lead us to consider the situation as fragile and that a return to the nationalist cudgel is always possible.

I would have preferred to conclude on a more optimistic note. For a number of decades, South Korean "historiography" about North Korea unceasingly described a terrible and deceitful empire. We presently assist in the spectacular and serious reintegration of the North in the production and historical perspectives of the South. As if it was necessary to save the lives of the men and women behind the split facade of an absurd regime. Indeed, as if the reunification effort must begin with a more honest and virtuous history. It could be wagered that when the long-awaited day of reunification arrives, the question of the reliefs of Japanese (or American) imperialism will largely lose its meaning.

Séoul et le langage de l'architecture « modifiable »

Robert Fouser

Cet article est un survol de l'architecture commerciale et de la planification urbaine actuelles en Corée d'un point de vue postmoderne. La croissance économique rapide que connaît la Corée depuis les années 1960 donne lieu à une culture urbaine en effervescence au cœur d'une nation qui était auparavant essentiellement rurale. La croissance économique et l'urbanisation ont donné naissance à une architecture de type commercial qu'il me plaît d'appeler « architecture modifiable ». La taille limitée du marché intérieur coréen et les changements associés au style et aux types de consommation en Corée ont obligé les architectes et les constructeurs à créer une architecture à la fois facile à construire et attirante, sans imposer au propriétaire de lourds fardeaux financiers. L'architecture « modifiable » répond ainsi immédiatement aux besoins commerciaux, mais n'est pas construite pour « durer », comme c'est le cas dans de nombreuses autres parties du monde. C'est une architecture dynamique et divertissante, mais peu coûteuse et temporaire, essentiellement postmoderne par nature. Bien que l'article porte principalement sur l'architecture telle qu'elle était au milieu des années 1990, il traite également d'un grand nombre de tendances sociales et culturelles qui sont liées aux changements sociaux que vit la Corée d'aujourd'hui. Les renseignements qu'on y trouve sur Séoul proviennent de travaux approfondis réalisés sur le terrain et recueillis lors de trois courtes visites effectuées à Séoul en 1996, ainsi que de commentaires formulés par des historiens de l'architecture, notamment Charles Jencks, de qui on tient des théories sur l'architecture postmoderne occidentale.

PRESQUE TOUS LES SOIRS, les cafés chics sur la rue de Taehagno et dans le quartier d'Apkujŏng-dong sont remplis de jeunes gens qui causent et qui appellent leurs amis en utilisant les téléphones de fantaisie installés sur les tables. À l'extérieur, les gens se pressent dans les rues bordées de boutiques, de clubs vidéos, de magasins ouverts vingt-quatre heures sur vingt-quatre, de restaurants et de *noraebang* 노래방 [boîtes de karaoké] — où l'on peut chanter entre amis en suivant le clip vidéo d'une chanson. Nous nous trouvons au cœur de l'univers de l'électronique et de la simulation visuelle, monde de nouveauté dont s'imprègnent avec avidité les jeunes de Séoul. Pour la plupart des Séouliens, la « nouveauté » symbolise le changement, et le changement est une bonne chose car il est garant d'un avenir meilleur. La croissance économique et le désir de réussir créent de nouvelles tendances qui transforment le paysage urbain le soir venu. De vastes ensembles d'habitations — « villes nouvelles » — se dressent dans les champs de riz aux limites de la ville, et la rumeur des travaux de construction emplit les rues de la plupart des banlieues. Séoul est une ville où, pour évoquer le titre de l'ouvrage original de Marshall Berman sur le modernisme, « toute matière solide peut se sublimer ».

Les Séouliens sont habitués au rythme rapide des changements et les considèrent comme acquis, mais pour d'anciens résidants de Séoul qui, comme moi, ne visitent la Corée qu'à l'occasion, ce rythme paraît stupéfiant. L'ancien quartier de Yaksu-dong où j'ai vécu et qui se trouve à l'est du mont Namsan en est un bon exemple. En 1983–1984, je demeurais chez une famille coréenne dans une maison près de la rue achalandée de Tasanno qui relie le quartier de Tongdaemun à ceux de Hannam-dong et d'Itaewŏn. Lors d'une visite récente dans Yaksu-dong, j'ai eu de la difficulté à reconnaître mon ancien quartier. La maison où j'avais habité était toujours là, mais on a construit sur plusieurs terrains avoisinants des habitations de trois à cinq étages occupées par plusieurs familles. À l'emplacement de l'arrêt d'autobus, on procède à l'excavation d'un trou dans le but d'aménager une nouvelle station de métro sur la ligne six. Près de l'ancien arrêt, le *tabang* 다방 [petit café-restaurant du style années 1960] a été remplacé par un atelier de réparation de voitures. Le vieil immeuble gris de l'autre côté de la rue qui abritait une grande salle de billard au premier étage a été remplacé par un bâtiment attrayant dans lequel on trouve un *Ministop*, magasin ouvert vingt-quatre heures sur vingt-quatre, au rez-de-chaussée et des bureaux sur les autres étages. Plus bas, rue de Tasanno, l'intersection Yaksu a changé radicalement : les travaux de construction de la station de métro Yaksu sur la ligne trois sont terminés depuis longtemps; le tunnel Kumho traverse maintenant les montagnes vers le quartier de Kangnam de l'autre côté du fleuve Han et les vieilles maisons pour personnes à faibles revenus situées près du sommet de la montagne ont été détruites pour laisser place à des ensembles d'habitations destinées à la classe moyenne. Le profil des montagnes et le tracé des rues sont les mêmes qu'en 1983, mais les immeubles et les gens qui y vivent et y travaillent ont transformé le quartier de Yaksu-dong en un lieu étrange, quoique agréable. Dans quelques années d'ici, Yaksu-dong aura encore changé alors que la ligne de métro six sera ouverte et que la construction des appartements sera terminée.

Le langage d'architecture

Les auteurs de textes sur l'architecture comparent souvent l'architecture à un langage et affirment que l'architecture nous parle de diverses façons. En effet, un des grands théoriciens de l'architecture postmoderne, Charles Jencks, a employé le terme « langage » dans le titre d'un ouvrage intitulé *The Language of Post-Modern Architecture*, son premier essai sur le sujet. À titre de moyen de communication, l'architecture parle plusieurs langues; chaque observateur ou utilisateur d'un immeuble comprend à sa façon les éléments qui le composent lorsqu'il regarde ou utilise le lieu. Dans ce contexte, le mot coréen « *mal* 말 » est sans aucun doute un terme plus approprié que « langage » pour décrire la relation de communication entre un immeuble et ses observateurs ou utilisateurs. Le terme *mal* englobe toutes les notions suivantes : langage, langue, discours, terme, conversation, remarque, plainte, rumeur, controverse, histoire, message et signification d'une chose. Le langage, ou « *mal* 말 », de l'architecture désigne par conséquent l'ensemble des interactions entre l'observateur ou l'utilisateur et l'immeuble. Il donne également un aperçu de l'iconographie du pouvoir dans une société particulière à un moment précis dans le temps parce que, de toutes les formes de production culturelle, l'architecture est celle qui est la plus représentative des structures politiques, sociales et économiques[1]. Dans le présent article, je me penche sur le langage de l'architecture contemporaine de Séoul afin de découvrir ce qu'il pourrait nous apprendre sur la société et la culture populaire coréennes du milieu des années 1990.

Les changements qui surviennent dans la Séoul contemporaine s'effectuent du bas vers le haut plutôt que du haut vers le bas. Même si le gouvernement national fait activement la promotion d'un grand nombre de projets importants, comme le métro et les villes nouvelles, la plupart des changements résultent d'initiatives privées découlant de la croissance rapide de l'économie coréenne observée depuis le milieu des années 1960 qui a créé une société de classe moyenne dont le niveau de vie augmente de façon continue. Bien que cette croissance ait favorisé certains groupes de la société coréenne par rapport à d'autres, le niveau de vie global a augmenté considérablement au cours des trente dernières années. L'augmentation apparemment sans fin du niveau de vie et la perspective d'une prospérité éventuelle ont créé un type d'architecture qu'il me plaît d'appeler « architecture modifiable » parce qu'elle vit du changement et s'y adapte rapidement. L'architecture modifiable n'est pas un autre style de conception architecturale « postmoderne » qui joue avec les éléments

---

1. Voir Stephen Connor, *Postmodern Culture*, p. 67-80.

populaires comme la notion d'architecture encensée par Robert Venturi dans son ouvrage intitulé *Learning from Las Vegas*; je la vois plutôt comme une conception architecturale et économique — « archinomique » — qui prévoit la création, l'évolution et la destruction éventuelle de l'immeuble. À l'étape de la création, le style architectural et les matériaux utilisés sont limités par les règles de l'économie du profit et de l'économie d'échelle qui exigent une réduplication de la conception et des matériaux. Une fois construit, l'immeuble connaît ses heures de gloire jusqu'à ce qu'il devienne démodé; il est alors converti à une autre utilisation. L'immeuble peut convenir à plusieurs autres utilisations pendant un certain nombre d'années. Il sera toutefois éventuellement détruit ou rénové entièrement, si les tendances qui ont cours et le prix du terrain en font un immeuble non rentable économiquement sous sa forme actuelle. Par conséquent, un immeuble d'architecture modifiable a le cycle de vie suivant : naissance par réduplication, période florissante, période d'âge moyen puis disparition par destruction ou rénovation complète. De nouveaux immeubles qui répondent mieux aux besoins sociaux et économiques de la société coréenne remplacent alors les anciens. Cette explication nous aide à comprendre pourquoi l'ancien immeuble de Yaksu-dong avec sa salle de billard au premier étage a été transformé en *Ministop* ouvert vingt-quatre heures sur vingt-quatre au-dessus duquel des bureaux ont été aménagés.

Le chaos apparent mis en ordre

L'architecture modifiable n'est pas un phénomène propre à la ville de Séoul. D'autres villes d'Asie, comme Hong-Kong et Bangkok, suivent globalement les lois de l'architecture modifiable, mais n'en sont qu'à d'autres étapes de son développement, selon les conditions locales et les traditions. Dans ces villes florissantes sur le plan commercial, on ne trouve aucune force de planification centrale qui confinerait l'activité urbaine dans des secteurs bien définis. La croissance économique rapide de Hong-Kong et Bangkok a créé une situation semblable à celle de Séoul où les changements économiques remplacent les vieux immeubles et les styles anciens par des éléments nouveaux à un rythme effarant. Le rythme rapide des changements, l'absence de « planification urbaine » et la densité de la population obligent diverses fonctions urbaines à coexister dans de nombreux quartiers de la ville. Cependant, partout en Asie, la confusion de ces désordres urbains suit une logique interne qui régit de manière ordonnée le chaos apparent[2]. Bien que l'architecture modifiable à Séoul et

2. Voir les essais de Kunihiro Narumi et Shinya Hashizume (dir.), *Shōto no kosumorojii: Osaka no kūkan bunka* 商都のコスモロジー：大阪の空間文化 [La cosmologie de la ville commerciale : espace à Osaka].

dans d'autres villes cause des bouleversements continus dans toutes les parties de la ville, ceux-ci se mettent en place suivant un ordre nouveau, bien que chaotique. Les changements économiques dans Séoul sont un phénomène récent[3]. Séoul devint capitale en 1394 sous la dynastie Chosŏn, et jusqu'au milieu du XIXe siècle, elle était circonscrite à l'intérieur du mur qui délimite ce qui est aujourd'hui le centre-ville. Sous la dynastie Chosŏn, la population est passée de 100 000 aux XVe et XVIe siècles à 40 000 après les invasions japonaises de 1592 à 1598, puis à 200 000 en 1876 lorsque le Traité de Kanghwa obligea la Corée à ouvrir ses portes aux grandes puissances impérialistes. Bien que l'augmentation constante de la population aux XVIIIe et XIXe siècles ait coïncidé avec l'émergence d'une économie de marché en Corée[4], celle-ci fut graduelle et les politiques officielles dissuadèrent la croissance au-delà des murs de la ville. Pendant 500 ans, des événements politiques et militaires — autres qu'économiques — ont causé des changements et des bouleversements à Séoul.

Avec l'ouverture forcée de la Corée en 1876, Séoul est entrée dans une période de transformation rapide alors que des légations étrangères et des missionnaires étrangers arrivaient en Corée. Bien que la population et la superficie de la ville de Séoul n'aient changé que graduellement pendant cette période, les immeubles et les infrastructures de style occidental ont considérablement modifié l'allure et l'atmosphère de certains quartiers de la ville. Les réformes Kabo de 1894 ont entraîné une réorganisation administrative de la ville qui a favorisé la croissance de la ville au-delà du mur. Le transport par rail a contribué grandement à la croissance extra-muros. La construction d'une voie ferrée reliant le quartier de Mapo au port d'Inchon en passant par un village sur le fleuve Han a pris fin en 1888 et les premiers tramways entre les quartiers de Tongdaemun et de Sodaemun ainsi qu'entre les quartiers de Chongno et de Namdaemun ont vu le jour en 1899 et en 1901 respectivement. Après l'occupation japonaise ayant débuté en 1910, les Japonais ont assujetti les Séouliens à des règles sévères et ont transformé Séoul en capitale coloniale reliant la nouvelle colonie à la métropole, en construisant de grands édifices de contrôle de l'État et des réseaux de transport.

---

3. Pour un aperçu de l'histoire de Séoul, voir Im Teok Sun, *600 nyŏn sudo Sŏul* 600년 수도서울 [Séoul, la ville-capitale de 600 ans]; voir également Kang Jaeeun, *Souru* ソウル [Séoul], Sekai no toshi no monogatari 世界の都市の物語, n° 7.

4. Pour une discussion sur la controverse relative à l'époque des origines du capitalisme coréen, voir Carter Eckert, *Offsprings of Empire*, p. 1–6.

Les changements extrêmes

Séoul est entrée dans une ère de changements importants — le début des changements économiques — dans les années 1930 alors que l'industrialisation accrue et les activités militaires des Japonais en Mandchourie et plus tard en Chine incitaient un grand nombre de travailleurs des campagnes à déménager vers la ville et de nombreux administrateurs et soldats japonais à s'y installer. Le nombre d'immeubles publics et commerciaux augmenta rapidement, créant un vaste cœur central dans la ville en croissance. Le quartier de Chongno devint le centre de l'activité commerciale coréenne et le quartier de Chungmuro, le centre de l'activité commerciale japonaise. La ville s'appropria le sud du fleuve pour la première fois en 1936, en intégrant la zone industrielle de Yongdungp'o. La population, qui comptait un grand nombre de Japonais, est passée rapidement de 600 000 en 1936 à plus d'un million en 1942.

Après la reddition des Japonais le 15 août 1945, Séoul fut plongée dans un chaos qui ne se termina qu'à la fin de la guerre de Corée. De nombreux réfugiés en provenance du Japon et de la Corée du Nord contribuèrent à augmenter la population alors que la perte des industries de guerre et du commerce avec le Japon affaiblissait les assises économiques de la ville. Les armées des Nations unies et de la Corée du Nord se sont battues dans Séoul à deux reprises pendant la guerre de Corée, faisant de nombreuses victimes et causant des destructions massives. La récupération après la guerre de Corée fut lente jusqu'à ce que le président Park Chung Hee mette sur pied, au début des années 1960, un plan visant à industrialiser la nation. La population commença à augmenter rapidement à partir du milieu des années 1960 alors que la population des campagnes venait s'installer en grand nombre dans la ville avec l'espoir d'une vie meilleure.

En réaction à l'augmentation rapide de la population et à la croissance économique de la fin des années 1960 et du début des années 1970, le gouvernement élabora un plan visant à développer une partie de la ville appelée Kangnam ainsi que l'île de Yŏŭido, toutes deux situées du côté sud du fleuve Han. Ces plans ont donné lieu à la construction de vastes ensembles d'habitations le long des rues tracées en forme de damier. L'arrivée de nombreux lycées élitaires dans cette zone a attiré un nombre croissant de résidants riches dans les nouveaux ensembles tentaculaires. À partir de la fin des années 1970 jusqu'à la fin des années 1980, le quartier de Kangnam s'est développé rapidement et s'est étendu aux limites sud de la ville. La croissance économique rapide dans les années 1980 a enrichi la classe moyenne en croissance, ce qui a stimulé la prolifération de grands centres commerciaux, comme *Lotte World*, de centres de divertissement plus petits, comme les *noraebang* 노래방 [boîtes de karaoké], les *hofs* 호프 [brasseries], et de cafés et restaurants chics.

Le mode de développement a changé dans les années 1990, alors que la population connaissait un ralentissement de croissance et commençait à se déplacer lentement au-delà des limites de la ville. Une série de « villes nouvelles » reliées par le métro ont commencé à proliférer dans les zones avoisinantes de la province de Kyonggi. À l'intérieur de la ville, les projets de construction à petite échelle et de redéveloppement se sont poursuivis à un rythme rapide. De nombreux quartiers plus anciens sur la rive nord du fleuve Han ont été témoins d'un regain d'énergie de la construction alors que de nouvelles unités occupées par plusieurs familles remplaçaient les maisons coréennes classiques. La légalisation des tutorats privés a entraîné des changements stupéfiants dans les quartiers situés près des universités car les étudiants cherchaient des façons de dépenser leur argent de poche. Rien n'est plus représentatif des changements des années 1990 que les magasins ouverts vingt-quatre heures sur vingt-quatre et les cafés « libre-service » que l'on trouve aujourd'hui dans presque tous les quartiers de Séoul.

À l'exception de la période de tutelle royale lors de sa fondation, Séoul n'a pas connu de période de réorganisation et de rénovation financée par l'État comme ce fut le cas pour Paris, Vienne et Tokyo au XIXe siècle et qui visait à créer une nouvelle iconographie urbaine du pouvoir. La construction financée par l'État à Séoul depuis l'ouverture de la Corée en 1876 a plutôt pris la forme d'une infrastructure destinée presque exclusivement aux nouvelles constructions, davantage apparentée aux grands projets immobiliers, comme celle du métro qui a aidé New York à s'étendre au-delà de Manhattan et de Brooklyn au début du vingtième siècle. Depuis le milieu des années 1960, l'économie croissante qui a fait passer la Corée d'une pauvreté misérable à deux doigts du statut de premier monde en trente ans a imposé des changements à Séoul. L'architecture modifiable est donc une manifestation architecturale et spatiale des trente dernières années de croissance économique et de transformations sociales.

Taehagno

Nous allons débuter notre étude de l'architecture modifiable à Taehagno, large artère de la partie nord-est du centre-ville de Séoul et la terminer à Sanggye-dong, quartier de vastes ensembles d'appartements neufs situé dans la partie nord-est éloignée de la ville, à environ trente minutes en métro de Taehagno. À titre de l'un des grands centres culturels et de divertissement de Séoul, Taehagno est reconnu pour ses petits théâtres, ses galeries d'art et ses cafés et restaurants raffinés. Jusqu'à la fin des années 1980, le quartier situé derrière Taehagno était résidentiel, mais l'industrie du divertissement en plein essor a fait fuir depuis lors les résidants du quartier. Sur le plan architectural, Taehagno donne le ton avec ses immeubles neufs ou réorganisés qui naissent presque chaque jour. Nous commençons notre examen de l'architecture modifiable à une échelle réduite en nous concentrant sur un type important d'établissement commercial à Taehagno : le café à service complet. Nous jetterons par la suite un coup d'œil aux immeubles commerciaux à usages multiples — type d'architecture le plus courant à Séoul — dans Taehagno et Sanggye-dong. Enfin, nous terminerons notre visite en examinant la disposition et la conception des ensembles d'habitations des villes nouvelles dans Sanggye-dong.

De tous les établissements de Taehagno, les cafés sont peut-être les établissements les plus visibles et les plus représentatifs de cette culture impatiente. Ces cafés suivent le cycle de vie type de l'architecture modifiable — réduplication, appropriation et disparition. Il existe deux types de cafés dans Taehagno : le café « libre-service » et le café à service complet, moins abordable. Les cafés « libre-service » ont proliféré à la fin des années 1980 et au début des années 1990, mais leur croissance a ralenti au milieu des années 1990 alors que les cafés à service complet commençaient à gagner en popularité. Dans le cycle de vie de l'architecture modifiable, le café « libre-service » est en train de passer rapidement à l'âge moyen en s'approchant de l'appropriation. Le café à service complet, par ailleurs, naît grâce à la réduplication et connaît ses heures de gloire auprès des Séouliens élégants dans le vent — c'est l'« endroit par excellence » où passer le temps.

Vu de l'extérieur, le café à service complet de type courant dans Taehagno possède de grandes fenêtres surmontées d'une affiche vivement éclairée en coréen et en anglais. Le café occupe une partie d'un étage, voire l'étage au complet, d'un immeuble commercial à usages multiples. Bon nombre de cafés situés au rez-de-chaussée sont en retrait de la rue et possèdent un petit stationnement sur le devant. L'intérieur est éclairé et on y trouve de grands sofas rembourrés et des fauteuils groupés autour de chaque table. Dans la plupart des cafés, il y a un téléphone à chaque table, de sorte que le consommateur peut placer des appels locaux. Cela convient parfaitement aux consommateurs munis de téléavertisseurs qui peuvent ainsi répondre rapidement et facilement à un appel. De grandes plantes séparent les tables, créant une certaine intimité, mais l'espace global est ouvert et vivement éclairé. La musique ajoute à l'atmosphère et change selon la clientèle et le moment de la journée. L'atmosphère du café à service complet est représentative d'une élégance à la mode conçue pour créer une forte impression visuelle sur le consommateur.

Réduplication à deux niveaux

La réduplication existe dans les cafés à service complet à deux niveaux : d'abord, la disposition générale des éléments d'intérieur est répétée avec de légères variations dans les couleurs et le style, et la plupart des éléments constituant le mobilier intérieur sont semblables en raison de l'économie d'échelle, car investir dans un intérieur personnalisé coûterait beaucoup trop cher. En outre, à cause des tendances changeantes, le propriétaire de café bien avisé sait que ce qui est à la mode cette année pourrait fort bien être démodé l'année suivante; un investissement initial dans un intérieur coûteux ne serait donc pas rentable. Cela ne signifie pas que tous les cafés à service complet sont identiques; ils essaient de se distinguer par un nom particulier, ou par un service spécial. Une fois établi, le café connaît ses heures de gloire, période pendant laquelle il est populaire et où le propriétaire encaisse des profits; l'intérieur est propre et neuf et continue à attirer les consommateurs. Bon nombre de cafés « libre-service », par contre, commencent à se défraîchir et sont forcés de baisser leurs prix pour demeurer concurrentiels; ils se transforment en cafés à service complet, ou ferment leurs portes. Ces deux dernières étapes marquent le début de l'appropriation.

L'appropriation et la disparition de l'immeuble sont particulièrement faciles à observer à Taehagno où la rue commerciale s'est développée jusque dans le quartier résidentiel sur les deux côtés. À la fin des années 1980, de nombreuses maisons ont été converties en gros restaurants qui se sont transformés en deux fois plus de cafés. Comme l'économie globale et la popularité de Taehagno ne cessaient de croître, le prix à la hausse des terrains a obligé les propriétaires de ces maisons à les démolir et à les remplacer par des immeubles commerciaux à usages multiples. Des forces économiques semblables ont obligé les entreprises logées dans les maisons restantes à subir de nombreuses appropriations. Après avoir été transformée en restaurant — habituellement de style occidental — la maison passe par plusieurs appropriations avant d'être détruite ou convertie en restaurant de plus grande classe ou en bar. Les immeubles commerciaux suivent un cycle de vie semblable. Un immeuble à un ou deux étages comportant un restaurant ou un magasin est utilisé aujourd'hui à des fins diverses. Cependant, comme la maison, l'immeuble est soit trop vieux ou trop petit pour s'adapter aux tendances changeantes, ce qui fait en sorte qu'il n'est plus rentable; il est éventuellement destiné à disparaître ou à céder sa place à un immeuble commercial à usages multiples plus grand et plus efficace. Le cycle, dont les étapes sont la naissance, la disparition et la renaissance, se termine lorsque de nouveaux cafés à service complet, des magasins ouverts vingt-quatre heures sur vingt-quatre, des bars et des bureaux sont aménagés dans le nouvel immeuble.

Sanggye-ro

Chaque rue et chaque quartier de Séoul possèdent au moins quelques immeubles commerciaux à usages multiples. La majorité de ces immeubles sont des immeubles de trois à cinq étages, mais bon nombre de ceux qui se trouvent dans les villes nouvelles sont plus grands. Tous les immeubles commerciaux doivent générer des revenus, mais sont extrêmement différents sur le plan du style et de la conception. On en voit de toutes sortes, des immeubles à revêtement de tuile blanche bon marché aux structures « postmodernes » qui exploitent des agencements expérimentaux de matériaux et de conceptions. On trouve davantage d'immeubles commerciaux à usages multiples expérimentaux dans Taehagno que dans les autres secteurs de Séoul parce que la concurrence pour attirer l'attention visuelle du consommateur y est plus grande. Dans certains quartiers résidentiels, comme Sanggye-dong, on renonce aux caractéristiques architecturales dans le but de réduire les coûts de construction et les complications qui y sont liées. Les constructeurs suivent des modèles populaires et utilisent des matériaux faciles à obtenir, comme le béton armé coulé, ce qui accentue la réduplication dans la construction de ces immeubles. Ce type d'immeubles peut ainsi être construit rapidement, ce qui permet aux propriétaires de tirer un profit intéressant de l'investissement initial; l'immeuble en soi ne contribue pas beaucoup à attirer les consommateurs potentiels. Les entreprises logées dans les immeubles commerciaux à usages multiples entrent en rivalité les unes avec les autres pour attirer l'attention visuelle du consommateur en utilisant de grands panneaux colorés, dont plusieurs sont des néons qu'elles installent à l'extérieur, ainsi qu'en créant une atmosphère agréable à l'intérieur ou en offrant des services particuliers. Dans un endroit comme Sanggye-dong, une conception simple et l'utilisation de matériaux faciles à obtenir créent une architecture terne mais fonctionnelle qui satisfait aux besoins économiques de tous, tout en demeurant ouverte aux étapes inévitables d'appropriation et de disparition de l'immeuble.

La ligne de métro numéro quatre nous amène maintenant au-dessus du sol dans la partie nord-est de Séoul et nous commençons à voir de grands ensembles d'habitations sur les deux côtés du train. Le secteur dans lequel se trouve la station Changdong, à l'intersection de la ligne quatre et de la ligne un, marque l'entrée d'un vaste secteur résidentiel connu sous le nom de « Sanggye-dong ». La construction ayant débuté dans Sanggye-dong au milieu des années 1980, ce secteur se trouve entre le quartier de Kangnam et les villes nouvelles de Pundang et d'Ilsan, à l'extérieur des limites de la ville. La construction dans Kangnam s'est faite graduellement et son développement a été plus sporadique là où les immeubles commerciaux côtoient les ensembles d'habitations et les maisons unifamiliales. Par ailleurs, les développements récents dans les villes de Pundang et d'Ilsan ont été réalisés en moins de cinq ans et ont suivi un plan organisé ayant reçu l'appui des plus hauts niveaux du gouvernement. Contrairement à Kangnam et aux villes nouvelles, Sanggye-dong a procédé au remplacement des habitations pour personnes à faibles revenus et des usines pour faire place à un nouveau développement au début des années 1980. En remplaçant les anciennes structures, Sanggye-dong suit le même modèle de renaissance par réduplication que le café à service complet voyant ou que l'immeuble commercial à usages multiples aux lignes pures de Taehagno. Émergeant des années 1980 comme l'un des développements à grande échelle les plus réussis, Sanggye-dong connaît actuellement ses heures de gloire. Cependant, sa période d'âge moyen approche, car la concurrence est de plus en plus grande dans les villes nouvelles et les quartiers redéveloppés à l'intérieur de la ville de Séoul. Le quartier autour de la station Changdong représente la disposition et la conception types des ensembles d'habitations à grande échelle de Séoul et de ses banlieues.

Les mosaïques des édifices

Notre visite de Sanggye-dong débute en bas des escaliers de la station Changdong qui nous mènent dans une zone sombre sous les rails. Du côté nord de la station, nous voyons un ancien quartier dominé par de petits immeubles commerciaux à usages multiples et par des unités d'habitations occupées par plusieurs familles. Au moment de quitter la station en nous dirigeant vers le nord-est, nous apercevons une grande zone en développement où les nouveaux appartements sont presque terminés. Nous revenons sur nos pas et passons sous les rails vers le sud; nous nous trouvons maintenant dans un secteur commercial rempli d'immeubles commerciaux à usages multiples monotones et rapprochés où l'on a posé à chaque étage des panneaux criards. Les rues dans ce district commercial sont organisées en damier, mais les trottoirs sont étroits et l'espace de stationnement dans la rue est limité. Les habitations desservies par le secteur commercial se trouvent de l'autre côté d'une rue achalandée qui est parallèle à la ligne de métro; le secteur commercial se trouve donc entre cette rue et la ligne de métro au nord. Si l'on examine de plus près les immeubles commerciaux, ceux-ci révèlent leurs diverses fonctions. Un immeuble type abrite un café à service complet, une pharmacie, un restaurant, une église, un *noraebang*, une banque, un magasin, un cabinet de médecin et un institut privé de préparation aux examens d'entrée des universités. Les banques et les magasins se trouvent habituellement au rez-de-chaussée; les restaurants et les cafés, au premier étage ou dans le sous-sol et les bureaux et églises se trouvent sur les étages supérieurs. Ces établissements ont peu en commun, mais répondent tous aux divers besoins des résidants qui vivent à proximité. On dénombre des immeubles commerciaux à usages multiples plus petits parmi les ensembles d'habitations. Ce sont habituellement des immeubles à deux ou trois étages qui comportent des boutiques où l'on vend des produits de tous les jours. Bon nombre d'entre eux logent des garderies aux étages supérieurs.

En traversant la rue achalandée vers la zone des appartements modernes, nous apercevons des ensembles d'immeubles à appartements de dix à quinze étages de taille et de forme semblables et tous regroupés. Les grands entrepreneurs du bâtiment construisent des ensembles d'habitations en Corée, et c'est pourquoi dans un secteur donné tous les immeubles se ressemblent. Ils construisent les immeubles en suivant un plan d'ensemble qui met l'accent sur l'unité des immeubles et sur la disposition de l'ensemble parce que cela permet aux constructeurs de maximiser leurs profits sur le site tout en ayant recours à une conception simple et rapide et à des matériaux faciles à obtenir. Les consommateurs sont attirés par leur caractère fonctionnel également parce que c'est un gage de confort et de commodité. À mesure que nous nous approchons d'un ensemble d'habitations de type courant de la rue, nous constatons qu'il est entouré d'un mur et que l'entrée du stationnement est gardée. On compte peu de passants sur le trottoir du côté extérieur du mur ainsi que sur les chemins de l'ensemble, contraste frappant avec les trottoirs bondés et les ruelles de Taehagno. Les anciens ensembles d'habitations possèdent vraiment trop peu d'espaces de stationnement pour accommoder toutes les voitures que possèdent les résidants actuels, mais il en va autrement des nouveaux ensembles. Des arbres et de la pelouse longent le périmètre de l'immeuble, et on trouve un terrain de jeux pour enfants dans une zone centrale de l'ensemble. Les immeubles individuels dans les ensembles d'habitations plus anciens sont des immeubles de quatre à cinq étages très rapprochés, de sorte que le bruit fait écho dans l'espace étroit qui les sépare. Les immeubles des nouveaux ensembles sont plus grands et plus éloignés, et ils sont groupés de manière plus variée. En plus de réduire la pollution par le bruit, ils créent une impression d'ouverture dans un ensemble d'habitations à forte densité de population.

Le cycle de vie d'architecture

La plupart des ensembles d'habitations dans le quartier de Sanggye-dong reflètent la « période de l'âge moyen » de l'architecture résidentielle coréenne qui se situe entre les immeubles sans ascenseurs de cinq étages regroupés et les tours élancées de vingt-cinq étages des villes nouvelles de Pundang et d'Ilsan. Les appartements aussi naissent par réduplication et suivent le même cycle de vie d'architecture modifiable que les cafés ou les immeubles commerciaux à usages multiples. Sauf pour quelques « villas » de luxe, les constructeurs sont obligés de respecter un éventail relativement peu étendu de dimensions, de conceptions et de matériaux de construction à cause du niveau des salaires, des restrictions gouvernementales, de l'économie d'échelle et des dimensions restreintes des terrains lorsqu'ils construisent la plupart des immeubles à appartements. Ces facteurs créent une réduplication dans l'architecture des appartements qui est plus importante que dans les immeubles commerciaux à usages multiples. Une fois terminé, l'ensemble d'habitations connaît une période florissante pendant laquelle le prix des loyers est élevé et le consommateur estime qu'il s'agit là d'un endroit attrayant où il fait bon vivre. La durée de cette période florissante dépend de l'emplacement de l'immeuble et des tendances populaires, mais des changements mèneront bientôt l'ensemble d'habitations vers une brève période d'âge moyen, qui sera suivie d'un lent déclin graduel. Depuis leur émergence dans les années 1970, la conception et la construction des appartements a grandement évolué avec la croissance de l'économie. Chaque vague successive d'améliorations a diminué l'intérêt pour les vieux appartements, réduisant leur valeur comparative sur le marché ou forçant les propriétaires à se regrouper pour faire des améliorations notables. Même si certains appartements construits dans les années 1970 ont disparu avant d'être remplacés par de nouveaux appartements ou par des immeubles commerciaux, la plupart des vieux appartements sont demeurés intacts et ont été réorganisés pour passer sur un marché à la baisse. Le taux de disparition d'immeubles est plus faible que celui des immeubles commerciaux à usages multiples parce que leur taille est plus grande et qu'ils avaient nécessité un investissement initial en capital plus élevé. Cette situation peut changer dans un avenir rapproché car la première vague d'appartements vieillira et perdra sa vitalité économique par rapport aux améliorations continues de l'infrastructure et à la hausse du prix des terrains. En regardant dans la direction de la station Changdong, nous apercevons des appartements sur les deux côtés ainsi que les immeubles commerciaux à usages multiples du secteur commercial. Tout ici a moins de vingt ans : les immeubles, les routes, la voie surélevée de la ligne de métro numéro quatre. Cette nouvelle ville est une ville modifiable constituée d'immeubles modifiables qui ne s'apparentent à aucun style d'architecture particulier. Dans l'architecture modifiable, le style est relégué au deuxième rang parce que la dynamique des changements économiques met davantage l'accent sur l'importance de faire de l'argent pour se préparer maintenant à la prochaine vague de changements plutôt que de créer des immeubles qui transcenderaient le temps et l'espace en raison de leur « nature immortelle et de bon goût ». Il n'existe à Séoul que peu d'édifices conçus par des architectes de renom qui font valoir leur autonomie artistique. La conception prend plutôt la forme d'un projet de groupe auquel participe une équipe d'architectes et d'ingénieurs qui travaillent pour une firme d'architecture. Sur le chemin du retour vers le métro, nous remarquons que la même « instantanéité » crée un style tout aussi inadéquat dans les immeubles commerciaux à usages multiples. Pour un propriétaire d'immeuble commercial à usages multiples, faire un bon profit sur l'investissement initial dans un marché concurrentiel est ce qui compte réellement; le style n'est considéré que s'il ajoute quelque chose au potentiel économique de l'immeuble. En sortant du métro à la station Hyehwa dans Taehagno, nous constatons que même si le café à service complet doit être à la mode pour survivre, l'économie impose des restrictions quant à l'éventail des possibilités disponibles pour le propriétaire. Le propriétaire doit choisir ce qui est à la mode et économique pour créer un intérieur attrayant pour le consommateur potentiel. En décrivant le style de l'architecture modifiable dans Séoul, nous avons été en mesure de constater que le modernisme des rangées d'appartements en béton armé coulé, le postmodernisme capricieux des immeubles à usages multiples dans Taehagno et tous les autres termes en « -ismes » se battent pour survivre parmi les changements économiques implacables. Par conséquent, en reléguant le style et l'autonomie des architectes au second rang, l'architecture modifiable pave la voie à tout ce qui est esthétiquement opportun dans le système archinomique. Le résultat est une spontanéité chaotique, mais amusante.

En guise de conclusion

Suivre le quartier Taehagno vers le nord m'a mené vers mon ancien quartier de Hyehwa-dong, où j'ai vécu les six derniers mois de 1988. Je vivais dans une maison de style coréen classique qui avait été construite au début du XXᵉ siècle. On trouve au rond-point Hyehwa tous les commerces types des années 1990 : un magasin ouvert vingt-quatre heures sur vingt-quatre, un *noraebang*, un poste d'essence, un café « libre-service ». Ceux-ci se mêlent aux commerces devant lesquels je passais en me rendant à l'arrêt d'autobus : un restaurant chinois, une librairie, une salle de billard, une boulangerie. La rue qui mène du rond-point Hyehwa à mon ancienne maison a changé considérablement depuis 1988. Presque tous les commerces sont nouveaux et bon nombre de maisons unifamiliales ont été remplacées par des immeubles commerciaux à usages multiples ou par des unités d'habitations occupées par plusieurs familles, ce qui confère à la rue résidentielle un caractère commercial. Beaucoup des anciens immeubles commerciaux à usages multiples ont été retapés. Mon ancienne maison au fond d'une petite ruelle et presque toutes les autres maisons coréennes classiques le long de la ruelle ont été remplacées par des unités d'habitations de quatre ou cinq étages occupées par plusieurs familles. En quittant la ruelle en direction du sommet d'une petite colline pour avoir une vue d'ensemble du quartier et de Taehagno de l'autre côté, je vois une distributrice de « nouilles minute sans cuisson » en face d'une petite boutique; puis, en versant de l'eau chaude pour animer les nouilles sèches, la réflexion suivante me vient à l'esprit : une économie en effervescence donne vie à l'architecture. Si l'architecture parle une langue, alors modifions quelque peu le titre *Make it New*[5] d'Ezra Pound, pour le transformer en « Make it now » !

---

5. Titre de la célèbre anthologie de critique littéraire d'Ezra Pound publiée en 1934 par Faber and Faber à Londres.

Bibliographie

Berman, Marshall, *All That Is Solid Melts into Air*, New York, Penguin Books, [1982] 1988.

Connor, Stephen, *Postmodern Culture: An Introduction to Theories of the Contemporary*, Oxford, Blackwell Publishers, 1989.

Eckert, Carter, *Offsprings of Empire: The Koch'ang Kims and the Colonial Origins of Korean Capitalism 1876-1945*, Seattle, University of Washington Press, 1991.

Haggard, Stephen et Chung-in Moon, «The State, Politics, and Economic Development in Postwar South Korea», In *State and Society in Contemporary Korea*, Hagen Koo (dir.), Ithaca, Cornell University Press, 1993, p. 51-93.

Han'guk kŏnch'ukga hyŏphoe 한국건축가협회, *Sŏul-ŭi kŏnch'uk* 서울의 건축 [Architecture à Séoul], Séoul, Tosŏch'ulp'an Pal'on, 1995.

Harvey, David, *The Condition of Postmodernity: An Enquiry into the Origins of Cultural Change*, Oxford, Basil Blackwell, 1989.

Im Teok Sun 임덕순, *600 nyŏn sudo Sŏul* 600년 수도 서울 [Séoul, la ville-capitale de 600 ans], Séoul, Chisiksanopsa, 1994.

Jencks, Charles, *The Language of Post-Modern Architecture*, 4ᵉ éd., Londres, Academy Editions, 1984.

Kang Jae-eun 김재은, *Souru* ソウル [Séoul], Sekai no toshi no monogatari 世界の都市の物語, n° 7, Tokyo, Bungeishunshu, 1992.

Kunstler, James H., *The Geography of Nowhere*, New York, Touchstone, 1993.

Narumi, Kunihiro and Shinya Hashizume (dir.), *Shōto no kosumorojii: Osaka no kūkan bunka* 商都のコスモロジー：大阪の空間文化 [La cosmologie de la ville commerciale : espace à Osaka], Tokyo, Tibiiesu Buritanika, 1990.

Pal'on p'yŏnjipbu 발온편집부, *Uri kŏnch'uk-ŭl ch'ajaso* 우리 건축을 찾아서 [À la recherche de l'architecture coréenne], n° 2, Séoul, Tosŏch'ulp'an Pal'on Publishing Company, 1993.

Yi Mun Chae 이문재, « *Ingan-ŭi chip-inga suyongso-inga?* 인간의 집인가 수용소인가? [Maisons pour les hommes ou centres de détention ?] », *Sisa jŏnŏl*, 15 décembre 1994, p. 38-43.

Les prisonniers de guerre sud-coréens retenus en Corée du Nord

LES HOMMES DANS L'HISTOIRE ?

Heo Man-Ho

Pendant la guerre de Corée (1950–1953), en dépit des conventions de La Haye de 1899 et de 1907, les autorités nord-coréennes ont contraint les prisonniers de guerre sud-coréens à rejoindre leurs rangs. Dès lors, elles ont incité ou obligé ceux-ci à combattre contre leur pays d'origine. Elles les ont aussi astreints à faire des travaux de réfection des aéroports militaires ou des chemins de fer sous les bombardements, ce qui constitue une violation de la convention de Genève de 1949 (III). Après la guerre, au moins 50 000 prisonniers de guerre sud-coréens ont été retenus en Corée du Nord. Actuellement, la plupart d'entre eux ont dépassé l'âge de soixante-dix ans. Il y a peu, ils étaient encore exploités, soit dans les mines, soit dans les usines sidérurgiques. Victimes de la politique nord-coréenne qui vise à les isoler du reste de la société, ils mènent toujours une vie très dure. La question de leur rapatriement est à l'origine du « conflit prolongé [*protracted conflict*] » entre les deux Corées. L'idéologie militante des Coréens du Nord et l'impuissance et l'indifférence des Coréens du Sud les ont ensevelis dans l'Histoire. Il faut sauver ces détenus politiques du gouffre de l'oubli, car ils sont les véritables victimes de ces droits de l'homme brisés par la confrontation idéologique et par le sous-développement politico-social, qui sont les héritages du XXᵉ siècle pour cette partie du monde.

D'APRÈS LES CONVENTIONS de La Haye de 1899 et de 1907, les prisonniers de guerre ne doivent pas être engagés contre leur pays d'origine. Pendant la guerre de Corée (1950–1953), les autorités nord-coréennes ont forcé les prisonniers de guerre sud-coréens à s'enrôler dans leur armée. Bien qu'il s'agisse de Coréens des deux côtés, on peut dire qu'elles les ont obligés à combattre contre leur pays d'origine[1]. La

1. Nous raisonnons ici en termes de droit international puisque nous nous référons aux conventions de La Haye, mais les Soviétiques, les Chinois et les Américains en feront des lectures différentes. Il ne faut pas oublier aussi que les pays de l'Asie du Nord-Est, dont la Corée, ont leur propre tradition de traitement des vaincus. Elle se réfère au confucianisme qui met l'accent sur la tolérance et la légitimité. Sur cette base, les vainqueurs permettaient aux vaincus de rejoindre leurs rangs.

violation de ces conventions par les Coréens du Nord a été observée à plusieurs reprises. Elle a également été prouvée par le fait que 11% des militaires nord-coréens capturés par les forces de l'ONU (dont l'armée sud-coréenne) étaient à l'origine des prisonniers de guerre sud-coréens. Quand les représentants de l'ONU ont demandé aux autorités communistes l'autorisation d'inspecter les forces en présence au cours de la négociation pour l'armistice (1951–1953[2]), les communistes s'y sont opposés en prétendant que « la demande est une conspiration pour enlever plus de cent mille soldats de l'Armée du Peuple». Cela veut-il dire que plus de 100 000 Coréens du Sud, soit militaires, soit civils, ont été contraints à rejoindre leurs rangs ? Un nombre important de prisonniers de guerre sud-coréens a subi des actes de cruauté de la part des Coréens du Nord : tortures, diverses expériences *in vivo*, etc. Beaucoup ont été tués pendant les travaux forcés de réfection des aéroports militaires ou des chemins de fer effectués sous les bombardements, ce qui constitue aussi une violation de la convention de Genève de 1949 (III).

Après la guerre, la plupart d'entre eux ont été retenus par le Nord. D'après un comptage officiel du département de la Défense nationale de la République de Corée en 1996, environ 19 000 militaires sud-coréens ont été retenus ou tués après avoir été capturés par l'armée communiste. Ce nombre est obtenu et vérifié par compilation et recoupement des listes des divisions engagées. Il constitue une estimation minimum, mais, d'après les témoignages et les preuves diverses et partielles obtenus par ailleurs, les détenus seraient beaucoup plus nombreux. Selon Cho Chang-Ho, Yang Soon-Yong, Son Jae-Sul et Heo Pan-Young, des prisonniers de guerre sud-coréens échappés du Nord entre 1994 et 1999, les détenus ont été exploités dans les mines ou dans les usines sidérurgiques. Ils ont mené une vie très dure et sont toujours victimes de la politique nord-coréenne qui vise à les isoler du reste de la société.

Actuellement, la plupart d'entre eux ont dépassé l'âge de soixante-dix ans. Leur rapatriement est non seulement une tâche morale pour les Coréens du Sud, mais aussi une question à résoudre alors que « l'Accord de base inter-coréen » et ses Protocoles auraient déjà dû être respectés[3]. La

---

2. Les négociations ont duré de juillet 1951 à juillet 1953. La question des prisonniers a été posée en décembre 1951.

3. À la fin de l'année 1988, depuis la signature du Communiqué commun Nord-Sud du 4 juillet 1972, les autorités des deux Corées tentèrent un dialogue pour la première fois. En 1990, cela aboutit aux pourparlers entre premiers ministres, dit « Pourparlers du haut niveau entre le Nord et le Sud de la Corée », qui aboutirent à leur tour à « l'Accord sur la réconciliation, la non-agression et les échanges et la coopération entre le Nord et le Sud » (aussi appelé « l'Accord de base inter-

question du rapatriement n'est donc toujours pas résolue, malgré les clauses de l'Accord d'armistice militaire en Corée et de la Convention de Genève de 1949 (III). Elle est à l'origine du « conflit prolongé [*protracted conflict*] » entre les deux Corées. Cette question entrera pourtant dans une phase différente après que les relations inter-coréennes passeront de « l'antagonisme strident » à « l'antagonisme coopératif[4] ». Même si les recherches sont lancées dans cette perspective, il n'est pas possible de négliger les difficultés réelles et la limite de temps inhérentes à la question. C'est une question évidemment urgente et symbolique pour les relations entre les deux Corées mais c'est aussi une question dramatique pour les hommes retenus prisonniers près d'un demi-siècle après la fin du conflit.

Détention des prisonniers de guerre sud-coréens

La guerre ambiguë[5]

Les deux premières questions qui se posent habituellement à propos de la « guerre de Corée » sont de savoir si elle débuta en tant que guerre internationale ou en tant que guerre civile et si elle commença par une « invasion » des Coréens du Nord ou par celle des Coréens du Sud. La réponse à la première interrogation se trouve dans les facteurs internes de la société coréenne libérée de la domination coloniale japonaise en 1945. Le conflit peut en effet s'analyser comme une continuation des différentes tentatives de réunification qui avaient eu lieu entre 1945 et 1950. Citons des révoltes à Taegu (automne 1946), à l'île de Cheju (1948-1949) et dans les villes de Yosu et Sunch'on (automne 1948) et la guérilla menée par le Parti du Travail (parti communiste, unifié dès 1949 par Kim Il Sung) sur presque tout le territoire entre 1948 et le début de 1950. Les interventions des Américains et des Chinois ont transformé le conflit en guerre internationale.

À propos de la deuxième question, deux thèses contradictoires coexistent depuis toujours, et ce, pour diverses raisons. Le conflit débuta sans qu'aucune déclaration de guerre n'ait été proclamée par l'un ou l'autre des belligérants. Ni le Sud ni le Nord ne se reconnurent ou ne se virent

coréen ») en 1991 et ses Protocoles l'année suivante.

4. Voir Howard Raiffa, *The Art and Science of Negotiation*, Cambridge (Mass.), The Belknap Press of Harvard University Press, 1982, p. 18-19.

5. Pour l'histoire des mouvements d'indépendance coréens avant 1945, voir Heo Man-Ho, *La constance de l'unité nationale coréenne : essai d'une nouvelle interprétation de la guerre de Corée*, thèse de doctorat, Paris, É.H.É.S.S., 1988.

reconnaître en tant qu'État par l'un ou l'autre des deux blocs de la communauté internationale. De même, les Constitutions des deux régimes coréens intégraient dans leur territoire la péninsule coréenne dans sa totalité ainsi que les îles qui y sont rattachées. La guerre de Corée ne fut pas engagée en tant que guerre classique entre États mais plutôt comme une guerre dont l'objectif était de rétablir l'unité du territoire national. Ce sont les raisons pour lesquelles les Coréens désignent le conflit par le terme « l'Incident historique du 25 juin [*Yukio sabyŏn* 육이오사변] » et non par « la guerre de Corée ».

Avant la guerre de Corée, il y eut un certain nombre de conflits autour du 38ᵉ parallèle et dans les régions côtières de la Corée. Parmi ces conflits antérieurs, il y eut de véritables batailles rangées dans lesquelles environ 6 000 hommes ont été engagés. Il est donc difficile de définir avec précision la date du début de la guerre. L'insuffisance de documents d'étude et de recherche est aussi une raison importante des interrogations actuelles. Afin de ne pas supporter le poids de la responsabilité des dommages énormes causés par la guerre, chaque camp camoufle des données de base et forge des vérités pour son profit[6]. L'objectif visé est bien sûr de consolider son propre régime tout en accusant l'adversaire qui est utilisé comme bouc émissaire ou comme repoussoir.

De la même manière que les Coréens du Nord l'ont tenté au Sud, les dirigeants sud-coréens ont essayé de réunifier la Corée en s'appuyant sur les forces militaires afin de mettre le Nord du pays sous leur adminis-tration. Nous pouvons trouver facilement des preuves d'une telle tentative. Ainsi, Philip C. Jessup, envoyé spécial de Truman, rappelle dans un mémorandum adressé à son gouvernement les termes de son entretien avec le président Rhee Syngman :

« D'entrée, il [le président Rhee] a expliqué qu'ils [les Coréens du Sud] auraient une ligne de défense stratégique bien meilleure, si leurs forces se dirigeaient vers la Corée du Nord, et il a confié qu'ils pourraient vaincre l'opposition nord-coréenne. Plus tard, il a fait preuve de prudence en ajoutant qu'il n'y a pas eu de planification pour se lancer dans une quelconque opération de conquête. Pourtant l'impression générale de son intervention laisse croire qu'il ne s'était pas opposé lorsque des forces sud-coréennes, en bordure du 38ᵉ parallèle, avaient pris des initiatives de temps en temps[7]. »

---

6. Le bilan de la guerre de Corée est très lourd : ce sont environ dix millions de personnes dont les familles ont été séparées, et près de cinq millions de morts, blessés et disparus (trois millions au Nord et deux millions au Sud) sur trente millions de Coréens.

7. « Memorandum by the Ambassador Philip C. Jessup (Seoul, Jan. 14, 1950) »,

Un autre indice, plus précis, apparaît dans un mémorandum de Muccio, ambassadeur américain à Séoul. D'après lui, « lors d'une réception au Palais présidentiel sud-coréen, un officier militaire sud-coréen s'approcha de lui en racontant avec plaisir que ses hommes avaient conquis Haeju, une ville située à plusieurs dizaines de kilomètres au nord du 38ᵉ parallèle[8] ». Ce type de tentative, soit du côté sud-coréen, soit du côté nord-coréen, était fréquent avant la guerre de Corée. Il est donc difficile de trancher de façon sûre sur cette question de savoir qui est l'envahisseur et l'initiateur de la guerre.

Les seuls critères qui peuvent aider à dégrossir cette question se trouvent dans les préparatifs militaires mis en place par les dirigeants des deux Corées pour concrétiser leur volonté ainsi que dans les formes du soutien des deux super-puissances auprès de ces mêmes dirigeants dans le but de servir leurs objectifs dans la péninsule, et plus globalement en Extrême-Orient. En nous appuyant sur ces critères, nous pourrions soutenir la thèse de l'« invasion nord-coréenne sur le Sud »; en effet, la guerre de Corée a été préparée plus sérieusement par les dirigeants nord-coréens avec les soutiens sino-soviétiques.

Il faut noter que les tentatives belliqueuses antérieures à la guerre de Corée avaient déjà fait plus de 100 000 morts. Le climat de violence de la période précédente s'ajouta à l'ambiguïté de la guerre pour favoriser la négation des droits de l'homme pendant la guerre de Corée.

Les points litigieux

Contre toute prévision, dès le début de la négociation pour l'armistice de la guerre de Corée, la question du rapatriement des prisonniers de guerre s'est heurtée à de grosses difficultés. Elle a fait tourner les discussions en rond pendant dix-sept mois. La cause la plus manifeste de ces difficultés se trouvait être l'existence d'un grand nombre de prisonniers de guerre qui s'opposaient à leur rapatriement du Sud vers le Nord[9]. Le point de

Foreign Relations of the United States, 1950, vol. VII, Washington, D.C., U.S.G.P.O., p. 1.

8. Joseph C. Goulden, *Korea : The Untold Story of the War*, New York, Times Books, 1982, p. 34.

9. En février 1952, le camp de la force de l'ONU a vérifié que sur 132 000 prisonniers de guerre, environ 28 000 ne voulaient pas être rapatriés dans le camp communiste. De même, environ 28 000 des 38 000 civils détenus s'opposaient au rapatriement. Voir Kim Hakjoon, *Han'guk jŏnjaeng wŏnin, kwajŏng, hyujŏn, yŏnghyang* 한국전쟁 — 원인 · 과정 · 휴전 · 영향 [La guerre de Corée : origines, processus, armistice et effets], Séoul, Bakyoungsa, 1989, p. 286. Pour le processus détaillé de la résolution des questions des prisonniers de guerre communistes, voir

désaccord était donc entre « rapatriement obligatoire » et « rapatriement volontaire ». Cependant, la cause profonde a plutôt son origine dans le fait que la guerre de Corée était une guerre civile et internationale, une confrontation idéologique et qu'elle s'est terminée sans vainqueurs et sans vaincus. Les parties concernées ne se sont pas accordées à définir les « prisonniers de guerre » d'après le concept traditionnel. Même si la situation était aggravée à cause de la lutte idéologique des communistes, qui se conféraient une légitimité et autojustifiaient tous leurs actes inhumains et non-conventionnels, la nature de la guerre et sa fin sans traité ont rendu difficile l'application des méthodes habituelles pour résoudre la question des prisonniers de guerre.

Le gouvernement de Rhee Syngman s'est attaché au « principe de rapatriement volontaire ». Les États-Unis ont également mis un certain acharnement à défendre ce principe, car ils ont voulu obtenir un effet positif dans le contexte de la guerre froide. Notamment, le Secrétaire d'État D. Acheson a cru que le principe pourrait freiner l'invasion soviétique dans la mesure où il encouragerait l'évasion des militaires du camp communiste en cas de guerre entre les deux camps. Comme les autorités américaines et sud-coréennes ont donné la priorité à l'application de ce principe, le rapatriement des prisonniers de guerre est resté inachevé. Il n'y eut que 8 341 rapatriés du Nord vers le Sud sur les 100 000 disparus des champs de bataille.

Le nombre exact des prisonniers de guerre sud-coréens retenus au Nord n'est pas connu. Il n'est donc possible que de l'estimer par des statistiques comparées. Le commandant en chef de l'armée de l'ONU, Mark W. Clark, présente un chiffre dans son mémoire de façon assez vague. « Au début de la guerre, les communistes ont réquisitionné 50 000 prisonniers de guerre sud-coréens au nom de la libération pour les enrôler dans leur armée et pour les engager dans les combats. Ils l'ont reconnu[10]. » M. Lee Ki-Bong, spécialiste de la Corée du Nord qui était prisonnier de guerre au Nord, estime qu'environ 70 000 prisonniers de guerre sud-coréens ont ainsi été retenus.[11] M. Lee Hang-Ku, un autre expert qui avait

---

Centre de recherches sur la défense nationale et l'histoire militaire, *Han'guk jŏnjaeng-iä p'oro* 한국전쟁의 포로 [Les prisonniers de la guerre de Corée], 1996.

10. Mark W. Clark, *From the Danube to the Yalu*, New York, Harper, 1954, traduit par Kim Hyung-Seop, *Danyubükang-esŏ aplokkang-kkaji* 다뉴브강에서 압록강까지, Séoul, Kugjemunhwa ch'ulp'ansa, p. 176.

11. Lee Ki-Bong, « *Jihasil-esŏn ün p'oro ka-doen kugkun changkyodül-iä pimyŏng sori-ka susiro saeŏn aw atta* 지하실에서는 포로가 된 국군장교들의 비명소리가 수시로 새어 나왔다 [À toute heure, les hurlements des officiers sud-coréens capturés nous parvenaient du sous-sol] », JoongAng Ilbosa, Séoul, Wolgan JoongAng,

gardé les prisonniers de guerre sud-coréens au Nord comme soldat nord-coréen, suppose que parmi 87 000 ou 88 000 prisonniers de guerre sud-coréens, 8 341 personnes ont été rapatriées, 20 000 ou 30 000 personnes seraient mortes pendant la guerre, le reste, soit 50 000 ou 60 000 personnes, serait encore retenu au Nord[12].

Les Services des tablettes funéraires au cimetière national de Séoul ont rapporté en 1997 que 102 384 personnes sont disparues sur les champs de bataille : 1 général, 2 924 officiers et 92 213 soldats de l'Armée de terre; 49 officiers et 1 173 sous-officiers de la Marine; 4 officiers et 68 sous-officiers de l'Armée de l'air; 3 672 administrateurs et travailleurs de l'armée; 352 officiers, 1 578 sous-officiers et 267 auxiliaires de la Police; 83 personnes de l'Armée des étudiants volontaires. Ces Services estiment que la moitié des disparus serait en fait retenue en Corée du Nord.

Au mois de décembre 1951, quand la question des prisonniers de guerre a été mise sur la table des négociations pour l'armistice, l'Armée de l'ONU a estimé que 88 000 militaires sud-coréens avaient disparu sur les champs de bataille. Les communistes n'ont présenté pourtant que 7 412 prisonniers de guerre sud-coréens dans les listes échangées le 18 décembre de la même année. Devant la protestation des Nations unies à propos de la différence énorme entre le nombre de disparus et le nombre de prisonniers de guerre figurant sur les listes, les communistes arguaient que le reste avait été tué à cause des bombardements des forces internationales ou bien des maladies, et que les captifs qui avaient reconnu leurs crimes avaient été libérés du front et autorisés à réintégrer leur armée ou à retourner dans leur village natal. En fait, seulement quelques militaires, moins de 200 personnes, étaient retournés dans leur armée d'origine. L'Armée de l'ONU a demandé aux autorités communistes de rapatrier les prisonniers de guerre recrutés de force dans leur armée. Elle a fait une proposition pour que chaque partie puisse vérifier la volonté des officiers et des soldats de l'autre partie. Les autorités communistes l'ont contestée en la qualifiant de « conspiration pour enlever plus de cent mille militaires de l'Armée du Peuple ».

Selon une publication officielle de la Chine sur la guerre de Corée, « *Zhongguo renmin zhiyuanjun kang Mei yuan Chao zhan shi*[13] », l'Armée

février 1995.

12. International Human Rights League of Korea, « *Pukhan-ŏkryu han'kugkun p'orodŭl-ŭi silt'ae po koső* 북한억류 한국군포로들의 실태 보고서 [Rapport sur les conditions réelles des prisonniers de guerre sud-coréens retenus en Corée du Nord] », p. 15.

13. *Junshi kexueyuan junshi lishi yanjiusuo* 軍事科學院軍事歷史研究所 [Centre de recherches sur l'histoire militaire de l'Académie militaire] (dir.), « *Zhongguo renmin*

chinoise a capturé à elle seule 37 815 militaires sud-coréens entre le 25 octobre 1950 et le 27 juillet 1953 (voir Tableau 1). Dans cet ouvrage, les autorités chinoises divisent le résultat de leurs batailles en « blessés et tués », « prisonniers de guerre » et « reddition ». Le chiffre 37 815 est obtenu par l'addition des deux dernières catégories. Il est donc fort probable que la plupart de ces personnes étaient vivantes à la fin de la guerre. Si l'on y ajoute les militaires sud-coréens capturés par l'armée nord-coréenne, en tenant compte du fait que beaucoup de militaires sud-coréens ont été capturés au début des hostilités, le nombre des prisonniers de guerre sud-coréens dépasse largement cette estimation officielle.

À cause de la marge d'erreur du recensement, il n'est pas possible de calculer exactement le nombre des prisonniers de guerre sud-coréens retenus au Nord. Il est néanmoins possible de le déduire d'autres statistiques. Si l'on soustrait les 88 000 disparus recensés à la fin de l'année 1951 aux 102 384 disparus — capturés et/ou tués — pendant les batailles, le reste, 14 384 personnes, a disparu après que le front a été fixé. Parmi ces derniers disparus, 7 885 personnes ont été capturées par l'armée chinoise. Si l'on y ajoute les personnes capturées par l'armée nord-coréenne, le taux des captifs parmi les disparus dépasserait 60%. Ce taux serait encore plus élevé parmi les 88 000 disparus recensés à la fin de l'année 1951, car les prisonniers de guerre sont plus nombreux pendant une guerre de mouvement que pendant une guerre de position, et les autorités nord-coréennes affectaient les prisonniers de guerre comme main d'œuvre en temps de guerre[14].

---

zhiyuanjun kang Mei yuan Chao zhan shi 中國人民志願軍抗美援朝戰史 [Histoire de la guerre de résistance aux États-Unis et de soutien à la Corée de l'Armée de volontaires du peuple chinois] », *Junshi kexue chubanshe* 軍事科學出版社 [Maison d'édition des sciences militaires], 1988.

14. Selon l'estimation de l'Armée de l'ONU en 1951, l'armée communiste a massacré 13 000 militaires dont 6 200 Américains, 7 000 Coréens du Sud et 130 ressortissants des autres pays (*The New York Times*, 17 novembre 1951). Après la fin de la guerre, le général Mark W. Clark a préparé un discours à l'ONU après avoir interrogé les prisonniers de guerre américains rapatriés. Bien que le discours n'ait finalement pas été prononcé, à cause de considérations politiques, il nous apprend que 7 161 militaires sud-coréens ont été tués. Ce nombre a été obtenu en soustrayant aux 29 815 personnes 10 032 Américains plus 12 622 ressortissants des autres pays de l'ONU (Mark W. Clark, *From the Danube to the Yalu*, op. cit.). Il est donc permis de supposer que le nombre des captifs sud-coréens massacrés ait été réduit dans la mesure où le recensement est basé sur le témoignage des captifs américains et qu'un nombre aussi limité était le résultat de la politique des autorités communistes qui voulaient pallier à leur pénurie de main d'œuvre grâce aux captifs sud-coréens.

Tableau 1. — Chronologie de la capture des prisonniers de guerre par l'armée chinoise

Date des opérations	Armée sud-coréenne	Armée de l'ONU	Total
1re zone des opérations (25 oct. – 5 nov. 1950)	4 741	527	5 268
2e zone des opérations (25 nov. – 24 déc. 1950)	5 568	3 523	9 091
3e zone des opérations (31 déc. 1950 – 8 jan. 1951)	5 967	367	6 334
4e zone des opérations (25 jan. – 21 avril 1951)	7 769	1 216	8 985
5e zone des opérations (22 avril – 10 juin 1951)	5 233	2 073	7 306
Opération défensive de l'été 1951 (11 juin – 30 oct.1951)	652	334	986
Consolidation des positions au printemps 1952 (1er déc. 1951 – 31 mars 1952)	834	124	958
Riposte tactique et opération défensive au col Sang-kam (1er sept. – 30 oct. 1952)	919	160	1 079
Préparation contre opération de débarquement du printemps 1953 (1er déc. 1952 – 30 avril 1953)	555	134	689
Contre-offensive de l'été 1953 (1er mai – 27 juil. 1953)	5 577	250	5 827
Total	37 815	8 708	46 523

Les deux premières zones (Guerre de mouvement) et les suivantes (Guerre de position).

Source : Annexes 2 et 3 de «Zhongguo renmin zhiyuanjun kang Mei yuan Chao zhan shi», op. cit.[15]

D'après l'annonce du quartier général de l'armée communiste, entre le 25 juin et le 25 décembre 1950 les Coréens du Nord et les Chinois ont capturé 38 500 militaires de l'ONU, dont des militaires sud-coréens. De même, ils ont capturé les 26 865 militaires ennemis entre le 26 décembre 1950 et le 25 mars 1951[16]. Même si cette annonce est sujette à caution, elle nous permet néanmoins de confirmer nos suppositions. Si l'on ajoute 11 000 à 12 000 militaires capturés jusqu'à la fin de l'année 1951 par l'armée chinoise et un nombre inconnu de militaires capturés par l'armée nord-coréenne aux 65 365 militaires capturés pendant les neuf premiers mois des

15. D'après la traduction coréenne : *Han'kug jŏnlyagmunje yŏkuso* 한국전략문제 연구소 [Centre d'études stratégiques de Corée], « *Jungkonggun-ŭi han'kug jŏnjaengsa* 중공군의 한국전쟁사 [L'histoire de la guerre de Corée de l'Armée communiste de Chine] », Séoul, Segyŏngsa, p. 361-394.

16. Lyou Byung-Hwa, « Legal Problems with the Repatriation of North Korean Detainees and Settlement programs », in *Understanding Human Rights in North Korea*, Choi Sung-Chul (dir.), The Institute of Unification Policy, Séoul, Hanyang University, 1997, p. 265.

hostilités, on peut conclure que plus de 80 000 militaires ont été capturés parmi les 99 500 militaires disparus du côté de l'ONU. Le taux des captifs parmi les disparus dépasse 80%. D'après ce taux très élevé, on peut estimer avec certitude que plus de 80 000 militaires sud-coréens ont été capturés parmi 100 000 militaires disparus pendant les batailles. Parmi ces captifs, 50 000 ou 60 000 personnes auraient été vivantes à la fin de la guerre.

Parce que l'ONU, donc les Américains, s'est intéressée aux captifs américains et non pas aux prisonniers de guerre sud-coréens, qui étaient pourtant majoritaires, et a créé un point litigieux sur le principe du rapatriement, plus de 50 000 militaires sud-coréens ont sombré dans le gouffre de l'oubli. Afin de trouver une solution à cette question, il est nécessaire d'éclairer les raisons pour lesquelles les prisonniers de guerre sud-coréens n'ont pas été rapatriés malgré leur grand nombre.

Les autorités communistes n'ont pas reconnu les captifs sud-coréens comme prisonniers de guerre. Pak Hon-Yong, le ministre des Affaires étrangères de la Corée du Nord, a affirmé le 13 juillet 1950 dans un télégramme expédié au Secrétaire général de l'ONU que sa République respecterait les clauses des conventions de Genève. Pourtant, les autorités nord-coréennes ont refusé la clause 85 de la convention de Genève de 1949 (III) sous le prétexte qu'elles jugent les militaires engagés dans la guerre de Corée « criminels de guerre contre leur peuple ». Retenus comme manœuvres et otages de la lutte idéologique, les prisonniers de guerre sud-coréens n'ont pas été mis sous la garde de la Commission des nations neutres pour le rapatriement.

La situation s'est aggravée dans la mesure où le 18 juin 1953 le gouvernement de Rhee Syngman avait libéré arbitrairement 26 666 sur 33 206 prisonniers de guerre nord-coréens anti-communistes. La question du non-rapatriement des prisonniers de guerre sud-coréens n'a pourtant pas été déterminée par cette décision unilatérale. Les communistes avaient déjà la volonté de ne pas rapatrier leurs captifs sud-coréens bien avant que la question des prisonniers de guerre ne soit devenue un point litigieux sur la table de négociation pour l'armistice. C'est pourquoi ils ont réduit le nombre des prisonniers de guerre sud-coréens à 7 412 dans les listes échangées entre les deux camps en décembre 1951.

Les prisonniers de guerre sud-coréens, victimes de la lutte idéologique des communistes et des conditions de l'armistice, n'ont pas trouvé le soutien nécessaire du gouvernement sud-coréen, passif pendant la négociation parce qu'opposé à une armistice sans réunification.

La vie des détenus en Corée du Nord

Les prisonniers de guerre sud-coréens évadés du Nord entre 1994 et 1999 nous informent sur la vie des détenus en Corée du Nord. Par exemple, Lee Hang-Ku explique que les captifs sud-coréens ont été divisés en trois catégories. La première catégorie est composée des captifs engagés dans un combat ou envoyés en reconnaissance au front. Cho Chang-Ho, qui s'est évadé pour rentrer au Sud en octobre 1994, appartenait à cette catégorie. La deuxième catégorie regroupe les captifs engagés aux travaux de réfection. Ce sont les plus nombreux. La dernière catégorie est composée des captifs emprisonnés à Pyŏkdong-kun, comté situé à l'extrême nord de la péninsule coréenne. La plupart des prisonniers rapatriés après l'armistice appartiennent à cette dernière catégorie. Peu de captifs des deux premières catégories ont été rapatriés.

Selon l'information présentée par le Commandement des chefs d'État-major des États-Unis, il y aurait eu au moins 29 camps de prisonniers de guerre en Corée du Nord et 18 en Chine. Seuls les prisonniers de guerre de 11 camps nord-coréens figuraient sur les listes présentées par les communistes en décembre 1951, ceux des autres camps de Corée du Nord et de Chine avaient été omis des listes[17].

D'après le témoignage de Lee Hang-Ku, qui était chef d'escouade de la 22e brigade de l'Armée du peuple de Corée, sa brigade, formée le 9 octobre 1951, était constituée de captifs sud-coréens, à l'exception des cadres. L'entraînement se résumait principalement à l'éducation politico-idéologique effectuée dans le but de laver le cerveau des captifs. Après six ou huit mois d'entraînement, ces captifs étaient répartis en plusieurs divisions. Un de ces corps, l'unité 584, s'occupait des travaux de réfection des chemins de fer. On y trouvait trois brigades formées de captifs sud-coréens, une brigade contenant de 2 000 à 5 000 militaires. À l'époque, l'aviation de l'ONU bombardait les chemins de fer avec des bombes à retardement afin de paralyser le réseau ferroviaire. Ces bombes s'enfouissaient à un ou deux mètres sous terre en bordure des voies

---

17. Dans un télégramme envoyé au commandant en chef d'Extrême-Orient (Matthew B. Ridgway), le Commandement des chefs d'État-major des États-Unis indique en détail les positions des camps de prisonniers de guerre que les communistes n'avaient pas indiqués sur les listes échangées en décembre 1951. Les camps en Corée du Nord se trouvent à Chunggangjin (126° 50', 41° 48'), à Kanggye (126° 36', 40° 58') et à Sinuiju (124° 24', 40° 06') et ceux en Chine à Antung (124° 20', 40° 10'), à Mukden (123° 30', 41° 45') et à Peiping-Tientsin (116° 25', 39° 55'). Voir U.S. Department of State, *Foreign Relations of the United States 1951*, Vol. VII : « Korea and China » Part 1, 1983, Washington, D.C., U.S.G.P.O., p. 1399-1400.

ferrées et explosaient à tout moment. Les brigades des captifs sud-coréens étaient engagées pour faire exploser ces bombes après les avoir transportées loin du ballast. Les captifs travaillaient par groupes de quatre ou huit personnes. Le taux d'accident était si élevé qu'un travailleur n'avait presqu'aucune chance de survivre après avoir déplacé cinq bombes. L'unité 218, un autre corps composé des captifs sud-coréens, était engagée aux travaux de réfection des aérodromes à Pyŏngyang, à Shinŭiju, à Onchon et à Hwangju. Dans la mesure où les travaux étaient effectués sous les bombardements, le taux de mortalité était également très élevé[18]. Après la guerre, les autorités nord-coréennes les ont peu à peu démobilisés, et cette démobilisation s'est achevée en 1956. Même si on leur a permis de revenir à la société civile en tant que « militant de libération [*Haepangjŏnsa* 해방전사]», la plupart d'entre eux ont été obligés de continuer à exécuter des travaux durs dans les mines, dans les fermes collectives ou dans les usines sidérurgiques.

Selon le témoignage de Kang Dae-Jin, ancien espion nord-coréen, plusieurs centaines de captifs sud-coréens, dont les colonels Park Seug-Il et Ko Kun-Hong capturés par l'armée chinoise en novembre 1950, étaient engagés dans les années 1960 dans les usines ou dans les mines de la province de Hwanghae, région contiguë au nord de la ligne de démarcation[19]. L'ex-prisonnier de guerre Cho Chang-Ho a travaillé dans les mines, dont celles d'Aoji, pendant ses quarante ans de détention. Quand il était détenu au « premier camp spécial d'Aoji » entre 1953 et 1957, il y a vu de ses propres yeux 300 à 400 prisonniers de guerre sud-coréens non rapatriés. D'après Cho, la plupart d'entre eux sont morts de maladies épidémiques : typhoïde, choléra, typhus exanthématique, tuberculose pulmonaire, etc. Cho a lui-même enterré plus d'une centaine de cadavres de captifs[20].

18. Entrevue diffusée le 26 juin 1997 dans une émission télévisuelle, *Taegu munhwapangsong 6.25 podot'ŭgjip*대구문화방송 6.25보도특집 [Reportage spécial sur la guerre de Corée de la télévision MBC à Taegu], « *Dolaoji mothan yongsadŭl* : 돌아오지 못한 용사들 [Les vaillants soldats non rapatriés] ». Voir aussi «6.25 misonghwan kukgun p'orodŭl silsang 6.25 미송환 국군포로들 실상, [Réalité des prisonniers de guerre sud-coréens non-rapatriés] », *The Chosun Ilbo*, le 5 nov. 1994.

19. Lee Ki-Bong, « *Pughan-eŏgryu kugkun p'oro ŏmanmyŏng-ŭi haengpang* 북한억류 국군포로 5만명의 행방 [Piste des cinquante mille prisonniers de guerre sud-coréens retenus en Corée du Nord] », *ShindongA* 신동아, juillet 1993, Séoul, DongA Ilbosa, p. 494.

20. Interrogatoire militaire associé du 5 novembre 1994 et l'entrevue de l'émission télévisée *Taegu munhwapangsong 6.25 podot'ŭgjip*대구문화방송 6.25보도특집 [Reportage spécial sur la guerre de Corée de la télévision MBC à Taegu], *opcit.*

La vie des détenus peut être reconstituée d'après les informations obtenues récemment par le Quartier général d'information de la défense nationale en Corée du Sud auprès de 18 personnes ralliées au Sud après les années 1960 et d'après les témoignages des 13 prisonniers de guerre rapatriés interrogés en 1994 par le Centre de recherches sur la défense nationale et sur l'histoire militaire. Les prisonniers de guerre sud-coréens qui ont été libérés ou démobilisés en Corée du Nord ont subi plusieurs politiques de réorganisation ou de reprise en main. Ils ont été emmenés dans les « zones contrôlées » ou déplacés à la campagne à deux ou trois reprises de la fin des années 1960 à la fin des années 1970. Au début des années 1980, les autorités nord-coréennes ont permis à un nombre assez limité de ces prisonniers d'adhérer au Parti du Travail et les ont employés dans l'administration. Cette mesure de relative tolérance a été prise dans le cadre d'une décision administrative des services de renseignements et de la police. Mais la plupart des captifs sud-coréens travaillaient dans les mines, dans les usines ou dans les fermes des « zones contrôlées ». Leur vie était toujours placée sous le contrôle de l'inspection du service de renseignement. Leur vie conjugale était précaire puisque leur épouse pouvait demander le divorce sous prétexte qu'ils étaient des ex-prisonniers de guerre. Leurs enfants ne pouvaient pas entrer à l'université. Seuls les captifs qui avaient été enrôlés dans l'armée nord-coréenne après avoir été capturés pendant la guerre avaient droit à une vie plus privilégiée. Les autres ont dû mener une vie inhumaine dans un camp d'instruction[21].

D'après le témoignage de Dong Yong-Sup, qui s'est réfugié en Corée du Sud en 1996 après vingt ans de travail dans les mines, plus d'un millier de captifs sud-coréens travaillaient avec lui à la mine de Yongyang dans le

---

21. En Corée du Nord, il y avait 20 camps d'instruction qui se composaient de 88 bâtiments dans lesquels 38 700 personnes pouvaient être internées. On ne sait pas encore s'il y avait des camps d'instruction réservés aux prisonniers de guerre sud-coréens. Avant les années 1960, la plupart des camps se situaient dans les villes. Depuis les années 1970, ils ont été déplacés en banlieue afin d'être cachés. La plupart de ces camps sont des lieux de travaux forcés : usines, mines, fermes, etc. D'après le témoignage de Kang Myong-Do, un ex-prisonnier de guerre sud-coréen, Choi Byong-Nam, qui enseignait à l'École des langues étrangères de Pyŏngyang, a été emprisonné par le service de renseignement nord-coréen juste après la crise causée par l'incident du 18 août 1976. Les États-Unis menaçaient en effet d'user de représailles militaires si Kim Il-Sung ne faisait pas d'excuses pour le massacre à coup de haches des soldats américains à Panmunjom. Cet exemple nous montre que même si une vie normale est possible pour un petit nombre de prisonniers de guerre en vertu de la « politique de réorganisation » ou de la « direction du règlement tolérant », cela n'est qu'une mesure provisoire et sans garantie. (Entrevue avec Kang Myong-Do du 21 novembre 1997.)

comté de Heocheon de la province Hamgyeong du Sud. Dans la mine de Kŏmdŏk, à deux kilomètres de distance de Yongyang, plusieurs milliers de prisonniers de guerre sud-coréens travaillaient sous un contrôle sévère. Il ne leur a jamais été permis de sortir de là pendant quarante ans. Certains même n'étaient pas autorisés à remonter au jour. Les autorités nord-coréennes ont encore interdit à leurs enfants de voyager à l'extérieur de la région et elles les ont également astreints à des travaux dans les mines. Selon Dong, ces prisonniers de guerre n'y restaient jamais volontairement et ils désiraient vivement être rapatriés en Corée du Sud[22].

Point de vue juridique

L'Accord d'armistice militaire en Corée et la convention de Genève de 1949 (III)

Afin d'examiner la question du rapatriement des prisonniers de guerre sud-coréens, il est nécessaire de présenter d'abord les positions des pays concernés par la convention de Genève de 1949 (III). Le département d'État des États-Unis a déclaré le 3 juillet 1950 que les États-Unis allaient respecter les principes humanistes de la convention et qu'ils allaient collaborer totalement avec la Croix-Rouge Internationale. Le lendemain, le général McArthur l'a confirmé par des mesures pratiques. Puis le 5 juillet 1950, Rhee Syngman, le président de la Corée du Sud, a promis que son gouvernement allait respecter les conditions de la Convention.

Quant au gouvernement nord-coréen, Pak Hon-Yong, ministre des Affaires étrangères, a envoyé le 13 juillet 1950 un télégramme auprès du secrétaire général de l'ONU pour affirmer que son gouvernement allait respecter tous les principes de la convention de Genève concernant les prisonniers de guerre. Au début de la guerre, le gouvernement chinois s'opposait à la convention de Genève. Il a soutenu une « politique de tolérance [*kuanrong zhengœ*寬容政策] » et justifié ses propres principes de traitement des prisonniers de guerre. Il a changé de position le 13 juillet 1952 et s'est décidé à reconnaître la convention de Genève, parce qu'il y a trouvé une certaine logique qui lui permettait de demander au commandement de l'ONU de rapatrier ses propres militaires capturés. En revanche, il n'a pas oublié d'appliquer le statut de criminel de guerre, tel que défini par les tribunaux internationaux militaires de Tokyo et de Nuremberg, aux militaires sous le commandement de l'ONU, qui, dans sa

---

22. « *Kugkun p'oro su ch'ŏnmyŏng pukt'an kwang-sŏ noyŏk* 국군포로 수천명 북탄광서 노역 [Plusieurs milliers de prisonniers de guerre sud-coréens font des travaux pénibles en Corée du Nord] », *JoongAng Ilbo*, le 26 août 1996, p. 1.

logique, étaient des criminels de guerre, parce qu'ils participaient à la « guerre d'invasion des pays impérialistes ».

Les pays qui n'avaient pas ratifié la convention de Genève comme les États-Unis, ou qui n'y avaient pas adhéré comme la Chine, la Corée du Nord et la Corée du Sud, n'étaient pas tenus de se soumettre aux restrictions de la convention et ne s'y sont pas soumis. Ils tenaient des positions assez arbitraires à l'égard de la convention. Comme il était difficile d'appliquer la convention globalement, ils ont donc eu besoin de conclure un accord pour la question des prisonniers de guerre. Pour cette raison, ils ont inclus dans l'Accord d'armistice militaire en Corée les clauses du règlement pour la question des prisonniers de guerre. Pour les éventuelles questions non inscrites dans l'Accord, il a été décidé de l'application de la convention de Genève comme mesure complémentaire.

Même si les deux camps avaient violé la convention de Genève en maintes occasions pendant la guerre, ils l'ont néanmoins utilisée dans un sens actif ou passif. À propos de l'Accord d'armistice militaire en Corée, la Corée du Nord désapprouve la Corée du Sud depuis toujours à cause de la question de la signature. Il est donc nécessaire d'analyser la question du rapatriement des prisonniers de guerre sud-coréens en s'appuyant non seulement sur l'Accord d'armistice militaire en Corée, mais aussi sur la convention de Genève. L'article 118 de la convention de Genève de 1949 (III) prescrit que les prisonniers de guerre soient libérés et rapatriés sans délai après la cessation des hostilités actives. Les autorités nord-coréennes violent cet article en retenant plus de 50 000 prisonniers de guerre sud-coréens sur leur territoire.

Par ailleurs, selon la clause 51 de l'article 3 de l'Accord d'armistice militaire en Corée, chaque partie devait rapatrier directement et sans entrave tous les prisonniers de guerre qui demandent le rapatriement à la partie à laquelle ils appartenaient au moment de leur capture, et ce, dans un délai de 60 jours. La clause 4 de l'article 2 de l'annexe de l'Accord d'armistice (« Accord sur les prisonniers de guerre ») prescrit que tous les prisonniers de guerre qui n'ont pas usé de leur droit au rapatriement suivant la date effective de l'Accord d'armistice doivent être délivrés du contrôle militaire et de la garde de la partie détenue le plus tôt possible, au plus tard 60 jours après cette date, et qu'ils doivent être livrés à la Commission de rapatriement des nations neutres à l'endroit désigné en Corée par la partie qui les détient. De même, selon la clause 11 de l'article 4 de l'Accord sur les prisonniers de guerre, après la dissolution de la Commission de rapatriement des nations neutres, si un des civils délivrés du statut de prisonniers de guerre qui n'avaient pas usé du droit de rapatriement désire rentrer à n'importe quel moment et où qu'il soit, les autorités de la localité où il se trouve sont dans obligation de l'aider.

Dans la mesure où les prisonniers de guerre sud-coréens retenus en Corée du Nord n'ont jamais été livrés à la Commission de rapatriement des nations neutres, la demande de leur rapatriement par l'intermédiaire de la Commission d'armistice militaire est parfois contestée. Les autorités nord-coréennes ont pourtant violé l'Accord d'armistice en entravant l'action des prisonniers de guerre qui désiraient le rapatriement. Elles auraient dû livrer tous les prisonniers de guerre qui n'ont pas usé du droit de rapatriement à la garde de la Commission de rapatriement des nations neutres. Toutefois, la non-exécution de l'Accord ne doit pas être considérée comme une limite à l'application de cet Accord aujourd'hui.

En effet, nous ne pouvons pas négliger la difficulté d'appliquer l'Accord pour la question du rapatriement des prisonniers de guerre sud-coréens. La Commission d'armistice militaire est suspendue depuis le remplacement du délégué responsable de l'Armée de l'ONU par un général sud-coréen au mois de mars 1991. La question de la signature soulève toujours un problème à la Corée du Sud. L'Armistice a été signée par la Corée du Nord et la Chine, d'une part, et par l'ONU, d'autre part, mais pas par la Corée du Sud. Pour cette raison, les autorités nord-coréennes refusent de participer à la Commission d'armistice militaire depuis le remplacement du délégué responsable. En conséquence, la question de la signature va mettre des entraves aux autorités sud-coréennes, si elles prennent l'initiative de résoudre la question du rapatriement des prisonniers de guerre sud-coréens à travers la Commission d'armistice militaire.

L'Accord de base inter-coréen et ses Protocoles

Même si les deux autorités coréennes sont arrivées à conclure l'Accord de base inter-coréen (Accord sur la réconciliation, la non-agression, les échanges et la coopération entre le Sud et le Nord) en 1991 et ses Protocoles l'année suivante, elles ne les ont pas mis en pratique à cause de la suspicion internationale à l'égard du développement nucléaire nord-coréen. L'Accord serait pourtant la base légale sur laquelle il serait possible de résoudre la question du rapatriement des prisonniers de guerre sud-coréens, une fois que les relations inter-coréennes seront normalisées, soit à travers la Conférence quadripartite entre les deux Corées, les États-Unis et la Chine, soit à travers les autres conférences envisagées.

La question du rapatriement des prisonniers de guerre sud-coréens deviendrait un sujet important au stade de la réalisation des articles 17 et 18 de l'Accord de base inter-coréen et du Protocole concerné. L'article 17 prescrit que les deux parties de la Corée encouragent la libre circulation inter-coréenne et les contacts pour les résidants de leur région. D'après l'article 18, les deux parties doivent autoriser la correspondance, les rencontres et les visites libres entre les membres de familles dispersées et encourager la réunion volontaire des familles divisées. De plus, les deux parties doivent prendre des mesures pour résoudre les autres questions humanitaires. Dans l'article 10 du Protocole concerné, plus précisément le Protocole sur les échanges et la coopération entre le Sud et le Nord, les deux autorités coréennes prescrivent huit points de mesures pratiques. En s'appuyant sur ces mesures, les prisonniers de guerre sud-coréens non rapatriés pourraient rentrer en Corée du Sud sans entraves légales. En effet, que leur entrée dans l'armée nord-coréenne ait été réalisée de façon volontaire ou sous la menace, après presque un demi-siècle de détention, ont-ils toujours aujourd'hui un statut de prisonnier de guerre ?

En mettant de côté les points litigieux, on pourrait, en vertu de l'article 17 de l'Accord de base inter-coréen, recenser les prisonniers de guerre sud-coréens non rapatriés encore vivants (environ 20 000 ou 30 000 personnes) et leur famille. Ils pourraient rentrer au Sud au nom du droit de réunion des membres de familles dispersées ou du droit de visite, comme le prévoit l'article 18. Si la particularité de cette question du rapatriement rend difficile la prise d'une telle décision, il serait alors également possible de la résoudre comme une des « questions humanitaires ». En fait, il est fort possible que des initiatives ponctuelles pour réunir des membres de familles dispersées s'effectuent avant que l'Accord de base ne se réalise, en d'autres termes avant que les articles 17 et 18 ne soient appliqués de façon générale. Dans ce cas, les prisonniers de guerre et leur famille doivent être mis au premier plan ne serait-ce qu'en raison de leur âge.

Question du rapatriement : contraintes et stratégie

La fragilité sociale en Corée du Nord

Dans une telle logique de négociation, la question du rapatriement des prisonniers de guerre sud-coréens constitue une difficulté majeure. Cette question est à l'origine de l'affaiblissement de la capacité de négociation des autorités nord-coréennes en même temps qu'elle détermine leur vision de la négociation[23]. La fragilité de la société nord-coréenne est une autre

23. Par exemple, Kim Il-Sung concevait la négociation en 1972, l'année où il a commencé le dialogue avec le Sud, comme suit : « Nous devons considérer le dialogue ou la négociation comme une forme tributaire de l'attaque révolu-

Tableau 2. — *Catégorisation de la population nord-coréenne*

3 couches et 51 catégories sociales		
Couches sociales	1971	Dans les années 1980
Couche essentielle (les sympa- thisants – le noyau dur)	870 000 familles (3 915 000 personnes, 25%)	5 980 000 personnes (28%)
Couche ébranlée (dans le doute)	700 000 familles (3 510 000 personnes, 23%)	9 620 000 personnes (45%)
Couche hostile	1 730 000 familles (7 935 000 personnes, 52%)	5 770 000 personnes (27%)

raison de l'affaiblissement de leur capacité de négociation. Depuis 1958, les autorités nord-coréennes poursuivent la « monopolisation socialiste des relations de production » et le « socialisme prolétarien pour tous ». Dans ce but, elles ont procédé au recensement de la population entre 1964 et 1969, et l'ont classée à partir de février 1971 en trois couches et 51 catégories sociales.

La politique de classe nord-coréenne a revêtu deux aspects. Les autorités ont appliqué, d'une part, une politique d'apaisement : l'élimination de la différence de niveau de vie entre les régions urbaines et rurales et la minimisation de la différence entre les classes par les trois révolutions technologiques. Elles ont appliqué, d'autre part, une politique d'oppression : la transformation des travailleurs, paysans et employés de bureau en prolétariat révolutionnaire par le mouvement des Agences de trois révolutions (idéologie, technologie et culture) et la dictature contre les éléments contre-révolutionnaires. Grâce à la politique de classe, l'inégalité sociale aurait été détruite. Pourtant, une nouvelle inégalité sociale a été institutionnalisée. Une nouvelle hiérarchie de classes sociales a en effet été formée, elle est basée sur les activités politiques présentes et sur l'appartenance sociale passée. Malgré cette politique qui a plus de quarante ans, les autorités n'ont pas réussi à élargir la couche sociale qui soutient leur régime. La fragilité de leur société rend difficile le changement de leur politique vis-à-vis des prisonniers de guerre sud-coréens, voire de la question de leur rapatriement.

tionnaire pour mettre l'ennemi dans l'embarras ». Voir « *9.25 Jeon'tumyŏngryŏng 9.25* 전투명령 [L'Ordre de combat du 25 septembre] », in *Naega p'an ttangkul* 내가 판 땅굴 [Le tunnel que j'ai creusé], Kim Bu-Sung, 1976, Séoul, *Kabja munhwasa*, p. 59–60.

La stratégie des négociations et le rôle des ONG

Il est difficile d'ouvrir une conférence sur le seul sujet du rapatriement dans un avenir très proche. La seule solution, celle qui est la plus plausible pour l'instant, est de le traiter dans le cadre de la Conférence quadripartite. Dans la mesure où cette Conférence a été ouverte pour préparer un appareil institutionnel devant mettre un terme à la guerre de Corée, la question du rapatriement doit être traitée dans cette Conférence d'une façon ou d'une autre. Le rapport entre le « régime de paix dans la péninsule coréenne » proposé à la Conférence quadripartite par les gouvernements américain et sud-coréen et le système défini par l'Accord de base inter-coréen n'est pas connu pour l'instant. Pourtant, les relations inter-coréennes devraient être fondées sur l'Accord de base. La question du rapatriement des prisonniers de guerre sud-coréens doit être considérée dans ce contexte.

La figure suivante présente les principaux thèmes qui dominent les relations inter-coréennes depuis les années 1990. En commençant les pourparlers inter-coréens des premiers ministres en 1990, les deux Corées ont essayé d'éliminer la méfiance réciproque, première étape vers la réunification pacifique. Elles ont prescrit des mesures pour créer un climat de confiance dans l'Accord de base et dans les Protocoles concernés. Malheureusement, les deux côtés y ont renoncé avant toute concrétisation. Chacun a fait des propositions impossibles ou difficiles à accepter par l'autre. Si bien qu'à certains moments, ces mesures censées instaurer la confiance paraissaient plutôt la détruire.

Figure 1. — *La stratégie de compensation pour la perte par l'échange des secteurs*

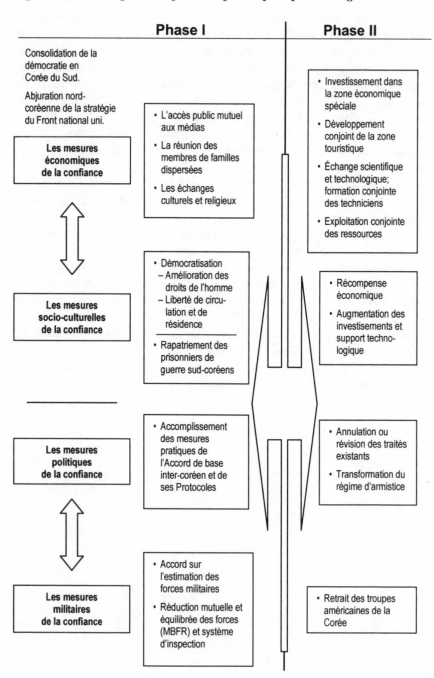

Avant que les mesures de confiance ne se soient suffisamment développées entre les deux Corées, on ne peut espérer que la question du rapatriement des prisonniers de guerre sud-coréens soit résolue par une négociation directe. Dans une première phase, il est donc nécessaire de respecter le principe permettant de la traiter dans un contexte global. Du fait que chaque mesure de confiance est discutée de façon concrète dans la deuxième phase, la question du rapatriement des prisonniers de guerre sud-coréens pourrait alors être mise sur la table de négociation. Dans cette phase, la Corée du Sud pourrait compenser la perte de la Corée du Nord sur cette question par un gain dans les autres secteurs. Dans ce cas, la Corée du Sud ne doit pas essayer de trouver un point d'équilibre entre les profits et les pertes dans chaque secteur. Elle doit essayer de trouver un point d'équilibre final entre les profits et les pertes dans l'échange des secteurs. Cette stratégie est différente de celle de la « négociation en bloc [package dealing] ». Le mode de calcul des pertes et profits de cette stratégie est multi-dimensionnel et séquentiel. C'est-à-dire que le concept de temps et d'espace prend une part dominante dans cette stratégie.

D'après le système actuel de négociation, que ce soit à la Conférence quadripartite ou aux pourparlers suspendus des premiers ministres intercoréens, le gouvernement sud-coréen peut facilement faire appel à la négociation en bloc. Il est plus difficile d'appliquer la « stratégie de négociation multi-dimensionnelle et séquentielle » dans la mesure où les négociations sont faites et seront faites dans chaque sous-comité de façon indépendante. Cette stratégie de négociation doit être prise au niveau de la politique à l'égard de la négociation. Mais cette stratégie est primordiale en raison de la difficulté récurrente de négocier sur la question du rapatriement des prisonniers de guerre sud-coréens.

Si l'on s'appuie sur les critères de S. Huntington, on peut dire que la démocratie est consolidée en Corée du Sud[24]. En outre, la stratégie nord-coréenne du Front national uni a presque perdu sa puissance, du moins en Corée du Sud. La deuxième phase pourrait donc arriver dans un avenir très proche. Néanmoins, afin d'en accélérer l'arrivée, il est nécessaire de faire pression sur le gouvernement nord-coréen par l'intermédiaire des organisations non gouvernementales (ONG) qui défendent les droits de l'homme. Les ONG doivent se fonder sur les résolutions 1235 et 1503 du Conseil économique et social de l'ONU. Ces deux résolutions concernent

24. D'après Huntington, en substance, la démocratie est réalisée quand les membres d'un gouvernement ayant perdu les élections renoncent à leur pouvoir et le système démocratique est consolidé après deux rotations par les groupes politiques essentiels. Voir Samuel P. Huntington, *The Third Wave: Democratization in the Late Twentieth Century*, Norman, University of Oklahoma Press, 1991, p. 267.

« l'existence d'un ensemble de violations flagrantes et systématiques, dont on a des preuves dignes de foi et indiscutables, des droits de l'homme ». Les prisonniers de guerre sud-coréens retenus en Corée du Nord en sont bien un exemple flagrant.

Les prisonniers de guerre sud-coréens sont les derniers esclaves du XXe siècle à qui sont refusés les droits de l'homme les plus élémentaires. Ils sont les victimes de l'histoire et de la guerre de Corée, qui malgré son aspect de guerre civile fut à l'origine de la guerre froide. L'idéologie militante des Coréens du Nord et l'impuissance et l'indifférence des Coréens du Sud les ont enfouis dans l'Histoire.

La guerre froide a pris fin en Europe il y a déjà plus de dix ans. De même, les relations inter-coréennes se sont développées depuis une décennie. Néanmoins, ces changements ne suffisent pas pour résoudre la question du rapatriement de ces détenus. Pourtant, il faut tenir compte de leur âge, d'autant plus que leurs conditions de vie se sont aggravées en raison de la crise économique qui menace les Coréens du Nord depuis quelques années. Il faut sauver ces détenus politiques du gouffre de l'oubli, car ils sont les preuves des droits de l'homme brisés par la confrontation idéologique et par le sous-développement politico-social qui sont d'ailleurs les héritages du XXe siècle.

Le gouvernement sud-coréen est toujours resté passif à l'égard de cette question en craignant la contre-proposition nord-coréenne qui aurait exigé le rapatriement des ex-prisonniers de guerre nord-coréens anti-communistes libérés par Rhee Syngman en 1953. À l'heure actuelle, même le gouvernement de Kim Dae-jung garde le silence sur cette question, alors que son premier plan consistait à échanger les captifs sud-coréens au Nord avec les communistes nord-coréens emprisonnés au Sud. Le gouvernement de Kim paraît craindre que cette question constitue un obstacle qui pourrait entraîner les autorités nord-coréennes à accepter des pourparlers officiels.

Dans la mesure où les initiatives que le gouvernement sud-coréen pourrait prendre dans le cadre général des relations inter-coréennes risquent de demander un certain temps, la contribution des organisations non gouvernementales est donc vivement souhaitable pour faire avancer plus rapidement cette question.

Popular Movements in Contemporary South Korea

Lee Su-Hoon

This essay discusses popular movements in contemporary South Korea, focusing on environmental movements. I underscored political liberalization and the ensuing activation of the civil society since 1987 as the sociopolitical context in which new social movements like environmental movements systematically emerged in South Korea. South Korea's social movements were previously characterized by the predominance of democratization movements. Although democratization movements continue to exist, they have lost much of their past vigor. Today, issues of popular concern are very diverse. The popular energy of social movements tends to be channeled towards issues related to everyday life. The environment has seized the public's attention under the changed political mappings. The rise of environmentalism in South Korea is evidenced by the increase of movement organizations, the heightened awareness of environmental issues, participation by the populace, and the growing influence of environmental movements.

SOUTH KOREA received a great deal of attention for its long military rule since the early 1960s. But it also received world-wide attention and respect for its persistent democratization movements waged by students and other social groups. Today, as a result of the democratization movements, South Koreans enjoy political freedom and liberty.

Now under changed political mappings, South Koreans tend to devote their energy toward different social issues. Popular movements changed significantly in terms both of their concern and of their membership. In the 1980s, a new type of movement like environmental movements emerged and became rapidly strengthened. To understand the emergence and speedy consolidation of these movements, we need to discuss the activation of the civil society in South Korea. Before the mid-1980s, the civil society was tightly suppressed by military authoritarian regimes. Under military regimes, economic growth and national security were the two most important national goals, thereby relegating other social issues as tertiary. However, with the liberalization of the authoritarian rule and with the subsequent rise of the civil society, the public quickly shifted its attention to social issues like environment.

Emergence of the civil society

The year 1987 was a climactic point in the history of political development in South Korea. It was the year in which the long-fought democratization movement recorded a victory. It was the year when the iron-fisted military-backed authoritarian regime deferred to the popular resistance and formally recognized its defeat. In form, all of these were crystallized in the June 29 Declaration.

What social group provided the final push to the sagging democratization movement? It was the urban new middle class, together with students and blue-collar workers. From 1987 on, South Korea saw activation of the civil society in which members of the new middle class became key cadres. Thus the year 1987 was a turning point in which the locus of the critical driving energy shifted to the civil society from the state. So came the era of the civil society in Korea.

Immediately after the June 29 Declaration the "great struggle" waged by industrial labor followed for the ensuing three months. During this period, roughly 4,000 strikes at 3,311 workplaces with participation of nearly 1.3 million workers took place, demanding organization of labor unions, increased wages, workplace democracy, etc. Also during this short period, about 1,200 new unions were organized. This was possible (or at least, it followed in time) because of the political space opened up by the June mass uprising, in which— I argue— the urban new middle class provided the final push. In addition, peasant movements became more organized and militant, protesting against the government policy toward urban bias at the expense of the agricultural sector. Heightened pressures from the U.S. Trade Representative for opening up Korean agricultural markets provided an added impetus for peasant mobilization. During the summer of 1988, the mass of urban poor barely subsisting in the "urban informal sector" demanded the alleviation of the substandard conditions in urban shantytowns and *moonvillages*.

These sectarian movements were very strong and meaningful both as movements in themselves and as significant pressures for ensuing political change. I will now underscore new types of social movements gaining momentum in Korean society as indicators for the activation of civil society.

What are these movements? They are *green* movements, economic justice movements, feminist movements, consumer protection movements, and so on. The former two emerged after 1987, and the latter two previously existed but gained a renewed drive. Their distinguishing characteristics are that one cannot speak of them in class terms, and that they transcend class interests. Instead, issues and areas of concern in these movements are relevant to the society as a whole.

These popular movements are reformist in the sense that even though they are not fundamentally against the capitalist system, they still highlight distorted and unjust aspects of that system. They struggle to reform the system by eliminating such aspects. Although they are keenly aware of basic inherent contradictions in production relations in a capitalist system, they equally emphasize contradictions in the arena of consumption. They realize that contradictions are born in the fields of production, but that they manifest themselves in the fields of consumption. Their intention is to focus on the latter. The political vision they aspire to is a social democracy model with an emphasis on the welfare state.

The premise of popular movements' strategy is non-violence and peaceful action. Non-violence and peaceful action are nothing new. But if we cast them in the context of the Korean social movement in the 80s, they represent an alternative method. For student and labor movements were more often than not militant and confrontational, which in part is attributable to the authoritarian regimes' hyper-repression. Popular movements put a priority on creating a mass base, acquiring expertise— on the issues they have taken up, and seeking potentiality of goal attainment. Note that this strategy is distinct, if not contrasting, in comparison with labor movement.

Rise of environmentalism

Since the early 1960's South Korea has undergone one of the most dramatic capitalist processes of growth with historically unprecedented speed—its average annual GNP growth rate being approximately 10 percent. Many Western scholars—particularly Americans—have described the Korean economic growth as a "miracle", suggesting that the Korean model should be adopted by other less developed Third World economies.

However, the much-lauded high-speed industrialization of South Korea has brought about some devastating consequences as well. One such negative consequence is the irrevocable damage to the environment, which we may call an "environmental crisis". People tend to refuse to recognize the ugly and dirty side of high-speed industrialization. In fact, Korean government technocrats assumed, perhaps with the tacit consent of the populace, that some environmental damage is an unavoidable by-product of rapid economic growth. Now, the populace has come to realize the severity of environmental problems and the high price that it has to pay for what it has done to nature and to the environment. The Korean people began to question the growth-oriented, achievement-oriented, target-oriented model of development that the Korean government has pursued. They not only questioned, but also began to take concrete actions to stop further damage to the environment and to reverse the ever-increasing pollution. These people did so in organized ways. This signaled the emergence of the environmental movements in South Korea.

In a sense, environmental movements in South Korea were created by the "Korean miracle", i.e: the high-speed industrialization, which South Korea has pursued and achieved over the past 30 years or so. The distinctive pattern of national development, which was based on the rapid growth of export industries, inevitably paid less attention to the natural environment, among other things. The outcome was the massive and widespread destruction of nature and the environment. As much as the speed in the Korean growth model was critical, the speed of environmental destruction was equally devastating. The speed of growth was the underlying force, and it reveals three defining characteristics of environmental degradation in Korea. First, it is nation-wide; therefore, every single individual is affected to a greater or lesser degree. Second, pollution is unfolding rapidly. Third, pollution is of a highly malign nature.

Needless to say, damage to the environment is hazardous to human health, and the destruction of the ecosystem can have long-term negative effects on the quality of human life. It goes without saying that the ultimate goal of economic development is to improve the living conditions of the populace concerned. In this regard, the high-speed industrialization of South Korea during the past 30 years or so has been very costly in view of the enormity of the ecological damage in spite of its "remarkable" performance. Today the "environmental crisis" that South Korea faces is widely discerned by the public and admitted by the government.

Environmental movements in South Korea have emerged as a result of the high-speed export-oriented industrialization strategy, which created the "environmental crisis". They have emerged as one way to respond to this grave challenge impinged upon the Korean public.

Environmental groups have existed in Korea since the 1970s. For the most part, however, these groups were small and connected with churches or based in universities. The primary activities of these small isolated groups were to heighten the environmental consciousness amongst the citizenry.

Environmental movements[1]

The very first recognized environmental group came into being in 1980, and was called the "Study Group of Pollution". Actually, it has been in existence from the 1970s on the Seoul National University campus. This was a small non-public organization with comparatively little activity. But it signaled the blossoming of organized environmental movements in the 1980s. The key members of this group were primarily concerned with the technological scientific movement. Their concerns included the social meaning of science and technology, the role of scientists and engineers, and the needs for recasting the existing image of scientists, and so on. Students involved in this group were mostly science or engineering majors rather than social sciences or humanities majors. It may be noted that these latter groups have conventionally been active forces in student movements. In a related vein, science and engineering majors have been comparatively inactive in student movements. The degree of participation by these segments within the student population in protests and demonstrations has been lower than that by social sciences or humanities majors.

We can discuss the environmental movements of the 1980s by dividing them into two large currents: anti-pollution movements and anti-nuclear movements.

Anti-pollution movements

In 1982, through the initiative of church leaders, the Korean Pollution Research Institute (KPRI) was founded. KPRI was realistically the first organized environmental movement group, in the sense that it had the staff, space, and other resources required to operate an organization. One of the founding members of KPRI who was also its Associate Director of Research, Choi Yul is now Korea's most active and perhaps most widely recognized environmental movement leader. Choi is currently the Secretary-General of the Korean Federation for Environmental Movement (KFEM)— the largest and most active environmental movement organization in Korea today.

Under the frozen political circumstances of the notorious Chun Doo Hwan regime, KPRI carried out significant, albeit limited, activities. The Church provided it with a protective shield. By supporting the activities of

---

1. This section draws heavily from Lee Su-Hoon, "Environmental Movements in South Korea", In *Asia's Environmental Movements: Comparative Perspective*, Yok-shiu F. Lee and Alvin Y. So (eds.), p. 90–119. Armonk, N.Y.: M. E. Sharpe, 1999.

small environmental groups, KPRI played a connecting role among those isolated green movement groups. At the same time, it did fieldwork in polluted areas and helped local residents promote their own programs to reduce damage from pollution. It also held pollution-related counseling and open lectures to promote awareness among the populace.

The successful fieldwork at the Onsan Industrial Complex (located on the southeastern coast near Ulsan)— the site of non-iron heavy metal industries— can be singled out among the numerous achievements of KPRI. In 1985, KPRI issued a series of reports, whose major finding was the epidemiology of the so-called "Onsan illness" which struck about five hundred Onsan residents as of 1985. The number has increased each year, and now numbers more than one thousand. The "Onsan illness" was confirmed by a Japanese scientist who identified it as a Korean version of Japan's well-known "Itai-itai illness". The cause of "Onsan illness" was the contamination of the majority of Onsan residents with heavy metal elements such as cadmium.

KPRI's reports were well covered by the press, and they subsequently succeeded in publicizing not only the Onsan incident but also the potentiality of pollution-related illnesses anywhere else. This was the hottest social issue in 1985 and became known overseas as well. Because of the mounting pressure of the public opinion, the Agency of Environment unwillingly took an epidemiological survey of the would-be sufferers of the "Onsan illness". After a quick and hurried survey— the survey took only one week, the government released its finding that the density level of heavy metal in blood and urine among Onsan residents was "normal". Ironically, the government eventually moved the residents of Onsan, yielding to the struggles of residents and environmental activists. About forty thousand residents have been resettled, portraying an "exodus from pollution".

In 1984, various small groups— campus circles, groups of white collar workers, etc., the most notable of which was the SGP, formed the Korea Anti-Pollution Movement Council in the hope that the movement would be more systematic if some type of link were to be established. However, this attempt failed because the Council could not operate without strong support of each member group.

The year 1988 is recorded as a critical point in time in the history of Korea's environmental movements. For in that year the Korea Anti-Pollution Movement Association (KAPMA) was formed. The KAPMA then represented the mass-based Korean environmental movement, with the largest organization and most diverse anti-pollution and anti-nuclear activities. Its membership stood at over 1,300 as of early 1991. It published and distributed a monthly newsletter called, "Survival and Peace".

In the summer of 1989, two important changes took place: the earlier KPRI changed into the Korean Anti-Nuclear and Anti-Pollution Peace Movement Research Institute, and the more moderate subgroup of the SGP was absorbed into the Korean Environment and Pollution Studies Association. But the first organization was still limited in the sense that its key members were church leaders and that it was based in churches. This fact negatively squares with the mass-based KAPMA. It had advantages for its activities because of the protective shields that the Church provided against the authoritarian government. However, probably because of this advantage, it lacked issues that appealed to the masses and strategies to organize them for environmental movements.

Even though all these environmental organizations formed in the 1980s were nominally nation-wide organizations, in reality they were all Seoul based, and their activities were limited in that regard. However, the Korean environmental movement in the 1980s also saw the activation of environmental movements in local areas, in particular in the late 1980s. I will briefly list some local environmental organizations which are more active. It should be made clear that these local organizations are by no means less important than those in Seoul, although their activities carry less weight.

Perhaps the origins of the more organized environmental movements of the 1980s can be found in anti-pollution struggles waged by local residents who have been direct victims of the Korean environmental destruction. Therefore, we must not underestimate various resident-level (primarily peasants and fishermen) movements taking place in major industrial complexes such as Ulsan, Pusan, Yeocheon, etc. Despite the fact that those movements took place in isolation and with the economic objective of obtaining rights to survive, and thus lacking continuity and "movementness", they became in many instances roots which developed later into more organized local anti-pollution movement associations. It may also be noted that these resident-level movements in the 1970s took place in spite of open and explicit suppression by the government. Raising any question about the government's determined drive to "develop" or taking issue with the by-products of that drive was taboo and considered "undesirable", and therefore the target of governmental oppression.

In 1987, in the southwestern coastal area, the Mokpo Green Movement Council was formed under the leadership of a local medical doctor. More importantly, from the perspective of movement history, the Mokpo Green Movement Council evolved from an earlier, loosely organized nature preservation group, called "the Association to Preserve Youngsan Lake". The latter is famous among Korean environmentalists because of its successful campaign in 1983 to stop the government from approving construction of a Jinro Alcohol Plant—the maker of the Korean whisky *Jinro* and *Soju*—near Youngsan Lake, which was the reservoir for tap water for the city of Mokpo. This campaign enjoys significant stature in the history of the Korean environmental movement, both on the level of local areas and on the part of residents.

Two years later the Pusan Anti-Pollution Civilian Movement Council was founded. In the same year, the Kwangju Environment and Pollution Movement Association came into being. Also in 1989, the Mokpo Youth Association against Pollution and Nuclear Plants was formed. In that year, in an area near Mokpo, the Youngkwang Anti-Nuclear Plants Movement Association was established. It should be recalled that in Youngkwang, two nuclear plants (Korea Nuclear n° 7 and 8) have been in operation and contracts to construct two more plants (Korea Nuclear n° 11 and n° 12) were concluded. As of the end of 1996, construction of the latter two was completed. A total of four plants are now in operation in Youngkwang, and two more are under construction. Also in 1989, the Uljin Anti-Nuclear Plants Movement Youth Association was formed. In Uljin, a county on the southeast coast not far away from the city of Ulsan, the construction of two plants (Korean Nuclear n° 9 and 10) was completed at the end of 1988.

Also in 1989, the Ulsan Anti-Pollution Movement Association was formed. As is well known, Ulsan is an industrial city which was designated by the government as the site to accommodate petrochemical industries in the 1960s and 1970s and later for Hyundai's shipyard and automobile assembly lines.

These local environmental movement organizations were mostly independent and isolated. However, some degree of linkage between or support from Seoul-based organizations did exist. Apparently, a close relationship between local movement leaders and Seoul activists was maintained as well.

In the 1980s, even the terminology was distinct. Movement groups used the term, "anti-pollution" rather than environmental protection. Their slogans and goals were the elimination of "pollution" or "anti-pollution", rather than protection of the environment or control of environmental crisis. They resisted, opposed, and struggled. They also tended to draw a clear line between polluters and victims. They found the primary cause of pollution in the capitalist system.

Anti-nuclear movements

South Korean anti-nuclear movements constitute one of main currents among Korean environmental movements in general. This is the case today, and it has been more or less so from the very beginning of the South Korean environmental movements.
If one analyzes the industrialization processes of South Korea, one comes to the recognition that nuclear issues are deeply embedded in larger environmental issues. To sustain the high-speed, export-oriented industrial growth, electricity has been at the center of South Korean economic development. To supply electric power, the Korean government opted for the nuclear path. Once the South Korean government chose the nuclear path, structural interests of international— primarily the U.S.— nuclear industries, technocratic elites of the government, and local conglomerates all converged to promote the nuclear power industry in South Korea. The declining U.S. nuclear industry saw a business opportunity in South Korea, whose then leader President Park Chung Hee was entertaining his ambitious idea of nuclear weapon development.
After some 30 years of a vigorous nuclear energy development program pursued by the South Korean government, eleven commercial nuclear power plants are in operation as of 1996, five under various stages of construction, and altogether fifty-five more nuclear plants are planned to be built by the year 2031. If one is for nuclear energy, South Korea today should be regarded as a quite impressive achiever.
But today, South Korea is a nation which suffers from a deep nuclear crisis. Out of the eleven plants already in operation, reports of nuclear accidents of diverse kinds are quite frequent. All the ongoing nuclear power plant construction sites meet vehement resistance by local residents. The country also faces a nuclear waste storage crisis. Each on-site temporary spent fuel repository is reaching capacity. The country desperately needs a long-term site for storing nuclear wastes, but the omnipresent NIMBY— "Not In My Backyard"— phenomenon is at work in South Korea too. No one wants his back yard to be the dump site for threats of radioactivity.
Obviously, the nation is torn by nuclear conflicts. The basic position of the government remains unchanged. The general public mistrusts their government when it comes to nuclear issues. Construction projects worth billions of dollars are pending without any progress in either direction. Nuclear wastes are piling up, but no permanent site(s) for storage are foreseen. Not only does a lack of consensus between the government and the general public exist, but also a widening gap emerges.

South Korea has become a country which records one of the highest levels of nuclear dependence in the world. South Korea in the 1980s relied on nuclear power to supply more than 50% of its electricity. At present, the ratio stands at more than one-third. Electric power is one of the key elements in South Korea's continuing export growth. Since high-speed economic growth has been the single most important national goal, no one has dared to question the government's nuclear generation policy which is crucial to such a national developmental strategy.

However, from the mid-1980s, the populace began to show serious concern over their government's firm and ever ambitious nuclear power generation program. This concern was perhaps a result of nuclear plant accidents of various scales which take place quite frequently, coupled with the political liberalization at the time. The nuclear issue, which was taboo under authoritarian regimes in the 1970s and up to the mid-1980s, has emerged in the public debate arena since the late 1980s. The public debate questioned the efficiency of nuclear power and more importantly the safety of nuclear plants. This public question, which then was not widely shared by the public, was countered by the government as groundless allegations. As the public debate became heated, the propaganda waged by the government strengthened. It commonly used successful nuclear programs in some selected Western countries, while ignoring the world-wide trend toward the ultimate termination of nuclear development programs.

South Korea as a nation today faces a grave dilemma, to say the least. On the one hand, giving up the nuclear development program is too costly from a short-term point of view. On the other hand, the negative perception of nuclear energy shared by the general public is too high to be silenced. As time goes by, the negative perception is most likely to be heightened, in spite of the costly efforts the government makes and will make. This dilemma is one of the bases from which Korea's anti-nuclear movements have emerged.

The history of South Korean anti-nuclear movements begins during the year 1987. In that year, local residents living in the County of Youngkwang—the site of Korea Nuclear n° 7, n° 8 (these two were already in operation), n° 11, and n° 12 (these two were under construction then) launched a campaign calling for compensation for losses to fisheries. In 1988, the National Assembly took on the issue of the pending construction of Korea Nuclear n° 11 and n° 12 in Youngkwang. A heated debate between the government and forces of anti-nuclear position followed both inside and outside of the National Assembly. The major issue at stake was safety, perhaps reflecting the impact of the Chernobyl incident. Obviously, environmental movement leaders were involved in the debate. Moreover, they launched a major campaign against the construction of those two plants. They organized and executed mass rallies, and received signatures from citizens, with the target of one million signatures. They also published a newsletter, called *panhaekpaljŏnso* 반핵발전소 [Anti-Nuclear Plants]. The objective of this campaign was to create a national consensus against nuclear power plants and to consolidate the existing resident-level movements.

In the spring of 1989, twenty-one environmental and other (pharmacists, medical doctors, etc.) social movement organizations formed the National Headquarters for the Nuclear Power Eradication Movement. This was originally an ad hoc organization. Nascent forms of anti-nuclear movements had existed before this organization, which in its turn reflected these earlier scattered movements. In particular, resident-level anti-nuclear power plants movement provided a major impetus for the formation of the National Headquarters. This National Headquarters was established in continuum from this campaign in order to carry it out in more organized and more effective ways. Even though the Korean government eventually proceeded to complete Korea Nuclear n° 11 and n° 12, this campaign, which was carried out under the guidance of the Headquarters, became a critical turning point in the history of Korea's anti-nuclear movements in the sense that it succeeded in raising public awareness to a significant extent.

Among the populace, the dangers of nuclear plants were no longer taken to be a remote issue concerning others. A similar mishap could take place any time on the Korean peninsula, since, as of 1988 nine nuclear plants were in operation in a country smaller than the State of Ohio. In addition to the pending Korea Nuclear n° 11 and n° 12, which were then to be constructed in Youngkwang, the government announced some very disturbing nuclear energy plans: (1) by the year 2001, five more nuclear plants are to be built; and (2) by the year 2031, 55 additional nuclear plants will be constructed.

If preventing the construction of additional nuclear plants is a major goal of Korean anti-nuclear movements, another major element is the location of a permanent site for nuclear wastes. Indeed, in the 1990s the Korean anti-nuclear movements gained crucial strength from their struggle against the government's plan or proposal for a permanent and centralized nuclear waste repository site.

Like other countries with nuclear power plants, Korea has had the problem of storing or depositing spent nuclear fuel. So far, spent fuel has been stored in pools at each reactor site. However, these temporary sites have been known to have reached their limits in the mid-1990s although there are variations across different reactor sites. Yet the South Korean government has had difficulty in locating a long-term waste storage site for spent fuel and other waste nuclear materials. The country has experienced a nearly 10-year-long battle between the government and the opposition over the issue of the long-term storage of nuclear wastes. Actually, in 1988 the government proposed to build a long-term storage site on South Korea's southeast coast. Three sites are selected for consideration: Uljin, Youngil, and Youngduk (counties or towns not distant from one another, and very near to several existing nuclear plants). However, when the sites were announced to the public, anti-nuclear opponents (activists and local residents) organized protests. They blockaded major highways, with their tractors. After months of confrontational protests, the government had to cancel its plan. At the time, this stand-off between the government and the opposition was not nationally publicized, neither was it an isolated episode. From then on, the struggle has become a nation-wide issue, which made the control of the government much more difficult and made the bargaining power of the government much weaker.

Another episode of the government's plan and the opposition to it by activists and local residents followed in less than two years. In 1990, anti-nuclear activists became aware that the government had secretly identified Anmyondo (a remote island off the west coast of the peninsula in Ch'ungnam Province) as a proposed site for a permanent nuclear waste repository. The islanders, assisted by a coalition of environmental associations, launched protests against the yet unannounced project. What made the islanders really angry was the deceiving announcement by the government that the island was chosen for a research complex site, not a nuclear waste disposal site. The entire island became explosive when the residents found out the truth. Police and public buildings were attacked and several were set afire. Shops were looted. Many people were injured. Parents refused to send children to school. Children joined the riots. As the uprising showed no sign of subduing, the Minister of Science and Technology (Dr. Chung Kun Mo, a prominent scientist) appeared on national TV evening news to announce his resignation. The government was forced to withdraw its plan and look for another site. The Anmyondo uprising and its success are recorded as "a great victory" in the history of the Korean anti-nuclear movement.

In 1994, the cycle repeated itself once again when the Korean government announced its new alternative site to be the town of Uljin (a small town on the Southeast coast of Kyŏngbuk Province, also the site for two commercial nuclear plants). Violent protests and demonstrations followed, roads were blockaded with burning tires and fire bombs were thrown. A sizeable police force had to be called in to quell the tensions. Once again, the Ministry of Science and Technology was forced to withdraw its plan.

Immediately after the episode, the government hurriedly announced its proposal to designate *Kulŏpdo* 굴업도 (a tiny island about fifty miles off the west coast, near the famous port city of Inch'ŏn) an alternative storage site. The island had only ten residents, who, according to the government, agreed to accept compensation for their properties. But by now the public awareness was high, perhaps as a consequence of previous episodes. Environmentalists objected to the government's selection. This time, they raised questions about its suitability on the grounds that the island could be vulnerable in terms of geological dynamics. They began to organize the islanders and the people of neighboring Dŏkjŏk island. Local residents quickly turned their backs to the government. Residents simply stated that they will never move from their "homes" no matter what monetary rewards are offered. Their homelands, where their ancestors rest and where they will rest upon death, should not be the objects of bargaining.

These episodes clearly document that the government, unlike in the past, cannot implement its policy without consent from the population which will be affected by such a policy. Therefore, the Korean government has a serious problem. Perhaps the nation has a serious problem. It must find a place for the permanent nuclear waste repository. For the capacity at each reactor, which is temporary anyway, is reaching its ceiling. However, no locale is willing to become the site for "dangerous" wastes. NIMBY is at work. Democracy in Korea is too new to handle the phenomenon in a mature way. In an important sense, the seed of this problem can be found in the non-democratic (often clandestine), bureaucracy-centered, and authoritarian policy-making and administration of government's policy.

South Korean anti-nuclear movements should build solidarity between local residents and concerned citizens residing in cities, in particular cities not too distant from nuclear plants. As consumers of power, city-dwellers are also potential victims of nuclear disaster or minor radioactivity. Public hearings, debates, exhibits, etc. in these cities are instrumental to promote solidarity. In order to activate anti-nuclear movements in urban areas, campaigns like Help Children of Chernobyl, Send Gauges to Measure Radioactivity, and Develop Alternative Energy Programs should persist.

Legal and institutional actions should be expanded. Stoppage is significant and effective now. Primarily a negative campaign, it must be combined with positive actions such as a call for the revision of existing energy-related laws and measures. At the center of the Korean nuclear crisis lies the monopoly of the electric power industry (production and distribution) by the government (the Korea Electric Power Company). The industry should be liberalized. Calls for the liberalization of KEPCO's monopoly are timely because the Korean government's policy toward state enterprises is that of privatization. Pluralistic power production and distribution will create market mechanisms through which progressive ideas (e.g., alternative forms of power generation) can be implemented.

The defining character of the Korean environmental movement in the 1980s is that they were anti-pollution and anti-nuclear movements. During the first half of the 1980s, the major issue was the various types of pollution that were produced as a consequence of rapid industrialization. In the second half of the decade, more weight has been given to anti-nuclear issues, although this is not to suggest that pollution is no longer a key issue within the environmental movement.

Consolidation and expansion of environmental movements in the 1990s

In the 1990s, environmental movements have experienced significant transformations. More than anything else, they have expanded under different structural contexts. Qualitative changes have also taken place under the altered political mapping. I will discuss these in this section.

In the early 1990s, more ecologically-oriented green organizations emerged. The reconstitution or reorganization of existing environmental groups also took place. In terms of activities and membership, two organizations deserve our attention. The first is the Korea Federation for Environmental Movement (KFEM). The second is the Green Korea. The Green Korea was a merger of two existing organizations in 1993: the Baedal Eco Club, a research group of professionals, founded in 1991, and the Civic Association for Recovering Green Korea, also founded in 1991. As the term, *green* in its title implies, Green Korea tends to be more ecologically oriented. The ecological orientation of Green Korea is clearly evident in the words of its Secretary-General, Jang Won: "recycling, diversity, coexistence, network, eco-systems".

It must be pointed out that among the many green organizations, groups, and even a political party (the Green Party of Korea) which emerged in the late 1980s and the early 1990s, only KFEM and Green Korea had a membership of more than 1,000. This may indicate how nascent environmental movements in Korea were, in spite of the quantitative expansion of environmental movements during this period.

The consolidation and expansion of environmental movements began to take place in the last years of the 1980s. During this rather short period of time, the following factors were critical in consolidating and expanding environmental movements: 1) the 1987 "June uprising" and the ensuing "June 29 Declaration"; 2) a series of tap water contamination incidents in 1989 and 1990; 3) the role of mass media. In addition to these, it goes without saying that the activities of the existing environmental movements in the early part of the 1980s were the crucial impetus for later developments.

First, as was mentioned earlier in this essay, 1987 was a turning point in the history of Korea's political development. It signaled the liberalization of the authoritarian regime. It also signaled the activation of civil society. The participation of urban white-collar groups in the "Great Uprising"— a nation-wide anti-Chun regime uprising— had enormous implications on environmental movements. The implications were various in respect to ideological leaning, to the composition of key participants in the movements, and to organizational expansion. Precisely because of their critical role in the watershed of Korea's political development, this group, the "new middle strata", began to appear as a central force in leading diverse social movements in the 1990s.

The 1987 political liberalization provided environmental activists with a windfall opportunity to consolidate and expand their movements. This was the start of the loosening of the coercive state and the activation of civil society. They turned to the afore-mentioned "new middle strata" to recruit members. The notable participation of this group began to change their ideological leaning and membership composition.

Second, in the summer of 1989, tap water in Seoul was reported to be contaminated by heavy metals such as cadmium and mercury. Major newspapers carried this rather shocking incident. Reaction by the people was enormous. This provided a major stimulus for promoting public awareness of Korea's greatly deteriorated environment. Until then, for the majority of the public "anti-pollution" was "their" issue, not "my" problem. The contamination of the city's water supply reached into every household and shook the citizenry to the core. Exactly one year later, in the summer of 1990, the second incident of tap water contamination took place. Reportedly, tap water in Seoul contained the cancer-causing chemical element, THM. Once again, the incident received a great deal of media attention. Needless to say, people responded to the shock with anger. But more importantly they began to question the reliability of the government and to listen to what environmental activists were saying.

In the spring of 1991, about half a year after the second shock, yet another major incident took place; this time even more disastrous. Doosan Electronics dumped a large amount of phenol into the upper Nakdong River which fed the reservoir for tap water in the southeast region. This incident was reported in newspapers and televised nationally invoking nation-wide anger and frustration. The "environmental crisis" was perceived to be real. Residents of the major cities (Taegu, Pusan, Masan, Ch'angwon) located in the southeast demonstrated explosive sentiments of anger and betrayal against the government. The Chairman of the Doosan Group announced that the Group will pay 50 billion won (about 60 million U.S. dollars) to the City of Taegu as a compensation for the damages caused by the incident. He also stepped down from his position.

The mass media from 1987 played a crucial role in the growth of environmental movements through the coverage of issues related to the environment by Seoul based major daily newspapers. But it would be more accurate to say that the mass media's role was more important in imbuing the public with an environmental consciousness. The coverage of environmental issues in newspapers increased greatly from 1987. Compared to the previous year, in 1987 alone the coverage doubled. After 1987, each year the increase was significant.

I would also like to point to the fact that environmental newspapers came into being during this period. They cover only environmental issues and problems, and are mostly published weekly with a limited size of circulation. As of August 1995, more than twenty such weekly papers were registered with the Ministry of Information. How seriously they were taken by the public or how influential they are on the government or their readers is unknown. Nevertheless, the very fact that environmental newspapers emerged reveals the blossoming of public concern and the importance of the environment in Korea.

The positive role that the mass media played during this period is indisputable. But the question is, why then? This must be examined in the context of the political liberalization after the 1987 Great Uprising and the "June 29 Declaration". The mass media was under tight control during Chun Doo Hwan's rule. Agents of the National Security Agency were resident in newspaper companies. Censorship was practiced. "Pollution" or the environment for that matter was still perceived to be part of the opposition's discourse.

But with the changing tide of the time, the environment became a very popular issue. The words *Hwankyŏng* 환경 [environment] or *Hwankyŏngboho* 환경보호 [environmental protection] carry no nuance of opposition and/or militancy. Rather suddenly, it became a very neutral issue, with no ideological underpinning. It became the subject matter of daily life, thus concerning everyone, and everyday discourse. The government began to take a pro-environmental posture. Business sensed enormous implications which might impact upon their profit-seeking after the Rio Conference on Environment and Development (UNCED). They too began to be, at least in gesture and in rhetoric, pro-environment. Mass media seemed to have snatched this new development in domestic structural contexts.

The 1992 UNCED held in Rio gave Korean environmental movements significant momentum. During the several months prior to the Conference, all sorts of preparatory activities took place. Seminars organized by either government, environmental organizations, or the business sector, were held almost every day. The topics covered were diverse: how to deal with the Summit Meeting, the changing strategies of the business sector, and the role of NGOs in the Conference, etc. The business sector released "Businessmen's Environmental Declaration" in May. The government announced the "Declaration for Environmental Protection" during the celebration events of Earth Day. In the past, neither the government nor the business sector showed any interest in the Earth Day Celebration events. They had to change because the world-historic context forced them to do so. With the Korean economy so deeply dependent upon the world market, they had little choice but to respond.

Through these activities, contacts between green activists, the government, and the business sector became frequent. This meant a lot because in the past, green activists generally held hostile posture toward both the government and the business sector. Preparatory activities created a platform on which these different actors, facing common challenges— albeit with different implications— could interact. The environmental crisis was indeed real and something to be dealt with properly, not to be avoided or ignored.

In the midst of this preparation, "the Korean Commission for the Rio Conference" was formed on the initiative of environmental organizations. Initially, the membership of the Commission was to be limited to NGOs only. But later representatives of the business sector joined the Commission, or more accurately the NGOs allowed them to join. This was possible in part due to the frequent contacts they had had through the preparatory activities. The business sector sponsored not only some of the activities of the NGOs— including environmental organizations like KAPMA— but also covered the travel expenses of NGO representatives to Rio. This stirred in-fighting within the environmental organizations. KAPMA lost its more radical and non-conciliatory membership due to this internal fighting. This later served as the main motor for transforming the basic characteristics of KAPMA. After the Rio Conference, KAPMA began to take a more moderate line compared to the past.

An equally important impact of the Rio Conference was the broadening of the concerns of Korea's environmental movements. Prior to their participation in the Rio Conference, they tended to place their attention on domestic environmental issues. Contacts with international green organizations or with organizations in other countries were isolated and minimal. After the Conference, however, they became more global. They came to realize the global nature of environmental problems and the importance of global solidarity in tackling environmental issues. Although how successful they were in promoting global activities and international solidarity is an issue to be debated, but the first-hand experience by Korean environmental activists in Rio made them realize the importance of international dimensions of environmental movements.

Concluding remarks

In this essay, I discussed popular movements in contemporary South Korea, focusing on environmental movements. I underscored political liberalization and the ensuing activation of the civil society since 1987 as the sociopolitical context in which new social movements like environmental movements systematically emerged in South Korea. South Korea's social movements were previously characterized by the predominance of student movements and labor movements. Although student and labor movements continue to exist, they have lost much of their past vigor. For example, student movements no longer receive the social respect and popular support they once enjoyed because they became very ideological and militant in the 1990s.

Today, issues of popular concern are very diverse. The era of military authoritarian rule is over. Civilian rule has been very much consolidated although the degree to precisely how democratic South Korea is remains very controversial. The popular energy of social movements tends to be channeled towards issues related to everyday life. The environment has seized the public's attention under the changed political mappings.

In South Korea, environmental movements now flourish. The number of environment movement organizations is almost countless. Participation by the populace is unquestionably on the rise. The impact of environmental movements is beginning to show. The awareness of environmental issues by the general public is comparatively heightened: the mass media is very favorable in their attitude toward environmental movements; the government tends to be responsive to the demands of environmental movement organizations; and the private business sector increasingly realizes that they should shift their enterprises to become more environment-friendly in order to maintain their competitiveness.

All these are the positive impacts and achievements of Korea's environmental movements. However, assessment of impacts of environmental movements is not that simple. If environmental movements aspire to alleviate and ultimately eliminate pollution, Korea's environmental movements have had little impact. In spite of the "booming" environmental movements, the environment itself shows no notable signs of improvement. The quality of water and air in cities has not improved, the destruction of nature as a result of diverse development projects continues, and the country's nuclear policy, in essence, remains intact. From this angle, Korea's environmental movements have recorded no success.

It is difficult to find causes for this paradox—while Korea's environmental movements are booming, the environment has not improved. One explanation may be that people are now only more conscious of environmental problems compared to the past. Because of this increased consciousness, more and more environmental issues are becoming objects of concern. In other words, issues that received little attention from environmentalists in the past are now very prominent. The paradox is a subjective phenomenon. Information about the environment is more open than before and access to information is easier. Mass media coverage of environmental problems has increased rapidly. Another explanation may be that the state and business have succeeded in containing environmental movements, by pretending to be pro-environment. The government allows environmental organizations to act, but only within the confines of the larger system. It responds to certain demands by environmental movements but only to the degree that they do not represent a major barrier to the smooth operation of the national economy. The business sector responds to certain demands, but only to the extent that these do not conflict with their fundamental interests. Such notions are only speculative and need to be verified through more systematic analyses.

If the "significance of environmental movements lies in their real and potential impacts on shaping or redefining the context, form and structure of political and ideological discourses on development issues", Korea's environmental movements have, so far, been successful. But Korea's environmental movements were unsuccessful in terms of producing actual results. Whatever significance we speak of, the future prospects for environmental movements in South Korea are bright. So long as the framework of the continuing debate and the policy priority of development versus the environment impinges upon us, Korea's environmental movements will be strong. When it comes to result-oriented significance, Korea's environmental movements still have a long way to go.

Environmental activists in Korea understand that the problems they are tackling are very complex and difficult to solve within a short time frame. They also understand that it may require generations to solve these problems, or at least to achieve a more peaceful coexistence with the natural environment, because the assault made by the Korean model of high-speed industrialization and its miraculous success has been so massive and devastating. Even worse, the Korean development model—high rates of export-oriented economic growth, dominance of a handful of big business conglomerates over the entire national economy and the symbiosis between the business sector and the state— remains, in essence, unchanged.

In December 1997, South Korea had to request an International Monetary Fund bailout because of the depletion of its foreign reserves. The IMF agreed to grant a 57 billion-dollar bailout to South Korea in return for the rigorous application of an IMF restructuring package. The IMF intervention in South Korea is expected to have far-reaching social impacts for many years to come. However, one thing appears to be certain; in spite of the tough structural adjustment programs, South Korea will not change its development model, but will deepen it with increased export and foreign direct investment. To increase the current account surplus, the new government of President Kim Dae Jung is making an all-out effort to increase exports and to attract foreign investment. This is likely to repeat the kind of environmental deterioration that the Korean people experienced during the earlier decades of high-speed export-led industrialization. Hence, the IMF control of the Korean economy will represent a second wave of challenges to environmental movements in South Korea.

Introducing Korean Literature to English Readership

SOME OBSERVATIONS ON TRANSLATING A *KASA*

Lee Sung-Il

Thorough understanding of Korean literature is possible only when one reads it in the original. Non-native speakers of Korean, however, can be initiated to Korean literature through translation. Although a number of anthologies of Korean literature in English translation exist, we must regretfully admit that few of them do justice to the original works contained therein in terms of reflecting their literary merits. In an effort to set the criteria for evaluating the translations of Korean classical poetry, I have examined two passages from *Kwandong-pyŏlgok* 관동별곡, using my own English translation as an illustration. My argument centers on the principle that a translation should reflect not only the rhythmic pattern or the flow of the original lines but the overall sound effect which encompasses both the external factors, such as beat, and the inner quality that appeals to our poetic imagination. Transplanting the sense and the sound is the ultimate goal of a translator of poetry; but transfiguration of what is said in the original into the cultural climate inherent in the target language is essential.

THOSE who are involved in teaching Korean literature in North America have recently been working toward publishing a standard anthology of Korean literature in several volumes, each devoted to a certain genre and containing a nice array of its representative works. In order to acquaint non-native speakers of Korean with Korean literature, presenting a neat anthology containing well-done translations of its representative works can be an alternative, if we have to exclude the possibility of making them study written Korean to attain the level of mastery required to read Korean literature in the original.

T. S. Eliot is said to have started learning Italian, solely for the purpose of reading Dante in the original; and we all hope that a similar effort will be made by those who are serious about studying Korean literature. But we must also remember that what initially instilled in Mr. Eliot the ardor for Dante and his poetic lines, thereby leading him to study Italian, was the excellent English translation of Dante's works by Henry Carey. Although the ultimate goal for all teachers of Korean literature in North America and elsewhere would be to help their students read it in the original, it is necessary for us to offer them good translations, if only to provide enough motivation for studying Korean literature in the original. In this essay, I wish to make a few observations on what criteria should be taken into consideration in selecting the translations to be included in a prospective anthology of Korean classical poetry.

I have always thought that a translation should reflect the rhythm or the flow of the original lines. Certainly, translating a poem is the process of transfiguring it in another language and the most important part of that process is to convey the accurate meaning of each verse— what the poet wants to say in each line. But a poem is a poem because it has a certain sound quality. In using the phrase "sound quality", I do not mean only the tonal quality but also the overall breathing pattern. And no one will argue that the message— what a poet wants to say— is something that can be abstracted from a poem without the reader's consciousness being affected by its sound. Indeed, the sound is an integral part of the message of a poem. If one is to believe that the sound and the message are two separate matters in a poem, the notion is as erroneous as believing that the sound and the message are two distinctly separable matters in music. And what is poetry but human effort to articulate, to create music out of language? As we all must admit, the power of poetry arises from the magical fusion of the message into the sound.

Of the four major categories of Korean classical poetry— *hansi* 한시, *hyangka* 향가, *sijo* 시조, *kasa* 가사, I will discuss a few issues involved in translating a *kasa*, because I have some experience of translating a few works in that poetic sub-genre. What I would like to propound, however, should not be taken as a reflection of any willful conviction, or even as a prescription by one who adamantly adheres to a set of rules. As any literary discussion should be, the following argument of mine is hypothetical, and therefore has to be confirmed through experimentation. What really matters in composition or translation is not theory but practice: theory is only subordinate to practice. For where lies the usefulness of a theory, unless it helps to facilitate effective composition or translation?

Before discussing a few points which I think are important in translating a *kasa*, I would like to call the reader's attention to three main characteristics of the poetic sub-genre. First of all, a *kasa* is in prose, and unlike *sijo* or poems in classical Chinese, has no set number of lines. It is something equivalent to the blank verse in English literature. And since the poet is not under the pressure of any rules in composing a *kasa*, the poet can make it as long as he or she wishes it to be. If we take a glance at the manuscript of a *kasa*, we can instantly notice that the predominant spirit in the composition of a *kasa* is something we might call "care-freeness". The lines continue without imposing any pressure on the poet's artistic consciousness. The poet can just let his or her writing brush glide on. The poet doesn't even have to worry about line division, which is an external factor that makes a poem look like a poem. But there is a certain rhythm that runs throughout a *kasa*, a kind of verbal flow that makes it read like a succession of verses. We might use the Korean word "*hŭng* 흥" to designate this unique sound quality common to all the works that fall into the category of *kasa*. The line divisions are the works of the editors; but the fact that the editors could easily agree on the line divisions proves that in every *kasa* one can detect a regularity of rhythm in its evolving lines.

Another characteristic of the *kasa* is that the authors are free to incorporate many learned words or phrases (often for topical or literary allusions) and also many proper nouns in the lines. And these words are almost without exception in Chinese. Though many Chinese words and phrases will appear in a *kasa*, we must not however forget that they had already been assimilated into the language of the *literati*, and that incorporating them in the composition of a *kasa* was necessary, not only for effectively conveying the poetic message but also for sustaining the ongoing rhythm by exploiting the verbal economy inherent in them.

The three characteristics I have pointed out above— the prose-like long-windedness, the regular beat repeatedly heard in the lines and the appearance of multifarious literary allusions and proper nouns— are all factors that should be taken into consideration in translating a *kasa* 가사 into English. The first of these, the apparent "formlessness" of a *kasa*, will not cause much problem in translation, because the editors have done the line divisions for the reader's convenience. The other two characteristics of the *kasa*, however, raise some tormenting problems for the translator.

How can we transfigure the regular beat that runs throughout a *kasa* into something pleasing to the ears of the English reader, while retaining the rhythm felt in the original text? And would it be possible for us to convey the meaning of a topical or literary allusion or of a proper noun in translation without breaking the rhythmic flow of the verses in English? These two are almost insurmountable barriers that a translator must find a way of breaking. But where there is a will, there ought to be a way that may emerge as we grope on the foggy path toward striking the right notes. An effective way of proving one's thesis is to go directly to a passage which illustrates the issues involved. Without prolonging my introductory comments, I would like to examine the opening passage of Chŏng Chŏl's

Kwandong-pyŏlgok 관동별곡, both in the original and in my own translation:

Kangho-e pyŏng-i k'peo chu klim -e nueo ssteoni
Kwandong p'albaekli-e pangmyŏn-ŭl matkisini
Ŏwa sŏngŭn-iya kadiro k mangkŭkhata
Yŏnch'umun tŭlitara Kyŏnghoe nammun parapomyŏ
Hajikgo mureonani okjeoti ap'-e seossta

P'yŏngkuyŏk mal-ŭl gara hŭksu-ro toraoni
Sŏmgang-ŭn eotŭttaeo ch'ak-ŭn yŏkiroda
Soyangkang naerin mul-i idireoro tondan malko
Kosin keoguk-e paekpal-to hatohalsa

Tongju pam kyŏu saewo Pukwanjŏng-e orlahani
Samkaksan jeilpong-i hamamyŏn poerirota
Kunguang taegwölt'ŏ-e ojak-i jijŏgwini
Ch'ŏngo hŭngmang-ŭl anŭnta morŭnta
Hoeyang yes irŭm-i match'uŏ kat'ŭlsigo
Kŭpjangyu p'ungch'ae-rŭl koch'ŏ ani polgeigo

강호에 병이 깊어 죽림에 누었더니
관동 팔백리에 방면을 맡기시니
어와 성은이야 가디록 망극하다
연추문 들이달아 경회 남문 바라보며
하직고 물러나니 옥절이 앞에 섰다

평구역 말을 갈아 흑수로 돌아드니
섬강은 어드매오 치악은 여기로다
소양강 내린 물이 이디러로 든단 말고
고신 거국에 백발도 하도할사

동주 밤 겨우 새워 북관정에 올라하니
삼각산 제일봉이 하마면 뵈리로다
궁왕 대궐터에 오작이 지저귀니
천고 흥망을 아는다 모르는다
회양 옛 이름이 맞추어 같을시고
급장유 풍채를 고쳐 아니 볼게이고

It is indeed a striking coincidence that the basic rhythm of a *kasa* is something equivalent to that found in Old English poetry. Each line contains four beats, and in terms of the breathing pattern, each verse consists of two thought-units, which results in the symmetrically arranged on-verse and off-verse. The only difference between the *kasa* and Old English poetry is that the former is not bound to the rule of alliteration, which, by the way, is a convention unique to the poetic composition in Germanic languages.

The primary concern of a translator of the above lines, then, should be how to transplant the rhythm (and the verse flow) into a translated version. What makes a work read like a *kasa* are the regular beat and the carefree flow of the lines. In a translation, then, the reader should be able to detect the rhythmic flow of the original verses, while enjoying it because it has been rendered palatable and pleasing to the ears of native English speakers. The reader must get the feeling that it is something new, something exotic, but quite acceptable as English verse. Here is my version:

Lovesick for the carefree streams, I lay among the bamboos.
Then the kingly command came that I govern the East Province.
O the royal grace that deepens as time passes!
Rushing through the palace gate, I hasten to the royal presence;
I bid my king farewell, holding the jade-plaque high and upright.

After changing the horses at P'yŏnggu, I ride along the Dark Stream;
How far is the Som River? Mount Ch'iak looms already.
Whither flows the water after leaving the Soyang River?
A lonely subject away from his lord, I shall gain more white hair.

After a sleepless night at Tongju, I ascend the North Pavilion,
Wondering if I could see the peak near the royal town.
Over the ruins of King Kung-ye's palace the crows are cawing;
Do they know the rise and fall of his kingdom?
The county of Hoeyang echoes the name of an ancient town;
One may here meet again the famed governor in the olden days.

I would not argue that the above is the best available translation, for several others may have attempted to translate the best of all *kasa* poems written during the Chosŏn Dynasty. But I am rather pleased with the result, mainly because this version of mine manages to transfigure the original in English verse. The above passage, which is neither a literal translation nor an arbitrary rendition, manages to transplant both the sense and the sound of the original. The first line in the original reads, "*Kangho-e pyŏng-i k'peo chuklim-e nueossteoni* 강호에 병이 깊어 죽림에 누었더니". The prevailing image here is that of sickness. But when the poet wrote, "강호에 병이 깊어", it does not necessarily mean that he actually suffered from physical ailment; rather it means that he was enamored of the life in nature, away from the bustle of the court and the town. But taking over the image of illness, the poet concludes the verse with the off-verse, "죽림에 누었더니". Suffering from illness and lying in bed constitute closely-matching images. But what the poet is really trying to say is that, before the king ordered him to be the governor of the East Province, he was indulging in the carefree life of *otium* and peace in nature. Then how can we reconcile the conflicting ideas in a single verse, harmonizing the image of being ill and that of being indulgent in a carefree life in nature? Literal translation will not do, of course. I tried to combine the two conflicting images in my first line: "Lovesick for the carefree stream, I lay among the bamboos". The word "lovesick" carries with it the image of illness; but it is something healthy, something restorative. When I used the words, "I lay among the bamboos", they both convey the image of being bedridden and the image of relaxing and resting.

Maybe a translator of poetry is just like a parent-fool, and tries to see only what he or she thinks is well-done. If I am one who happens to prove the validity of this statement, the reader should forgive me. For, unless we are given the privilege to indulge in the thought that we are doing OK, how can we persist in carrying out what men of letters over the ages have termed "the folly of attempting to do what is impossible"? True, *tradurre* may be *tradire*; but we persist, because there always looms the mirage of an oasis over the desert called "translation". And who knows? While trying to arrive at an oasis that lures us with its mirage, we may indeed find ourselves resting in the cool shade of the palm leaves, tasting of the fountain where flows the nectar of gratification and self-assurance.

While the reader was reading my translation of the above passage, he or she may have noticed that the overall rhythm of the verses matches (or echoes) the rhythm in the original text. I do not mean that my English version is a precise replica of the four-beat rhythm in the original. What I mean is that there is a kind of reverberation of the original verses' rhythm in my English rendition. The exact number of the syllables in the original verse cannot be transplanted into a translation. But the overall rhythm in the original should find an echo in the translation. This is what I would like to call "verbal echo" or "reverberation". English verse has its own binding rules of versification; and within them, the "Korean-ness" of a *kasa* should be reflected. In other words, the verse flow felt in the original text of a *kasa* should be fully integrated into the natural flow of English verse. Since the main esprit of the Korean verse form called *kasa* lies in the natural flow of the lines and the sweeping breath that is carried on line after line, an English version should also reflect the freedom (or the flexibility) of verse-making. This, I hope, is manifested in the varying number of stresses in my English version. The number of stresses in my English verse varies from five to seven; but this "regularity amidst irregularity" also reflects the freedom the poet enjoyed in composing his lines. In the original verses, the poet didn't worry about the exact number of syllables. He only wanted to sustain the rhythm— four beats per line; then why should we try to adhere to the exact number of syllables in a translated version, so long as the verses retain the rhythm of the original?

Earlier I briefly mentioned the problem of translating the words that have to do with literary or topical allusions. The above passage contains a few words and proper nouns that need to be translated or transfigured into English : "*Yŏnch'umun* 연추문", "*Kyŏnghoe Nammun* 경회남문", "*Tongju* 동주", "*Pukwanjŏng* 북관정", "*Samkaksan* 삼각산", "*Kunguang taegwŏlt'ŏ* 궁왕 대궐터", "*Hoeyang* 회양", "*Kŭpjangyu* 급장유". If one transliterates these words, they won't make any sense to the English readership. If one just decides to be faithful to the phonetic values of these words and to write down the "non-words"— at least to the English readership— they won't make any sense, unless learned and lengthy annotations are attached. And I don't believe in notes and explanations, unless they are mandated by the Miltonic lines. The more notes, the weaker a poem, because a poem should be able to explain itself without depending on "notes"— that horrible cover-up of poetic inadequacy masquerading as learning!

Then how should we break the wall? As ever, common sense is the solution. "*Yŏnch'umun* 연추문" can be translated into "the palace gate"; "*Kyŏnghoe nammun parapomyŏ* 경회남문 바라보며" into "I hasten to the royal presence"; "*Tongju* 동주" simply into "Tongju", not "Ch'orwon", its present name; "*Pukwanjŏng* 북관정" into "the North Pavilion" (rather than "*Pukwanjŏng*", which will not make much sense to a non-Korean reader); "*Samkaksan jeilpong* 삼각산 제일봉" into "the peak near the royal town" (rather than "the first peak of Mount Samgak"); "*Kunguang taegwŏlt'ŏ* 궁왕 대궐터" into "the ruins of King Kung-ye's palace" (rather than "the site of T'aebong", which will force the reader to make a trip to the library); and "*Hoeyang yes irŭm* 회양 옛 이름" into "the county of Hoeyang [echoing] the name of an ancient town" (rather that "Huai-yang of the Former Han", which I think is a scholarly note, rather than translation). "*Kŭpjangyu* 급장유" is a proper noun; but it does not have to be translated into "Chi Ch'ang-ju", in the spirit of historical accuracy. After all, Chŏng Chŏl wrote the poem in Korean, not in Chinese. Should one then even unintentionally imply that the Korean poem *could* have been written in Chinese, by kindly letting the reader know that "*Kŭpjangyu*" was indeed alluding to "Chi Ch'ang-ju"? "회양" is Hoeyang, the name of a town in Korean, not "Huai-yang of the Former Han". At this point, I would like to remind the reader that *Homeros* has been referred to as "Homer", and *Vergilius* as "Vergil" by the English-speaking people. There is no need for us to call one "*Kongja*공자" rather than "Confucius". Li-Po is perfectly acceptable in English; but not "Li Bai", which not many English-speaking people will understand. So, let the world know that poetry aspires after universality, not antiquarianism, nor linguistic accuracy, for that matter.

An important criterion for successful translation, however, should be sought in the inner quality of a work, not only in the external aspects, such as rhythmic flow or apt transplantation of the words pertaining to one culture, but into those corresponding to them in another culture. For, as John Keats once declared, "Heard melodies are sweet, but those unheard are sweeter"; one must not be concerned only about transplanting the sound heard by our sensual ears. "The more endeared" ears of our consciousness should also be touched by the sound which only our mind's ear can hear. Synaesthesia in poetry involves the interaction of our sensory perceptions; it often commands both our mind's ear and eye. The following passage from *Kwandong-pyŏlgok* is a fine illustration:

Ihw-nŭn pŏlssŏ chigo chŏptongsae sŭlp'i ulje
Naksan tongpang-ŭro Ŭisangtae-e orla anja
Ilch'ul-ŭl porira pamjung-man irŏhani
Sang'un-i chiphinŭn-tung yuklyong-i pŏt'inŭn-tung
Padahae ttŏnalje-nŭn mankuk-i ilhwitŏni
Ch'ŏnjung-e ch'ittŭni hopal-rŭl herirora
Amado yŏl kurŭm-i kŭnch'ŏ-e mŏmulsera
Sisŏn-ŭn eodi kago haet'a-man namassnani
Ch'ŏnjigan changhan kipyŏl chasehito halsŏligo

이화는 벌써 지고 접동새 슬피 울제
낙산 동방으로 의상대에 올라 앉아
일출을 보리라 밤중만 일어하니

상운이 집히는둥 육룡이 버티는둥
바다해 떠날제는 만국이 일휘더니
천중에 치뜨니 호발을 헤리로다
아마도 열 구름이 근처에 머물세라
시선은 어디 가고 해타만 남았나니
천지간 장한 기별 자세히도 할서이고

Here follows my translation of this passage:

Now the pear-blossoms have wilted and the nightingales sing sadly,
I get up in the middle of the night to climb the Naksan Hill,
And sit upon the Ŭisang Outlook to see the sunrise.
Auspicious clouds throng like the horses pulling the Heavenly Ruler's cart,
Making the whole watery kingdom shake as they rise above the sea.
As they soar to the sky, from their tangled mane floats thin hair;
I fear lest some innocent fleeting clouds get trampled by their hoofs.
The god of poesy is gone now, leaving only his utterances behind;
But the grand message of heaven and earth is fully revealed here.

The sound one hears while reading the passage aloud is to be transformed into the sound beating the eardrums of our inner ears, thus enabling us to envision the overwhelming spectacle of the clouds looming above the sea horizon before the sunrise. I wonder whether I worked with full awareness of what I was doing while trying to translate the above passage, or whether it was some unidentifiable mysterious force that moved my pen line after line. I opt to believe that the latter is closer to the truth, for, unless the translator's consciousness has attained complete fusion with the poet's, translation is impossible. All the theoretical probings on translation, after all, are redundant in the presence of the truth that only our desperate wish to relive the poetic moment, which compelled the poet to write his lines, will lead us to the blessed moment of attaining full fusion with the poet's consciousness. It is not we who do the translation; it is the poem that "translates" us into the second selves of its creator, the poet.

Population de Koguryŏ au VIIᵉ siècle

Li Ogg

Pour élucider le problème relatif à la population du royaume de Koguryŏ 高句麗, problème qui n'a jamais été étudié jusqu'à maintenant, nous avons réuni tous les renseignements consignés aussi bien dans les documents historiques chinois (*Hanshu* 漢書, *Sanguozhi* 三國志, *Hou Hanshu* 後漢書, *Tongdian* 通典, *Xin Tangshu* 新唐書, *Gaoli tujing* 高麗圖經, *Jiu Tangshu* 舊唐書) que ceux de la Corée (*Samguk yusa* 三國遺事, *Samguk sagi* 三國史記). Nous avons étudié l'évolution numérique de la population puis nous l'avons comparée avec celle de la Chine continentale. De cela, nous avons conclu que le nombre total de la population du royaume de Koguryŏ au VIIᵉ siècle s'élève de 900 000 à 1 000 000 d'habitants.

LE CÉLÈBRE HISTORIOGRAPHE CHINOIS Chen Shou 陳壽 (233-297) note, dans son *Sanguozhi* 三國志 (k. 30), qu'au IIIᵉ siècle de notre ère la périphérie du royaume de Koguryŏ 高句麗[1] était d'environ 2 000 *li* (1 *li* = environ 450 m)[2] et qu'il y habitait 30 000 foyers. Le *Jiu Tangshu* 舊唐書 précise, quant à lui, qu'au milieu du VIIᵉ siècle, il y avait à Koguryŏ une population de 697 000 foyers. Cela signifie que le nombre total des habitants de Koguryŏ s'est multiplié par 20 en l'espace d'environ 400 ans. Il est vrai que ce royaume, fondé au Iᵉʳ siècle avant J.-C., a considérablement agrandi son territoire jusqu'à sa disparition en 668. Sa sphère d'influence s'étendra, vers la fin du Vᵉ siècle, de Nongan 農安, au cœur de la Mandchourie au nord, jusqu'à la province péninsulaire et méridionale de Ch'ungch'ŏng 忠清南道, et du fleuve Liaohe 遼河 à l'ouest à la mer de l'Est 東海 (connue aussi sous le nom de la mer du Japon). Malgré cet agrandissement territorial extraordinaire, il ne nous semble pas que la population ait augmenté autant que l'indiquent les historiographes chinois.

Un foyer étant constitué de 4 à 5 personnes[3] à Koguryŏ, le nombre total de la population serait passé, si l'on croit les chiffres que nous

---

1. Koguryŏ est avec Silla et Paekche l'un des trois royaumes coréens; il a duré de 57 av. J.-C. jusqu'à 668 après J.-C.

2. Wu Chengluo, « Zhongguo dulianggheng shi 中國度量衡史 », Shanghai, Shangwu yinshuguan, 1937, p. 65 et p. 96.

3. Sur la base de *Samguk sagi* 三國史記 [Histoire des trois royaumes], qui note

venons de citer, de 150 000 à plus de 3 000 000 d'individus. Puisque le *Jiu Tangshu* précise également qu'au royaume de Paekche, situé du sud-ouest de la péninsule, il existait 760 000 foyers, soit environ 3 800 000 habitants, et qu'au royaume de Silla, situé au sud-est, il y avait, nous dit le *Samguk yusa* 三國遺事 (k. 1), rien que dans la capitale, Kyŏngju 慶州, 178 939 foyers, autrement dit 805 200 personnes, le nombre total de foyers dans les trois royaumes coréens aurait dû atteindre le chiffre exorbitant de 1 635 936 foyers, c'est-à-dire 7 361 712 habitants. Ces chiffres sont si incroyables qu'à l'instar de Yi Pyongdo[4] nous avions estimé[5], dans un premier temps, que le vocable *hu* 戶 [foyer], qui est employé comme particule numérale dans le *Jiu Tangshu*, devrait être compris comme *ren* 人 [personne] ou *kou* 口 [bouche], deux autres classificateurs utilisés pour compter les personnes.

Nous avions jadis cru être en droit de prétendre que, comme nous le verrons plus tard, dans la péninsule coréenne, il y avait au XIᵉ siècle 2 100 000 habitants et 7 298 730 habitants en 1753. Mais plus récemment, nous avons pensé qu'une telle affirmation devait être appuyée sur des arguments plus solides. La présente étude, qui est le fruit d'une recherche et d'une réflexion plus poussées, va modifier quelque peu ce que nous avions prétendu il y a une vingtaine d'années.

État de la question

Jusqu'à présent, soit les historiens ont soigneusement évité de parler de ce problème, soit ils ont fait preuve d'une grande exagération, ainsi que l'illustre le passage suivant tiré de l'ouvrage *Koguryŏsa yŏn'gu* :

> Nous trouvons dans le *Jiu Tangshu* 舊唐書 (j. 83, Xue Rengui 薛仁貴) un passage qui précise qu'il existe, dans la province de Fuyu 夫餘, environ 40 *cheng* 城 [villes murées]. Dans le *Jiu Tangshu*, ainsi que dans le *Xin Tangshu* 新唐書, il est écrit qu'au moment de sa disparition, il y avait dans l'État de Koguryŏ cinq *bu* 部 [régions], 176 villes murées et 697 000 foyers. [...] Cent-soixante-seize [...] correspondrait au

qu'un noble de Koguryŏ, Yŏn Chŏngt'o 淵淨土 de son nom, s'est rendu aux autorités de Silla 新羅 avec 763 foyers, composés de 3 543 personnes (k. 6, Munmu wang, 6ᵉ année, 12ᵉ lune), il est possible de déduire qu'un foyer comptait en moyenne 4,64 personnes.

4. Yi Pyongdo, *Hanguk sa, Kodae p'ŏn* 韓國史, 古代篇 [Histoire de la Corée, époque ancienne], Séoul, 1968, p. 526.

5. Li Ogg, *Recherche sur l'antiquité coréenne : ethnie et société de Koguryŏ*, coll. « Mémoires du Centre d'études coréennes », n° 3, 1980, p. 7.

nombre total des agglomérations du rang de *chu* 州 [provinces], ou de *kun* 郡 [préfectures]. Les quelques 700 000 foyers seraient les chiffres des *kwanho* 官戶, c'est-à-dire les foyers qui s'occupaient des affaires d'État. Le nombre de tous les foyers serait de 2 000 000 (c'est-à-dire environ 10 000 000 de personnes)[6].

En outre, cette véritable exagération ira même jusqu'à transformer l'État de Koguryŏ en ville de P'yŏngyang 平壤. En effet, les auteurs du *Koguryŏsa yŏn'gu* parlent du chapitre du *Samguk yusa* (k. 1), selon lequel il existait à l'époque de l'apogée de Koguryŏ une population composée de 210 508 foyers[7]. Mais nous croyons que le mot Koguryŏ y serait placé par erreur et qu'il devrait donc être remplacé par la ville de P'yŏngyang.

Dans les villes murées, Kuknaesŏng 國內城, P'yŏngyang-sŏng 平壤城, Nam P'yŏngyangsŏng 南平壤城 et autres, une population nombreuse vivait concentrée. On dit que, à l'apogée de la grandeur de Koguryŏ, il existait à P'yŏngyang 210 508 foyers [...][8]

Le nombre total de la population aurait atteint, d'après les auteurs, quelque dix millions de personnes au royaume de Koguryŏ. Il nous paraît impossible d'accepter une proposition si démesurée.

Revenons aux documents chinois anciens. Le *Jiu Tangshu*, selon lequel il y avait à Koguryŏ 697 000 foyers, précise que dans ce pays il existait 176 villes murées. Il paraît invraisemblable qu'un si petit nombre de villes murées aient été chargées de défendre la totalité de la population. Combien d'habitants étaient alors protégés par une ville murée ? Sur cette question, nous trouvons le passage suivant dans le *Samguk sagi* 三國史記 :

Li Ji 李勣 des Tang attaqua Koguryŏ [...]. Un noble de ce dernier pays, Yŏn Chŏngt'o de son nom, s'est alors rendu aux autorités de Silla avec les 12 villes murées et les 763 foyers composés de 3 543 personnes [qui étaient sous son contrôle][9].

6. Ri Chirin et Kang Insuk, *Koguryŏsa yŏn'gu* 고구려사 연구 [Étude sur l'histoire du Koguryŏ], P'yŏngyang, 1988, p. 175.

7. *Ibid.*, p. 165.

8. Textuellement, 高麗全盛之日二十一萬五百八戶.

9. Kim Pusik, *Samguk sagi* 三國史記, *op. cit.*, k. 6, Munmu wang, 6° année, 12° lune.

S'il en était vraiment ainsi, une ville murée avait donc pour mission de protéger 65 foyers, autrement dit 300 habitants environ. Dans le même document historique coréen, il est précisé que lorsque le roi Chinsa 辰斯 de Paekche fit attaquer une région de Koguryŏ par un noble nommé Chin Kamo 眞嘉謨, il s'empara d'une ville murée et fit 200 prisonniers[10]. Par contre, le *Tongdian* 通典[11] signale la capture de 20 000 prisonniers lors de la prise de la ville murée de Kaemu 蓋牟城 par l'armée des Tang. Le *Samguk sagi* mentionne que cette dernière réussit à capturer, lors de l'attaque de Liaodong 遼東城, 10 000 soldats et 40 000 hommes et femmes, ainsi qu'à saisir 500 000 *sŏk* 石 de céréales (1 *sŏk* = 100 kg environ) et qu'à l'issue de la bataille, on compta plus de 10 000 morts[12]. L'importance d'une ville murée est donc extrêmement variable. Il est alors évident que, même si l'on en connaissait le nombre exact, cela ne serait guère utile pour estimer le nombre de la population du royaume de Koguryŏ.

Reprenons le passage du *Sanguozhi* qui remarque, répétons-le, que la périphérie de Koguryŏ était, au IIIᵉ siècle de notre ère, de 2 000 *li*, soit environ 50 000 km². Sur ce territoire vivaient, si notre calcul s'avère exact, 150 000 habitants. Cette population augmente proportionnellement à l'agrandissement territorial; il faut également noter que, selon d'autres documents chinois rédigés entre le milieu du VIᵉ siècle et le début du VIIᵉ siècle[13], la terre de Koguryŏ s'est étendue en l'espace de trois siècles sur une distance de 2 000 *li* d'est en ouest et de 1 000 *li* du nord au sud, ce qui signifie que ce pays s'étendait sur un peu plus de 500 000 km² (la surface totale de la péninsule coréenne est de 220 000 km²). Les mêmes sources chinoises indiquent que le nombre de la population a triplé durant le même laps du temps. Cela signifie que ce pays comptait alors 90 000 foyers, autrement dit un peu plus de 400 000 habitants. En a-t-il vraiment été ainsi ? Il est impossible de le croire, si l'on se réfère à ce que disent les mêmes documents chinois[14] qui nous révèlent qu'en 398 on transféra à la Chine, 360 000 esclaves et 100 000 artisans. Ces chiffres sont apparemment faux et exagérés, néanmoins ils nous laissent supposer que Koguryŏ

---

10. *Ibid.*, k. 25, Chinsa wang, 6ᵉ année, 9ᵉ lune.

11. Du Yu, *Tongdian* 通典 [Documents relatifs à l'administration], j. 186, Gaogouli 高句麗, Zhenguan 貞觀, 19ᵉ année.

12. Kim Pusik, *Samguk sagi* 三國史記, *op. cit.*, k. 21, Pojang wang 寶藏王, 4ᵉ année, 5ᵉ lune.

13. *Weishu* 魏書 (j. 100, Gaogouli 高句麗); *Beishi* 北史 (j. 94, Gaogouli 高句麗); *Suishu* 隋書 (j. 81, Gaoli 高麗).

14. *Weishu* (j. 2, Taizu 太祖, Tianxing 天興, 1ʳᵉ année).

aurait possédé une population beaucoup plus importante que 400 000 hommes et femmes.

Vers une nouvelle estimation

Pour élucider cette énigme, nous allons étudier les descriptions géographiques des documents chinois anciens sur les terres qui seront occupées finalement par Koguryŏ. Celui qui attire d'abord notre attention est le *Hanshu* 漢書, écrit au Iᵉʳ siècle après J.-C., qui donne la population de plusieurs régions de la Mandchourie et de la péninsule; Liaoxi 遼西 : 72 654 foyers composés de 352 325 habitants; Liaodong 遼東 : 55 975 foyers composés de 272 539 personnes; Xuantu 玄菟 : 45 006 foyers composés de 221 845 personnes; Lelang 樂浪 : 62 812 foyers composés de 406 748 personnes[15]. Ce même document nous donne également un renseignement d'une grande importance, à savoir que le prince des Sui 濊, Nan Lü 南閭 de son nom, s'est rendu avec 280 000 hommes aux autorités chinoises qui créèrent, sur le territoire de celui-ci, la commanderie [*jun* 郡] de Canghai 滄海 en 128 avant J.-C. Si l'on croit ce que donne cette source historique importante[16], il y avait, au seuil du Iᵉʳ siècle de l'ère chrétienne, une population d'un million de personnes dans le Lelang et le Sud de la Mandchourie (1 350 000 si l'on ajoute le Liaoxi).

Selon une autre source, le *Hou Hanshu* 後漢書, datant du Vᵉ siècle, il y avait au Liaoxi 76 654 foyers composés de 352 325 habitants; au Liaodong, 64 128 foyers composés de 81 714 personnes (c'est le chiffre exact cité dans le document); au Xuantu, 1 594 foyers composés de 43 163 personnes et au Lelang, 61 492 foyers composés de 257 050 personnes[17]. Cela signifie une diminution de la population de l'ordre de 600 000 hommes et femmes en l'espace de quatre siècles. Mais il faut, bien sûr, tenir compte du chiffre apparemment erroné concernant la population du Liaodong, 81 714 personnes, qui devrait être rectifié aux alentours de 300 000. Ainsi sommes-nous en droit d'estimer la population des Liaodong, Xuantu et Lelang à 600 000 personnes au Vᵉ siècle.

Mais où allons-nous trouver la population de Sui ci-dessus invoquée, à savoir 280 000 habitants ? Ont-ils été absorbés par le royaume de Fuyu 夫

---

15. Ban Gu et Ban Zhao. *Hanshu* 漢書 [Histoire des Han antérieurs], j. 28, Dili 地理.

16. *Ibid.*, j. 6, Wudi 武帝, 1ʳᵉ année de Yuanshuo 元朔.

17. Fan Ye, *Hou Hanshu* 後漢書 [Histoire des Han postérieurs], j. 23, Junguozhi 郡國志.

餘 ? Nous ne le croyons pas, car, dans le *Sanguozhi*[18], il est précisé que la périphérie de ce pays était de 2 000 *li*, autrement dit sensiblement la même que Koguryŏ où vivaient, vers le IIIe siècle, 30 000 foyers. Fuyu, pays situé plus au nord que Koguryŏ, avec un climat plus vigoureux, ne nous paraît pas avoir pu absorber 280 000 hommes. Cela étant, nous croyons plutôt que ce nombre d'habitants devrait être ajouté au 600 000 cités ci-dessus, ce qui revient à dire que dans le territoire qu'allait posséder Koguryŏ, il y avait au Ve siècle un peu moins de 900 000 habitants. Quelle aurait été la part de ceux qui habitaient en Mandchourie et celle de ceux qui vivaient dans la péninsule ? Il nous paraît très simple d'y apporter une réponse ; puisqu'il y avait 257 050 habitants au Ve siècle dans la péninsule coréenne, le reste, soit 650 000 habitants, vivait donc en Mandchourie.

Ne serait-il pas également possible de faire une autre estimation en tenant compte de la croissance de la population et en transposant des statistiques plus récentes dans le passé ?

Selon les statistiques de 1993, il y avait sur le territoire situé au nord de la ligne d'armistice, ce qui constitue l'ancienne terre de Koguryŏ, 21 720 000 habitants et, dans la province de Kyŏnggi, terre qui était également occupée par ce dernier pays, il y avait 2 146 860 habitants en 1995. Koguryŏ contrôlait, en outre, une partie de la province de Ch'ungch'ong, et de Kangwon, mais nous ne tiendrons pas compte de ces terres, puisqu'elles ne constituent qu'une infime partie du territoire de Koguryŏ. Ainsi concluons-nous que dans la première moitié de la décennie des années 1990, il y avait une population de 24 000 000 d'hommes et femmes dans la partie nord de la péninsule qui avait été occupée par Koguryŏ à l'époque de son apogée. La superficie totale de ces terres est de 131 766 km² (121 608 km² au nord de la ligne d'armistice et 10 118 km² dans la province de Kyŏnggi).

Mais à quoi sert un pareil calcul à première vue superflu ? Aussi invraisemblable que cela paraisse, nous croyons utile de mentionner ces chiffres puisque, pour mieux comprendre la situation, nous pensons indispensable de les comparer avec ceux de la Chine continentale. En Chine, la population connaît une croissance peu rapide; 45 millions à la fin du VIIe siècle, 100 millions vers les Xe–XIIIe siècles, 140 millions en 1740 et 430 millions en 1850. Cela signifie que, si l'on prend comme base la population de la fin du VIIe siècle, on note, en suivant les périodes charnières, une augmentation de deux fois et demie, trois fois et demie et de dix fois. En ce qui concerne la péninsule coréenne, il y avait une population de 2 100 000

---

18. Chen Shou, *Sanguozhi* 三國志 [Description des trois royaumes], j. 30, Fuyu 夫餘.

habitants au XIᵉ siècle, selon l'estimation de Xu Jing 徐競, auteur du *Gaoli tujing* 高麗圖經 édité en 1124, mais elle augmente pour atteindre le chiffre de 7 298 731 personnes en 1753. Il est aisé de comprendre que la croissance de la population a connu sensiblement la même allure de progression en Chine et en Corée. Cela signifie que, dans l'ensemble de la péninsule, il y a eu au VIIᵉ siècle environ 40% des 2 100 000 habitants du XIIᵉ siècle, c'est-à-dire environ 850 000 habitants. En 1904, la population de l'ancien territoire de Koguryŏ se répartissait ainsi : 868 906 dans la province de P'yŏngan, 382 230 dans la province de Hwanghae, 672 636 dans la province de Kyŏnggi et 750 008 dans la province de Hamgyŏng, autrement dit une population totale de deux millions et demi de personnes. Si la population de ce territoire a augmenté dans les mêmes proportions qu'en Chine continentale entre le VIIᵉ et le XIXᵉ siècles, c'est-à-dire de 10 fois, le nombre de la population potentielle de ces terres s'élève à peine à 250 000 habitants sur le territoire de Koguryŏ au Sud du fleuve Yalu 鴨綠江. Rappelons-nous que nous avons estimé la population de ces régions du Vᵉ siècle à 257 000 habitants. Il semble donc que le nombre de la population est resté sensiblement le même au VIIᵉ siècle. Il est dommage que nous ne puissions pas connaître exactement les limites du territoire de Koguryŏ dans la Mandchourie. Mais si notre approximation indiquée ci-dessus s'avère exacte, il y aurait eu 650 000 hommes et femmes au Vᵉ siècle. Ce chiffre s'est sans doute maintenu sans modification jusqu'au VIIᵉ siècle, puisque la croissance a été pratiquement nulle dans ces régions durant ce laps du temps.

Ainsi sommes-nous convaincu que la population totale de Koguryŏ était de l'ordre de 900 000 personnes, et non pas de 3 500 000 comme cela a été indiqué dans le *Jiu Tangshu*. Ce nombre de 900 000 s'approche sensiblement de celui qui est donné dans le *Samguk yusa*[19] qui précise qu'il y eut dans Koguryŏ 210 508 foyers — 947 285 habitants selon notre estimation — à l'apogée de sa grandeur.

Cependant, le *Xin Tangshu*[20] dit que Bohai possédait 100 000 soldats, cet effectif militaire ne représentait qu'un tiers de celui de Koguryŏ. Nous savons qu'à Koguryŏ, chaque foyer fournissait un soldat, comme cela est attesté dans les propos adressés par Taizong 太宗, empereur chinois des Tang, aux prisonniers de guerre originaires de Koguryŏ qui étaient désireux de se mettre à son service.

19. Ilyŏn, *Samguk yusa* 三國遺事 [Anecdotes des trois royaumes coréens], k. 1, Koguryŏ 高句麗.

20. Song Zhi et Ouyang Xiu, *Xin Tangshu* 新唐書 [Nouvelle histoire des Tang], j. 219, Bohai 渤海.

Je voudrais bien vous avoir à mes côtés [...]. Il est évident que vous allez mourir, si vous combattez pour moi. Je ne peux me permettre d'avoir recours à la force d'une personne, tout en sachant que sa famille tomberait dans un état de misère extrême [...].[21]

Se pose alors la question de savoir si on ne doit pas estimer le nombre total de la population de Koguryŏ à quelque 1 350 000 personnes (300 000 foyers × 4,5 personnes) ? Il est difficile d'y répondre, car les annalistes chinois ont une tendance à l'exagération en ce qui concerne les effectifs de l'armée.

Ainsi concluons-nous que le nombre total de la population du royaume de Koguryŏ au VIIe siècle est d'environ 900 000 à 1 000 000 d'habitants.

---

21. Liu Gou, *Jiu Tangshu* 舊唐書 [Ancienne histoire des Tang], j. 199-b, Gaoli 高麗.

Bibliographie

Ban Gu 班固 et Ban Zhao 班昭, *Hanshu* 漢書 [Histoire des Han antérieurs], achevé au Ier siècle ap. J.-C.

Chen Shou 陳壽, *Sanguozhi* 三國志 [Description des trois royaumes], achevé au III° siècle.

Du Yu 杜佑, *Tongdian* 通典 [Documents relatifs à l'administration], achevé au IX° siècle.

Fan Ye 范曄, *Hou Hanshu* 後漢書 [Histoire des Han postérieurs], achevé au V° siècle.

Ilyôn 一然, *Samguk yusa* 三國遺事 [Anecdotes des trois royaumes coréens], achevé à la fin du XII° siècle.

Kim Pusik 金富軾, *Samguk sagi* 三國史記 [Histoire des trois royaumes coréens], 1145.

Li Ogg 이옥 *et al.*, *Koguryŏ yŏngu* 고구려 연구 [Recherche sur le Koguryŏ], Séoul, 1999.

Li Ogg, *Recherche sur l'antiquité coréenne : ethnie et société de Koguryŏ*, coll. « Mémoires du Centre d'études coréennes », n° 3, Paris, Collège de France, 1980.

Liu Gou 劉昫, *Jiu Tangshu* 舊唐書 [Ancienne histoire des Tang], 1151.

Ri Chirin 리지린 et Kang Insuk 강인숙, *Koguryŏsa yŏngu* 고구려사 연구[Étude sur l'histoire du Koguryŏ], P'yŏngyang, 1988.

Song Zhi 宋祁et Ouyang Xiu 歐陽修, *Xin Tangshu* 新唐書 [Nouvelle histoire des Tang], achevé en 1060.

Wu Chengluo 吳承洛, « Zhongguo duliangheng shi 中國度量衡史 », Shanghai, Shangwu yinshuguan, 1937.

Xu Jing 徐競, *Gaoli tujing* 高麗圖經, 1124.

Yi Pyongdo 李丙燾, *Hanguksa, Kodae p'ŏn* 韓國史, 古代篇 [Histoire de la Corée, époque ancienne], Séoul, 1968.

Réformes financières et
crise bancaire en Corée du Sud

Geneviève Marchini

Le texte analyse la crise bancaire coréenne, en la situant dans le contexte des réformes financières mises en œuvre depuis le début des années 1980 qui ont progressivement altéré la structure et le fonctionnement du système financier ainsi que les relations que celui-ci entretenait, dans le cadre de la politique industrielle, avec les autorités et les conglomérats. On cherche notamment à établir comment des réformes prudentes, qui avaient permis à la Corée d'éviter durant de longues années les nombreux écueils couramment associés aux processus de libéralisation financière, ont conduit la sphère financière au bord de la crise systémique. Pour cela, on présente dans un premier temps le système financier antérieur aux réformes et on aborde la place particulière qu'il occupait dans la stratégie de développement dirigée par l'État. Dans un deuxième temps, on examine les mesures introduites dans la sphère financière entre 1980 et 1997, et on souligne l'interaction perverse qui s'est produite, lors de l'accélération des réformes des années 1990, entre certains aspects de la libéralisation du système bancaire interne et les mesures d'ouverture du compte de capital de la balance des paiements. Une troisième partie se consacre à la restructuration bancaire et aux réformes appliquées après la crise, qui approfondissent l'ouverture financière tout en s'efforçant d'aligner le fonctionnement du système financier interne sur les normes internationales en vigueur; enfin, en guise de conclusion, on s'interroge à propos de la capacité de ce nouveau train de réformes à éviter la reproduction d'une crise similaire.

AU COURS du quatrième trimestre 1997, la Corée du Sud était le dernier pays de la région à être entraîné dans la crise asiatique. Face à un brusque retournement des flux de capitaux, précipité par les effets de contagion provenant de la région, les efforts réalisés pour défendre la parité du won étaient vains. Après une phase d'épuisement rapide des réserves internationales du pays, les autorités se trouvaient contraintes d'autoriser le flottement et une forte dépréciation de la monnaie nationale. Le 4 décembre, la Corée du Sud signait un accord avec le FMI : en échange d'un sauvetage financier massif, les autorités s'engageaient à entreprendre des réformes structurelles de grande envergure. Ces réformes étaient destinées à enraciner les pratiques de marché au sein de l'économie coréenne, et tout particulièrement dans son système financier.

La crise coréenne a depuis lors donné lieu à de nombreuses analyses, qui soulignent les aspects contribuant à en faire un événement *sui generis*. En premier lieu, il convient de remarquer que les principaux indicateurs macroéconomiques, souvent utilisés pour détecter l'imminence d'une crise, n'ont, dans ce cas, guère permis de la prévoir[1]. En revanche, en ce qui concerne le secteur financier, certaines évolutions signalaient la montée d'une série de risques; ainsi, dans le contexte de la libéralisation financière, il s'est produit une croissance accélérée de l'offre de crédit interne[2] et une accumulation très rapide de l'endettement extérieur des intermédiaires coréens, concentré de surcroît sur le court terme. Enfin, la Corée a souffert d'une forte baisse des prix internationaux de produits leaders à l'exportation, un fait stylisé qui précède souvent les crises bancaires en économies émergentes (Goldstein et Turner, 1996). Survenant après un important effort d'investissement de la part des conglomérats coréens appelés *chaebol* 재벌, cette détérioration des termes de l'échange (de 12% en 1996 et de 11% en 1997) a contribué à approfondir le déficit en compte courant. En outre, cela a également provoqué, à partir de 1997, une série de faillites des conglomérats coréens surendettés qui a, à son tour, détérioré les portefeuilles bancaires.

La plupart des analyses de la genèse de cette crise s'accordent donc à attribuer un poids considérable aux facteurs financiers, externes ou internes. Pour les travaux qui se réclament de l'approche néolibérale, ce sont les dysfonctionnements au sein de la sphère financière interne et dans la gestion des grandes entreprises qui constituent les causes profondes de la crise. Celle-ci s'enracinerait donc dans les mécanismes hérités de la stratégie de développement dirigé par l'État, appliquée au cours des décennies précédentes; cette dernière aurait de fait « réduit la flexibilité de l'économie et érodé sa capacité à répondre à un choc violent non anticipé » (Baliño et Ubide, 1999). Ces caractéristiques structurelles de

---

1. Les grands équilibres se trouvaient satisfaits, avec un rythme de croissance resté dynamique, assorti d'un taux d'investissement élevé, d'un taux d'inflation stable et modéré (environ 5 % en moyenne entre 1993 et 1996), combinés avec un budget en équilibre et un gouvernement peu endetté (10 % du PIB en 1997, en termes nets); enfin, le déficit en compte courant était nettement moindre, proportionnellement au PIB, que celui d'autres économies asiatiques en crise ou du Mexique en 1994.

2. Voir par exemple Gavin et Hausman (1996), qui montrent que la croissance très rapide du crédit est associée à une détérioration endogène de la qualités des créances.

l'économie se seraient notamment exprimées, au sein du système financier, sous forme de hasard moral, ainsi que de réglementation et de supervision prudentielles insuffisantes. En revanche, d'autres approches soulignent le rôle central joué par les flux de capitaux de l'extérieur, à l'origine de fluctuations cycliques dans les économies émergentes, et attribuent un rôle finalement secondaire, aggravant, aux défaillances des intermédiaires locaux (Kim et Rhee, 1999). Enfin, les incohérences internes du processus de libéralisation financière ont également été abordées et ont donné lieu à des conclusions contradictoires. Ainsi, Amsden et Euh (1998) attribuaient la crise à une déréglementation financière trop rapide, alors que le gouverneur de la Banque de Corée affirmait que l'une des causes de l'échec des réformes financières tenait à ce qu'elles « avaient mis trop de temps à concéder aux institutions financières, et plus spécialement aux banques, une plus grande autonomie dans leur gestion interne et dans la fixation des taux d'intérêt » (Chon, 1998).

Cet article se propose d'analyser la crise bancaire coréenne, en la situant dans le contexte des réformes financières mises en œuvre depuis le début des années 1980. On y soulignera les altérations qui ont été introduites dans le fonctionnement du système financier ainsi que dans les relations que celui-ci entretenait, dans le cadre de la politique industrielle, avec les autorités et les conglomérats. On évoquera également l'interaction problématique entre certains aspects de la libéralisation du système financier interne et les mesures d'ouverture du compte de capital de la balance des paiements. Pour cela, nous présenterons en premier lieu le système financier coréen antérieur aux réformes et la place particulière qu'il occupait dans la stratégie de développement dirigée par l'État. Dans un deuxième temps, nous examinerons les mesures introduites dans la sphère financière entre 1980 et 1997, et nous chercherons à établir comment des réformes prudentes, qui avaient permis à la Corée d'éviter durant de longues années les nombreux écueils couramment associés aux processus de libéralisation financière, ont conduit le système financier au bord de la crise systémique. La troisième partie sera consacrée à la restructuration et aux réformes appliquées après la crise; enfin, en guise de conclusion, on tentera d'évaluer leur impact et d'estimer dans quelle mesure elles contribueront à éviter la reproduction d'une crise similaire.

Sphère financière et stratégie de développement dirigée par l'État (1960-1980)

Entre le début des années 1960 et l'année 1980, période qui correspond *grosso modo* à l'étape de croissance rapide caractérisée par la mise en œuvre d'une stratégie de développement orientée vers l'extérieur, la sphère financière, initialement rudimentaire, s'organisait autour d'un système bancaire qui opérait lui-même dans le cadre de la politique industrielle. Malgré deux trains de réformes — l'un au milieu des années 1960 et l'autre au début de la décennie suivante — et un mouvement de diversification des intermédiaires, l'ingérence des autorités dans l'allocation des ressources a été très substantielle durant toute la période.

L'organisation institutionnelle de la sphère financière

En 1960, les banques dominaient largement le panorama financier, et les autres institutions jouaient un rôle restreint, voire inexistant. Des mesures prises au cours de la première moitié de la décennie allaient encore renforcer l'emprise des autorités sur ce système. Il s'agit essentiellement de la nationalisation des banques de dépôts (1961), de la subordination de la banque centrale, la Banque de Corée, au ministère des Finances (1962) ainsi que de la création de banques de développement (la Banque de développement de Corée et la Banque coréenne de crédit à long terme) et de banques spécialisées, publiques ou semi-publiques, destinées à financer certains secteurs spécifiques de l'économie. Le mode de fonctionnement du système financier coréen correspondait alors presque parfaitement au modèle de la « répression financière » théorisé par E. Shaw (1973) et R. I. McKinnon (1973). Les taux d'intérêt nominaux étaient administrés — les taux réels fréquemment négatifs impliquaient d'importantes subventions pour les emprunteurs — et l'allocation du crédit s'effectuait en grande partie en réponse à des directives publiques; par ailleurs, les produits financiers étaient peu diversifiés, et le développement d'un système bancaire très réglementé se faisait au détriment de la croissance d'autres institutions financières. Un strict contrôle des capitaux complétait le dispositif : l'exportation de fonds était interdite et le recours au financement de l'extérieur se réalisait par le truchement d'institutions sous contrôle public. Néanmoins, la mainmise des autorités sur l'intermédiation n'était pas complète, puisqu'un important secteur financier informel apportait une part substantielle des fonds, estimée, au cours des années 1960 et de la première moitié des années 1970, à environ 30% des prêts formels.

Deux trains de mesures financières ont été introduits au cours de la période, sans toutefois modifier réellement ou durablement le fonctionnement du système, les premières réformes ayant d'ailleurs été abandonnées après quelques années. En 1965, une « réforme bancaire d'importance transcendantale » (McKinnon, 1973) se produisait dans le contexte d'un plan de stabilisation et d'une réorientation de la stratégie de développement. Elle consistait à relever le taux maximal applicable aux dépôts, afin d'assurer un rendement réel positif aux épargnants et d'attirer ainsi les fonds des marchés informels vers le marché organisé, cela devant permettre de dépasser la « segmentation des marchés » et d'améliorer l'efficacité de l'allocation des fonds[3]. Cette politique de taux d'intérêt réels positifs a effectivement permis au système bancaire de drainer davantage d'épargne et a favorisé l'intensification financière. Mais en l'absence de libéralisation dans le domaine de l'allocation des ressources, elle a aussi contribué à renforcer le contrôle exercé par les autorités sur l'intermédiation. Enfin, il est intéressant pour notre propos de remarquer que cette politique a entraîné, dès 1966, d'importantes entrées de capitaux, qui ont surtout pris la forme de prêts bancaires, et qu'elle a été abandonnée après l'assèchement de ces flux et la dévaluation du *won* en 1971. Il est probable que cette expérience précoce des flux de capitaux déstabilisateurs ait motivé plus tard l'attitude extrêmement prudente des autorités coréennes envers l'ouverture externe.

Au cours des années 1970, le retour à la « répression » en matière de taux bancaires (lors de l'effort de développement des industries lourdes) a été accompagné d'une seconde série de mesures. Ces mesures étaient destinées à stimuler la captation de fonds du secteur informel par des institutions formelles, mais aussi à diversifier les sources de financement des entreprises. Il s'agit de l'autorisation de la création d'institutions financières non bancaires (ci-après, IFNB) : caisses d'épargne, compagnies financières et sociétés d'assurance. Depuis leur création, les IFNB[4] ont joui de davantage de liberté que les banques, et ce différentiel de réglementation a favorisé leur croissance au cours des années 1970, mais plus encore au cours de la décennie suivante. En effet, collectivement, ces intermédiaires recevaient 29% des dépôts en 1979 contre environ 20% en 1975 (voir tableau 1, p. 107). Il n'en reste pas moins que les institutions les plus réglementées, les banques commerciales et spécialisées, ont conservé durant toute cette période leur position dominante dans le système financier. Le qualificatif « réprimé », appliqué à la sphère financière coréenne, échoue à rendre compte du rôle essentiel de ces institutions

3. Dans les écrits des fondateurs de l'approche de la libéralisation financière, E. Shaw (l'un des inspirateurs des réformes coréennes) et R. I. McKinnon, les références à cette expérience sont nombreuses, et il est affirmé que la réforme de la politique de taux d'intérêt aurait joué un rôle important dans l'accélération de la croissance économique.

4. Avant la crise de 1997, la plupart de ces institutions étaient contrôlées par les conglomérats, ce qui leur permettait de se financer en collectant l'épargne du public.

dans la politique industrielle, ainsi que des relations étroites entre autorités, banques et grandes entreprises sur lesquelles celui-ci se fondait.

Le système bancaire et la politique industrielle

Dans le cadre de la stratégie de développement orientée vers l'exportation, la politique industrielle coréenne se fixait deux objectifs généraux, à savoir favoriser les exportations et stimuler la croissance des « industries dans l'enfance[5] ». Ce qui devait se faire au moyen d'une ample gamme de facilités et de subventions[6], attribuées sous condition de satisfaire à certains objectifs d'exportation. Un aspect essentiel de cette politique tient à ce qu'elle reposait sur des relations de collaboration très étroites entre le gouvernement et les *chaebol*[7].

Que ce soit pour appuyer les exportations, ou pour stimuler les industries dans l'enfance, les autorités ont eu amplement recours aux facilités de crédit à taux préférentiel. Elles ont privilégié l'abaissement du coût des fonds comme moyen d'améliorer la compétitivité externe des entreprises et d'encourager un taux d'investissement élevé. La portée de ces mesures était très large : les prêts concédés dans le cadre de la politique industrielle représentaient entre 1961 et 1980 à peu près la moitié du crédit total des banques de dépôts, des banques spécialisées et des

5. Les industries successivement sélectionnées ont été les suivantes: dans les années 1960, le ciment, les engrais et le raffinage de pétrole, puis, à la charnière des années 1960 et 1970, l'acier et la pétrochimie, suivis de la construction navale, des produits chimiques et des biens d'équipement et de consommation durable, et enfin les composants électroniques critiques (Westphal, 1990).

6. Les dispositifs utilisés pour atteindre ces deux objectifs différaient dans leur conception. Dans le premier cas, tous les exportateurs bénéficiaient des mesures dont l'impact sur l'allocation sectorielle des ressources était neutre. Dans le second cas en revanche, les mesures étaient délibérément sélectives et cherchaient à construire un avantage comparatif dans les activités choisies.

7. Ces derniers ont assumé une grande partie de l'effort d'industrialisation, et notamment le développement des industries lourdes au cours des années 1970, mais un aspect non moins important de leur collaboration avec les autorités concerne leur rôle dans la gestion des facilités et subventions octroyées aux exportateurs et aux industries sélectionnées. En effet, leur position dominante dans la commercialisation de biens leur permettait également de rendre compte du degré d'accomplissement des objectifs d'exportation. Ces objectifs étaient déterminés et annoncés avec une périodicité trimestrielle. Cette conditionnalité des appuis différencie les politiques industrielles des pays d'Asie à croissance rapide de celles d'autres pays en développement, moins performantes, comme le cas des économies d'Amérique latine. Elle aurait permis de discipliner le capital (Amsden et Euh, 1993).

institutions de développement. Par ailleurs, une série de dispositions réglementaires interdisait la concession de crédits à toute une série de secteurs non prioritaires ou considérés contraires à la morale. Ces secteurs appartenaient en général aux domaines des services tels que restauration, instituts de beauté, boîtes de nuit, opérations immobilières présentant un caractère spéculatif. Par conséquent, il est estimé que sur la période qui va de 1972 à 1980, la proportion des prêts des banques de dépôts alloués librement atteignait à peine 22%[8] (Hong et Park, 1986). Dans ce système, les décisions d'investissement majeures étaient prises de concert par les autorités et les grandes entreprises, les banques se chargeant d'allouer les fonds en suivant les directives publiques. Les principaux risques que présentait le système, qui se traduisent dans les ratios d'endettement très élevés des grandes entreprises ainsi que dans la grande concentration des prêts bancaires autour des *chaebol*, étaient partiellement pris en charge par les autorités. La Banque de Corée jouait le rôle de prêteur en dernier ressort, avec une garantie implicite qui s'est manifestée par une absence significative de faillites de grande envergure. Enfin, le financement provenant des marchés internationaux était réservé à des activités sélectionnées, et passait par des canaux bancaires contrôlés. En effet, jusqu'en 1980, l'investissement a été financé en partie sur la base d'un recours intensif aux marchés financiers internationaux, et les banques ont donc servi d'intermédiaires pour d'importants flux de devises, essentiellement d'origine bancaire. Ces flux ont d'ailleurs représenté une part considérable du financement d'origine externe des entreprises coréennes : 36% en 1966–1971 et 26% en 1972–1976 (Amsden et Euh, 1993).

L'efficacité de ces mécanismes de crédit dirigé en Corée du Sud a été abondamment débattue. Les adversaires de ces dispositifs signalent les coûts élevés du système (les prêts douteux résultant de choix erronés) ou le détournement probable d'une partie des fonds. Ce détournement aurait été rendu possible par l'absence ou l'insuffisance des mécanismes de suivi de l'usage de ces fonds qui se seraient alors orientées vers d'autres activités, de caractère « non prioritaire » mais plus conformes à la dotation de ressources du pays[9]. Les défenseurs du système soulignent les taux de croissance enviables auxquels il a été associé et ils précisent que c'est le partage du risque de même que la coordination des décisions entre le gouvernement, les grandes entreprises et les banques qui ont permis

---

8. Contrairement à ce qui se produisit dans d'autres économies en développement, les fonds ne se sont jamais dirigés majoritairement vers les entreprises publiques, puisque celles-ci ont reçu en moyenne de 10 à 20 % du crédit total.

9. Voir par exemple Hong et Park (1986).

d'atteindre un tel résultat. Cela aurait en effet atténué l'incertitude et le hasard moral qui inhibent la croissance des marchés financiers des économies en développement, ce qui en aurait par là permis une meilleure qualité de l'allocation des fonds et un niveau d'investissement plus élevé. La Banque mondiale (1993, p. 286) reconnaissait l'efficacité de l'allocation des fonds et affirmait que « le crédit dirigé s'est en général orienté vers des projets crédibles et viables » le rapport attribuait cette réussite à la « forte capacité institutionnelle d'élaboration, d'évaluation et de suivi des projets » disponible en Corée du Sud, ainsi qu'à la présence de critères de marché, extérieurs à l'économie (les objectifs d'exportation) qui auraient permis de juger de la qualité de cette allocation et, le cas échéant, de la corriger.

Dès le milieu des années 1970, un changement d'orientation est néanmoins perceptible : afin de diminuer la concentration du risque dans le système bancaire en diversifiant tout à la fois les sources de financement des entreprises, une première impulsion est donnée aux marchés financiers. Par ailleurs, chaque grande entreprise se voyait désigner une « banque principale » chargée de gérer son endettement global. Néanmoins, c'est seulement avec la crise du début des années 1980, et en réponse à la restriction du financement extérieur, que la Corée a entrepris une réforme plus profonde de son système financier. Dans le cadre d'un programme de stabilisation et d'une série de mesures visant à restructurer l'ensemble de la stratégie de développement, les dispositions relatives au système financier ont cherché à poursuivre sa diversification et à y introduire de façon très progressive des mécanismes de marché.

Les étapes de la réforme financière et la crise

Les réformes financières coréennes datent donc du début des années 1980, et, à l'instar d'autres économies en développement, elles ont été entreprises sous la pression extérieure et dans un contexte macroéconomique adverse. Ce dernier est marqué par des déséquilibres aussi bien internes — croissance négative en 1980, inflation annuelle supérieure à 20% en 1980–1981 et déficit budgétaire — qu'externes — détérioration des termes de l'échange, déficit en compte courant proche de 6% du PIB en 1980–1981 et poids de l'endettement extérieur. Cependant, si la Corée a introduit assez rapidement certaines réformes financières, telle la privatisation des banques de dépôt, intervenue dès 1981, elle n'a pas procédé à une déréglementation rapide du système. La libéralisation a été repoussée jusqu'au début des années 1990, et les premières mesures ont cherché à soutenir l'effort de stabilisation et de restructuration, grâce à une mobilisation de l'épargne intérieure et à une volonté de contenir le coût des fonds.

La réorientation de la stratégie de développement et les premières réformes financières

Aux antipodes des « thérapies de choc » appliquées quelques années plus tard en Amérique latine, qui ont fait se dérouler simultanément stabilisation, ouverture commerciale et libéralisation financière, les mesures appliquées par les autorités coréennes ont clairement donné la priorité, durant plus de la moitié des années 1980, aux deux premiers volets de ces politiques. Le retour à la stabilité macroéconomique et à la croissance a ainsi été obtenu dès le milieu de la décennie, et la libéralisation commerciale s'est réalisée de façon très progressive. Au cours de cette période, le compte de capital est resté extrêmement contrôlé, en particulier en ce qui concerne les entrées de fonds[10], alors que sur le plan intérieur, la déréglementation a surtout concerné les marchés et les IFNB. En revanche, malgré la privatisation des banques commerciales et l'ouverture à de nouvelles institutions, tant locales qu'étrangères, associées à un élargissement formel de la liberté d'action des participants[11], le système bancaire est demeuré assez étroitement contrôlé, notamment sur le plan de la détermination des taux, mais aussi en ce qui concerne l'allocation des fonds[12]. À cela, deux raisons fondamentales, étroitement liées entre elles : l'endettement élevé des grandes entreprises et la mauvaise qualité de nombreux prêts concédés dans le cadre de l'effort de développement des industries lourdes, fortement touchées par la crise de 1980–1981. En d'autres termes, ni les banques, ni les grandes entreprises n'auraient pu supporter sans grand risque l'élévation sensible des taux et la réorientation de l'allocation des fonds qui suivent généralement une libéralisation. Les banques ont continué d'opérer dans le cadre d'une politique industrielle reformulée[13], et elles se sont notamment chargées de

---

10. Les premières dispositions d'ouverture à l'investissement direct étranger datent de la première moitié des années 1980 et constituent donc une exception.

11. Ainsi, les obligations de réserves légales ont été abaissées à plusieurs reprises en 1980, 1981 et 1984, passant de plus de 20 % à 4,5 %. Elles ont été relevées en 1989 dans le contexte d'un important surplus en compte courant. Et dès 1982–1983, la révision de la Charte bancaire a élargi la marge de manœuvre des banques, les obligations de crédit dirigé ont été réduites et la plupart des taux préférentiels abolis.

12. Ce contrôle s'exerçait de façon directe, moyennant l'application des réglementations existantes et la nomination des dirigeants des banques par les autorités, ou bien indirectement, par la « persuasion morale »; il était facilité en raison de la position de faiblesse d'institutions fortement exposées au risque représenté par quelques grandes entreprises.

13. Dans le cadre d'une économie obéissant davantage à des critères de marché, la

réduire l'impact de la crise sur les conglomérats et, plus généralement, de maintenir bas le coût des fonds. En 1985-1986, une nouvelle exigence de crédit dirigé a été appliquée à toutes les banques y compris des institutions financières étrangères, qui ont dû dès lors consacrer 35% puis 40% de leurs prêts aux petites et moyennes entreprises. Dans le contexte de la disparition programmée du crédit sélectif, cette obligation a été la dernière à rester en place, pratiquement jusqu'à la crise de 1997. Néanmoins, l'intervention, souvent informelle, des autorités dans l'allocation des fonds a persisté jusqu'au début des années 1990, en particulier dans le cas des crédits destinés à l'équipement des entreprises (Amsden et Euh, 1993).

Vers le milieu des années 1980, l'action du gouvernement s'est orientée plus activement vers la diversification institutionnelle, avec le renforcement des IFNB et des marchés financiers. Les politiques appliquées ont stimulé la croissance des marchés en autorisant l'introduction de nouveaux titres négociables et en développant aussi bien la demande que l'offre de titres. Ainsi, des efforts particuliers, parfois fort éloignés de la norme libérale, ont été produits afin de développer le marché des actions : une application plus stricte des plafonds d'endettement/capital a incité les conglomérats à se financer davantage au moyen d'émissions d'actions[14], et les exigences d'information et de transparence ont été accrues alors que la participation des investisseurs institutionnels et des petits porteurs était favorisée[15]. Par conséquent, les années 1980 ont été caractérisées par une croissance très dynamique des IFNB et des marchés, ainsi que par une modification des formes de financement externe des entreprises, avec une montée de la finance directe par rapport au financement d'origine bancaire (voir tableau 1).

---

politique industrielle a été simplifiée et sa portée redéfinie; Amsden et Euh (1993) soulignent que ses principaux objectifs ont alors consisté à faciliter la restructuration industrielle, à soutenir les industries dans l'enfance et à réduire le coût du financement.

14. Les entreprises cotisant en bourse sont passées de 342 en 1985 à 776 en 1997 (Banque de Corée).

15. En 1984, l'introduction du Fonds Corée créa l'un des premiers canaux permettant l'investissement international sur le marché d'actions coréen.

Tableau 1. — Structure de financement des entreprises

(En% du financement externe)

	1972-1976	1977-1981	1982-1986	1987-1991	1994	1996	1997
Financement indirect	51,1	53,7	41,8	36,0	44,5	31,3	50,1
Banques commerciales	34,3	32,6	22,6	17,0	20,7	15,7	24,6
IFNB	16,8	21,1	19,2	19,0	23,8	15,6	25,5
Financement direct	21,8	24,8	27,5	37,4	38,1	47,0	26,8
Actions	19,4	16,3	16,5	22,9	14,8	11,3	6,3
Financement extérieur	26,6	15,2	1,9	3,1	4,9	10,2	10,3
Autres	1,5	6,3	28,8	23,5	12,4	11,5	13,0
Total	100	100	100	100	100	100	100

Sources : Amsden et Euh (1993) pour la période de 1972-1991 et Baliño et Ubide (1999) pour 1994-1997

Enfin, des mesures d'ouverture du compte de capital de la balance des paiements sont intervenues à partir de 1985, alors que les comptes externes du pays semblaient consolidés; la nature même des mesures prises suggère qu'elles ont été dictées par la présence d'un croissant surplus en compte courant[16]. En effet, elles ont surtout concerné les sorties de fonds effectuées par des résidants coréens, individus et entreprises, avec notamment un assouplissement des règles concernant l'investissement direct et de portefeuille à l'étranger. En revanche, les marchés de titres coréens sont restés fermés et l'endettement extérieur a été découragé : des plafonds ont été établis sur les prêts en devises des banques et on a convié les débiteurs à amortir de façon anticipée les emprunts contractés dans les conditions les moins favorables[17].

16. L'OCDE (1996) a distingué quatre étapes dans l'évolution de la réglementation concernant les flux de capitaux: entre 1980 et 1984, c'est-à-dire au cours des premières années du programme de réformes structurelles, les contrôles appliqués tant aux sorties qu'aux entrées de capitaux restent entiers. Les trois étapes suivantes, 1985-1989, 1990-1993 et à partir de 1994, marquent une libéralisation très graduelle, qui s'est pragmatiquement adaptée aux circonstances macroéconomiques.

17. Voir Johnston, Darbar et Echeverría (1997, tableau 12). Le caractère conjoncturel de plusieurs mesures devient évident si l'on considère que des limites ou des contrôles ont été rétablis une fois disparu le surplus en compte courant. C'est le cas de certaines sorties de fonds des particuliers.

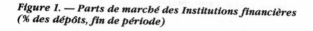

**Figure 1. — Parts de marché des Institutions financières
(% des dépôts, fin de période)**

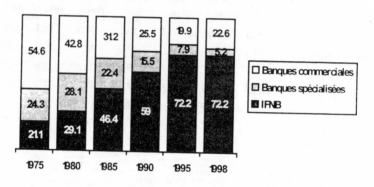

Sources : Amsden et Euh, (1993) pour 1975 et Bank of Korea (1999) pour 1980 à 1998.

Malgré l'absence d'une véritable libéralisation financière, cette période a donc été caractérisée par une érosion progressive de l'emprise directe des autorités sur la sphère financière et sur l'allocation des fonds, une évolution attribuable au poids croissant acquis par les institutions les moins contrôlées. Les banques commerciales, tournées durant les premières années vers le soutien de grandes entreprises en délicate situation financière, ont néanmoins acquis plus de liberté d'action (tout au moins formellement), et la concurrence s'est renforcée au sein du secteur avec l'entrée de nouvelles institutions. Enfin, l'absence d'une déréglementation complète des taux d'intérêt et le caractère restreint de l'ouverture aux flux de capitaux internationaux ont certainement évité à l'économie des risques qui auraient pu menacer la réorganisation de la sphère réelle.

L'accélération des réformes et la crise

Dans un second mouvement, qui débute vers la fin des années 1980 et se confirme à partir de 1993, les mesures de libéralisation s'accélèrent et s'approfondissent[18], conjuguant libéralisation du système financier interne et ouverture externe; elles concernent aussi bien la détermination des taux bancaires que l'allocation du crédit, et en ce qui concerne l'ouverture du compte de capital, l'accès des institutions coréennes aux marchés internationaux et l'investissement étranger en Corée. C'est au cours de cette

---

18. Cette accélération s'inscrit dans le cadre de la préparation de l'entrée du pays à l'OCDE.

période, qui coïncide, à partir de 1990, avec la reprise des flux de capitaux massifs vers les économies « émergentes », que se nouent les fils qui mènent à la crise. On présentera tout d'abord l'essentiel des réformes internes, puis externes, avant de souligner les carences de ces processus et le rôle qu'ont joué les incohérences entre différents volets des réformes dans la gestation de la crise.

LA LIBÉRALISATION INTERNE

Vers le milieu des années 1990, la déréglementation des opérations des banques commerciales a finalement reçu une impulsion décisive. Parmi les principales mesures, il faut signaler en premier lieu l'abolition des directives relatives à l'allocation des fonds au secteur manufacturier, ainsi que des restrictions ou des interdictions de prêt aux services (1995-1996), alors même que les contrôles de crédit appliqués aux conglomérats et le système de plafonnement du crédit étaient démantelés[19]. Ensuite, ces intermédiaires ont été autorisés dans leur ensemble (1995) à offrir des comptes en fidéicommis, auparavant réservés à une institution spécifique. Cette autorisation revenait de fait à introduire au sein des banques une section d'opérations moins réglementées, considérées comme des activités d'IFNB[20], et à les rendre plus compétitives. Cette réglementation différentielle a évidemment favorisé une rapide croissance des activités rangées sous cette section, qui représentaient fin 1997 40% des actifs bancaires. Hors du système des banques de dépôt, les compagnies financières ont été transformées en banques d'investissement (*merchant banks*), dotées de plus amples prérogatives. Enfin, la déréglementation des taux d'intérêt bancaires et d'importants instruments négociables (publics et privés) est intervenue à partir de 1993[21] dans le cadre d'un programme pluriannuel devant mener à la libéralisation financière en 1997[22] : en 1996, environ 5%

19. La diminution de l'ingérence des autorités dans la nomination des dirigeants de banque (1993) allait dans le même sens.

20. Ces activités, qui n'étaient pas limitées par un plafond, n'étaient pas non plus soumises aux obligations de réserves légales, ni à la constitution de provisions pour pertes (Baliño et Ubide, 1999).

21. Un premier programme de libéralisation des taux, qui concernait principalement les crédits, lancé en 1988, avait été abandonné rapidement, en raison des conséquences de la hausse des taux sur les entreprises auparavant bénéficiaires de prêts bonifiés; une autre tentative, engagée en 1991, avait connu un sort similaire, à la suite de la chute de la bourse de Séoul en 1992.

22. Les taux des crédits ont été libéralisés en novembre 1993, à l'exception du crédit dirigé escompté par la banque centrale, pour lequel cette mesure a été repoussée jusqu'à juillet 1995. La libération des taux des dépôts a été introduite

des dépôts et 3% des prêts étaient encore assortis de taux réglementés[23]. L'ensemble du programme avait alors été exécuté avec un an d'avance.

En 1992, le renforcement de la réglementation prudentielle et de la supervision, qui présentait peu d'antécédents dans les années 1980, s'est traduit pour les banques commerciales, d'une part, par l'obligation de satisfaire progressivement aux critères du comité de Bâle, afin d'atteindre un ratio de capitalisation minimal de 8% fin 1995, et, d'autre part, par l'introduction d'un système de détection précoce des problèmes bancaires. En janvier 1997, un système d'assurance partielle des dépôts, financé par les cotisations des intermédiaires, était créé. En revanche, bien qu'ils aient été renforcés à plusieurs reprises, les critères posés pour éviter une concentration excessive des risques sont restés significativement moins exigeants que les standards internationaux, et il en allait de même pour la qualification des crédits et pour les provisions pour pertes (Baliño et Ubide, 1999). Par ailleurs, la réglementation différentielle qui favorisait les IFNB et les comptes de fidéicommis des banques a persisté et s'accompagnait d'un dédoublement de la supervision des intermédiaires : la surveillance des banques était réalisée par le Comité de supervision bancaire de la Banque centrale tandis que les IFNB, les banques spécialisées et les institutions de développement étaient supervisées par le ministère de l'Économie et des Finances. Dans un contexte de concurrence accrue entre les institutions financières, l'absence d'une réglementation et d'une supervision unifiées autorisait des arbitrages et l'adoption de conduites risquées de la part des participants, qui ont été observés également dans d'autres cas récents de crises bancaires (comme celui du Mexique). Comme le souligne R. I. McKinnon (1998), les politiques prônées par le consensus de Washington ont tendu « à sous-estimer le besoin d'investir dans cette infrastructure institutionnelle avant d'introduire les réformes libéralisatrices ». Enfin, la réglementation prudentielle présentait également des défaillances relatives à la prise en compte des risques liés aux opérations en devises, qui tendent à montrer qu'elle n'avait pas suivi l'ouverture du compte de capital.

L'OUVERTURE EXTERNE

En contraste avec la dernière moitié des années 1980, l'ouverture du compte de capital a fortement augmenté aussi bien pour les investissements coréens à l'étranger que pour les entrées de capitaux étrangers en

progressivement entre 1993 et novembre 1995, en partant des maturités les plus longues.

23. Voir OCDE (1996, p. 47-48).

Corée. À partir de 1993, des dispositions concrètes ont été prises dans le cadre de programmes pluriannuels de réforme financière et d'ouverture du compte de capital (*Blueprint for Financial Reform* et *Programme for Capital Account Liberalization*) assortis de calendriers complexes pour leur mise en œuvre progressive. Les traits essentiels de ces dispositions vont être résumés ci-dessous.

La libéralisation très prudente de l'IED, qui avait débuté en 1981, s'est poursuivie, avec l'ouverture de nouveaux secteurs industriels et de service ainsi qu'avec l'allégement des procédures administratives. L'investissement de portefeuille étranger à la bourse coréenne a été permis pour le marché de rente variable, avec des plafonds individuel et collectif qui ont été relevés à plusieurs reprises. Ils s'établissaient respectivement, avant la crise, à 7% et 26% de la valeur de capitalisation d'une entreprise individuelle[24]. La participation étrangère a aussi été autorisée sur certains marchés de titres à rente fixe, publics ou privés, à l'exclusion des instruments les plus liquides, afin de décourager l'entrée de capitaux trop volatils (Kim et Rhee, 1999).

Simultanément, les résidents coréens voyaient s'élargir tout à la fois leurs possibilités de recourir au financement des marchés internationaux et leurs opportunités d'investir à l'étranger. Ainsi, la gamme des investissements directs et de portefeuille a été étendue à plusieurs reprises, les plafonds d'investissement ont été rehaussés et les institutions (financières et non financières) autorisées à les entreprendre sont devenues plus nombreuses[25]. En outre, dès 1989, une part de ces investissements pouvait être financée par des emprunts étrangers, déplafonnés en 1994. L'accès aux marchés financiers internationaux a tout d'abord été concédé aux banques (en 1989, pour les émissions obligataires et les emprunts *off-shore*), puis, pour des investissements précis et sous conditions, à certaines entreprises non financières (en 1991 pour les émissions de titres, et en 1995 pour les emprunts directs), et enfin à d'autres institutions financières comme les compagnies de *leasing* (1995). Enfin, l'éventail de titres pouvant être placés à l'étranger a été élargi en 1993 et les motifs justifiant ces émissions ont été diversifiés.

Des asymétries, dont certaines avaient déjà été remarquées au cours d'étapes antérieures de l'ouverture du compte de capital, ont persisté dans

---

24. Cette ouverture aurait répondu au souci de financer le déficit en compte courant tout en privilégiant des flux non créateurs de dettes.

25. En 1993, les compagnies financières, les fonds de pension et les entreprises ayant plus de 100 millions de dollars de transactions avec l'étranger reçoivent cette autorisation.

les années 1990 : lorsque la crise a éclaté, la libéralisation du compte de capital était bien loin d'être réalisée. Premièrement, les sorties de fonds effectuées par les résidants et l'investissement coréen à l'étranger ont été davantage libéralisés que les entrées de fonds étrangers en Corée — l'IED et surtout les investissements en instruments négociables sont restés davantage contrôlés. Deuxièment, la canalisation des entrées de fonds par les banques a été favorisée par rapport au financement direct des entreprises[26]. Et troisièmement, les emprunts à court terme à l'étranger ont davantage été déréglementés que les emprunts ou les émissions de titres à moyen et à long terme (Kim et Rhee, 1998; Baliño et Ubide, 1999).

DÉFAILLANCES INTERNES DES RÉFORMES ET CRISE BANCAIRE

Comme on l'a vu, des asymétries et des incohérences peuvent être relevées aussi bien dans la séquence de réformes du système financier interne que dans l'ouverture aux capitaux étrangers. Certaines d'entre elles, comme les retards dans l'introduction d'une réglementation prudentielle et d'une supervision efficaces des intermédiaires, ne constituent d'ailleurs pas un trait exclusif de l'expérience coréenne. En fait, c'est la combinaison de ces défaillances, dans le contexte des relations qui se sont établies entre les deux processus et de l'abondance de capitaux pour les économies émergentes, qui a contribué à accroître la vulnérabilité financière de l'économie coréenne.

En effet, bien que les réformes financières aient été introduites de façon très progressive, l'accélération des années 1990 a produit simultanément une libéralisation des opérations bancaires et une ouverture du compte de capital, qui, si elle n'a pas été totale, a néanmoins permis aux banques de jouer le rôle d'intermédiaire pour une part substantielle des fonds provenant des marchés internationaux, et ce, dans le contexte d'une insuffisance de réglementation et de supervision prudentielles. De ce fait, deux des moments les plus dangereux d'une libéralisation se sont trouvés être combinés.

Le passage d'un système bancaire réglementé à un système libéralisé s'avère délicat à gérer, même dans le cadre d'une économie financièrement fermée. De nombreuses expériences ont montré que les hausses de taux d'intérêt réels pouvaient être excessives et que les intermédiaires qui

---

26. En effet, seules les entreprises dotées d'une qualification supérieure ou égale à BBB étaient autorisées à émettre des titres sur les marchés internationaux; les banques, qui bénéficiaient de la garantie publique implicite, possédaient donc de meilleurs ratings et pouvaient se procurer des fonds dans de meilleures conditions (Baliño et Ubide, 1999).

réorientent leurs fonds vers des segments de marché qu'ils connaissent moins prennent souvent des risques exagérés. Dans le cas de la Corée, comme dans celui du Japon, la transition vers un système où les banques se chargent du choix et du suivi des projets était d'autant plus complexe que son adoption allait de pair avec le démantèlement des relations privilégiées entre les autorités, les conglomérats et le système bancaire. Ces relations cessaient d'être fonctionnelles dès lors que l'on poursuivait l'introduction des mécanismes de marché. Les banques devaient donc abandonner un rôle plutôt passif pour endosser des responsabilités pour lesquelles leur expérience antérieure les préparait peu. Vers le milieu des années 1990, les éléments constitutifs de l'«ancien régime» financier (concertation autorités-*chaebol*, banques appliquant les directives publiques d'orientation du crédit et garantie publique des risques encourus) se désagrégeaient sans pour cela disparaître complètement. La garantie implicite jusqu'alors apportée par les autorités n'avait pas encore été dénoncée formellement. En revanche, les éléments d'un système privilégiant les décisions prises par les marchés, et en particulier le rôle des intermédiaires dans la sélection et le suivi des projets, ainsi que la construction d'une infrastructure prudentielle, n'étaient pas encore mis en place.

L'un des principaux périls attachés à l'ouverture du compte de capital tient aux flux de fonds déstabilisants et au « syndrome de surendette-ment » (*overborrowing syndrome*[27]) qui l'accompagnent souvent, lorsqu'il s'agit d'économies dont les performances anticipées sont jugées attractives. Ces risques sont renforcés quand la valeur de la monnaie locale est solide et qu'on anticipe son appréciation durable. Vers le milieu des années 1990, tous ces éléments sont présents dans le cas de la Corée du Sud, dont le système bancaire amorçait tout juste une difficile transformation de son mode de fonctionnement. Les risques liés aux entrées excessives de capitaux et à leur éventuel retournement se sont combinés avec les asymétries de l'ouverture extérieure et ont renforcé la vulnérabilité financière de l'économie. Cela est dû, en premier lieu, au fait que l'endettement bancaire ait été privilégié. En effet, il a été montré que les dangers pour l'économie sont majeurs quand les fonds circulent par l'intermédiaire d'un système bancaire faible et dont la supervision est inadéquate. Le différentiel de taux entre le marché intérieur et le marché international, associé à la fermeté de la monnaie nationale, a stimulé le

---

27. Cette expression a été forgée par R. I. McKinnon dans les nombreux textes qu'il a consacrés à ce phénomène. Voir R. I. McKinnon (1998) ; R. I. McKinnon et H. Pill, (1996).

Tableau 2. — *Obligations extérieures des banques*

À la fin de la période	1993	1994	1995	1996
BANQUES COMMERCIALES				
Obligations extérieures totales (en millions $US)	6 554	10 941	18 942	26 708
% pour le court terme	64,42	78,92	77,30	73,32
BANQUES D'INVESTISSEMENT				
Obligations extérieures totales (en millions $US)	1 450	1 820	3 872	5 942
% pour le court terme	20,9	35,93	50,77	53,69

Source : D'après les données du tableau 5 de Baliño et Ubide (1999, p. 29).

recours des banques coréennes et de leurs succursales *off-shore* au financement international. L'augmentation vertigineuse de l'endettement extérieur des institutions financières privées — à un rythme annuel de plus de 30% entre 1994 et 1996 (voir tableau 2) — a ainsi alimenté une offre de crédit des banques dont le taux de croissance annuel s'est élevé de 12% en 1993 à 20% en 1996 (Baliño et Ubide, 1999). Une partie des fonds a été orientée vers des investissements à rentabilité et à risque élevés, réalisés hors de Corée (en Asie même ou ailleurs, comme les emprunts russes) et à l'intérieur du pays, où ils ont notamment contribué à financer l'effort d'investissement[28].

En second lieu, nous avons vu que les asymétries de l'ouverture externe ont favorisé la concertation de crédits à court terme. Par conséquent, ceux-ci atteignaient en 1996 une proportion de 73% pour les banques commerciales et de 54% pour les banques d'investissement. La détérioration du ratio dettes à court terme/réserves internationales a alors fait craindre une crise de liquidité similaire à celle qu'a connue le Mexique en 1994. Enfin, profitant d'une carence de la réglementation de précaution, les banques concédaient alors, sur la base de ce financement à court

---

28. Fin 1995, les prêts aux 30 premiers *chaebol* représentaient environ 15 % des prêts des banques commerciales, mais 36 % des prêts des banques d'investissement. En 1997, la détérioration de la situation financière des conglomérats poussa les banques à leur concéder des crédits de détresse, qui ont élevé l'exposition des banques dans leur ensemble à environ 25 % de leurs actifs (OCDE, 1998). Contrairement à ce qui s'est passé dans d'autres économies d'Amérique latine et d'Asie, les fonds n'ont pas majoritairement servi à financer un boom de la consommation ou la spéculation immobilière. Durant les deux années précédant la crise, les banques ont néanmoins diversifié la destination de leurs prêts, comme le montre le taux de croissance élevé des prêts des banques commerciales aux ménages, qui dépasse celui des prêts aux entreprises.

terme, des prêts dont la majeure partie était à moyen ou à long terme; en effet, la transformation des échéances, réglementée pour ce qui concerne les opérations en won, ne l'était pas pour les opérations en devises. Lorsque les retraits de fonds ou les non-renouvellements de crédits ont commencé à affecter les banques coréennes, il est apparu clairement que la Banque de Corée n'était pas en mesure de les soutenir de façon prolongée : ni la garantie concédée en août par la banque centrale aux obligations en devises des institutions financières nationales, ni le déplacement des réserves internationales vers les succursales bancaires *offshore* en difficulté n'ont permis d'enrayer le départ des capitaux. Dans le cadre d'une économie financièrement plus ouverte, où une part plus importante des transactions financières est réalisée en devises, des stratégies appliquées traditionnellement pour gérer la crise, comme l'intervention en dernier ressort de la banque centrale ou l'assouplissement de la politique monétaire, perdent de leur efficacité.

La restructuration financière

Les politiques appliquées à partir de décembre 1997 ont été mises en œuvre rapidement et avec beaucoup de résolution afin de produire des « signaux » clairs, capables de rétablir la confiance le plus rapidement possible (Baliño et Ubide, 1999). Dans leurs grandes lignes, elles concordent avec les recommandations formulées par l'OCDE et le FMI, et se proposent de « remplacer l'approche dirigiste en vigueur dans le passé par un paradigme basé sur le marché » (OCDE, 1998, p. 7). Outre de profondes réformes dans le secteur corporatif et sur le marché du travail, les mesures de plus ample portée ont concerné la sphère financière. Trois grands axes s'en dégagent : l'accélération de l'ouverture du compte de capital, la construction d'une nouvelle infrastructure de supervision et la restructuration des institutions financières en crise. Les priorités affichées par ces mesures soulignent les principaux éléments du diagnostic qui a été porté sur la crise bancaire : imperfection et asymétrie de l'ouverture externe, retard et insuffisance de la réglementation et de la supervision. Après une présentation succincte des réformes de structure, on abordera la réhabilitation du système bancaire.

Les réformes structurelles

La première tâche à laquelle s'est attelé le gouvernement coréen a concerné le système financier interne, et surtout les banques, les institutions dont l'importance systémique est la plus grande. Suivant les premières mesures d'urgence[29], deux réformes, adoptées respectivement en décembre 1997 et en septembre 1998 — la Loi générale de banque et l'Acte de restructuration financière — ont modifié le cadre légal du système. Elles ont également établi les bases sur lesquelles s'est effectuée l'évaluation des institutions, leur capitalisation, leur fusion ou encore leur fermeture.

La Loi de Banque de décembre 1997 a permis la constitution d'intermédiaires offrant une grande variété de produits financiers et a également élargi la gamme de produits autorisés. Par ailleurs, la réglementation des institutions a été modifiée et renforcée à plusieurs reprises. Les objectifs poursuivis étaient, en premier lieu, d'assujettir toutes les banques (commerciales et d'investissement) à une même réglementation qui prenne en compte tous les risques encourus par ces intermédiaires et notamment les risques relatifs aux opérations hors bilan et aux transactions en monnaie étrangère, y compris celles des succursales *off-shore*[30]. En second lieu, il s'agissait de renforcer certains critères afin d'atteindre le niveau d'exigence international en matière de ratios de capitalisation, de normes de classification de crédits et d'approvisionnement, ou encore d'exposition à un emprunteur individuel ou à des risques liés. Enfin, les réformes ont réorganisé la supervision des institutions et posé les structures chargées d'assainir le système bancaire. Les tâches respectives de la banque centrale et du ministère de l'Économie et des Finances ont été plus clairement délimitées[31]. De plus, la supervision du système a été unifiée sous la responsabilité d'une nouvelle agence, la Commission de supervision financière (CSF), qui est entrée en fonction en avril 1998[32].

Les mesures structurelles ont par ailleurs poursuivi l'approfondissement de l'ouverture externe. Celle-ci a concerné, en premier lieu, les investissements étrangers en Corée. Il s'agit notamment de la libéralisation de l'investissement sur les marchés de titres à rente fixe, et tout particulièrement sur les marchés monétaires (mai 1998), et de la levée des

29. Il s'agit de la suspension de 14 banques d'investissement et de la prise de contrôle par les autorités de deux des plus grandes banques commerciales, la Banque de Séoul et la Korea First Bank.

30. Dans ce cas, des dispositions ont été introduites afin de limiter l'exposition au risque de change et de réduire le risque lié à la transformation des échéances. Elles étaient applicables aux banques commerciales en janvier 1999, et en décembre pour les banques d'investissement.

31. La banque centrale se charge de la politique monétaire et joue le rôle de prêteur en dernier ressort, tandis que le ministère a la responsabilité du cadre légal du système.

32. La commission participe également à la restructuration des *chaebol*.

limites sur la participation au capital d'entreprises coréennes[33]. En second lieu, les entreprises coréennes ont vu s'améliorer leur accès aux marchés financiers internationaux. Ainsi, en juillet 1998, elles ont été autorisées à se financer sans limites à l'étranger pourvu que le terme soit supérieur à un an (OCDE, 1999). Enfin, le nouveau cadre légal relatif aux transactions en devises a déréglementé en deux étapes, d'abord en avril 1999 puis à la fin de l'année 2000, les mouvements de capitaux à court terme, tout en restreignant cette libéralisation aux entreprises financièrement saines.

La réhabilitation du système bancaire

Cette tâche s'est effectuée sous la responsabilité de la CSF, qui a mis en place une Unité de restructuration financière, chargée de coordonner l'ensemble des opérations. Dans ce dispositif, deux institutions spécialisées exécutent des opérations liées à la restructuration bancaire : la Corporation coréenne d'assurances des dépôts rembourse les dépôts d'institutions en faillite et apporte également des fonds aux programmes de capitalisation bancaire, tandis que la Corporation coréenne de gestion des actifs acquiert et réalise les actifs de mauvaise qualité des institutions couvertes par la garantie de dépôts. Enfin, une banque pont, la Banque Hanaerum, a été créée afin de disposer des actifs et passifs des banques d'investissements fermées par les autorités. Signalons finalement qu'afin d'enrayer une panique bancaire, la couverture des dépôts a provisoirement été étendue à tous les dépôts sans considération de montant maximum[34].

Les opérations de restructuration du système bancaire ont débuté par une estimation de la gravité de la situation financière des institutions, qui a permis de différencier les banques insolvables et les intermédiaires viables mais insolvables. Sur la base de cette appréciation initiale et de la satisfaction de critères supplémentaires — , la présentation d'un plan de capitalisation crédible, accompagné de contrôles périodiques des résultats obtenus — le système bancaire a été restructuré, les institutions ne satisfaisant pas à ces conditions étant fermées ou fusionnées avec des entités plus solides. Ces politiques ont été appliquées aussi bien aux

---

33. Le plafond a d'abord été établi à 50% du capital pour un investisseur individuel et à 55% pour la participation étrangère globale; puis, en mai 1998, ce plafond a lui-même été abrogé.

34. Cette garantie ne couvre pas les fonds en fidéicommis. Elle a par la suite été restreinte de nouveau, afin d'éviter la présence de hasard moral dans le système (les banques en mauvaise situation financière cherchaient à attirer les dépôts en offrant des taux supérieurs).

banques commerciales qu'aux banques d'investissement[35], avec cependant une différence notable quant aux fonds publics commis dans les deux cas. La restructuration des banques d'investissement, qui étaient de plus petite taille et le plus souvent contrôlées par des *chaebol*, s'est effectuée sans appui financier de l'État alors que des fonds considérables ont été orientés vers les banques commerciales. Les fonds ont été canalisés vers les institutions en difficulté moyennant l'achat de titres (actions ou dette subordonnée), l'acquisition d'actifs de mauvaise qualité par la corporation de gestion des actifs et le remboursement des déposants. En 1999, ces fonds s'élevaient à environ 14% du PIB (voir tableau 3)[36]. Un renforcement des mesures de soutien aux banques est observable en 1998, lorsqu'il s'est avéré que l'effort que celles-ci réalisaient afin de satisfaire aux exigences de capitalisation provoquait une fuite vers les actifs les moins risqués tels que titres publics et prêts collatéralisés aux affiliés des *chaebol*. Ce qui provoquait par ailleurs un assèchement des prêts aux PME néfaste pour l'activité économique. En complément d'un appui accru à la capitalisation et de rachats de créances irrécouvrables, les autorités ont instruit les banques pour qu'elles renouvellent la plupart de leurs prêts à ces entreprises et ont accordé à ces dernières des garanties publiques supplémentaires. Ces dispositions ont permis de rétablir la croissance de l'offre de crédit.

35. En ce qui concerne les banques, les deux plus grandes institutions ont été recapitalisées par des fonds publics, en contrepartie d'une prise de participation à hauteur de 94% et d'un changement de dirigeants. En juin 1998, cinq des 12 banques dont la capitalisation était jugée insuffisante étaient fermées et à partir du milieu de l'année 1998, plusieurs fusions importantes se sont produites ou ont été annoncées. Dans le cas des banques d'investissement, 10 institutions étaient définitivement fermées en janvier 1998 (parmi les 14 dont le fonctionnement avait été suspendu en décembre); les banques restantes devaient présenter un plan de capitalisation leur permettant d'atteindre fin juin 1998 6% de capitalisation et 8% en juin 1999. En avril, quatre banques supplémentaires étaient fermées et deux autres en juin (Baliño et Ubide, 1999).

36. Cela situe le coût de la crise bancaire coréenne à hauteur de la crise mexicaine, à un niveau qui dépasse nettement le coût de telles crises dans les économies développées (inférieur ou égal à 5% du PIB aux États-Unis, et dans les pays nordiques), mais qui se situe en deçà de celui des libéralisations financières ratées du cône sud de l'Amérique Latine (55% en Argentine, de 32 à 41% au Chili) (OCDE, 1999, p. 80).

Tableau 3. — Coût fiscal de la réhabilitation du système bancaire
(en trillions de wons)

	Avant mai 1998	Mai – déc. 1998	Prévisions	Total	En% du PIB
Achats de mauvais crédits†	7,5	12,4	12,6	32,5	7,2
Capitalisation des banques et paiements de dépôts‡	6,5	14,5	10,5	31,5	7,0
Total	**14,0**	**26,9**	**23,1**	**64,0**	**14,2**

† Effectués par la Corporation coréenne de gestion d'actifs.
‡ Opérations réalisées par la Corporation coréenne d'assurance des dépôts
Source : OCDE (1999), tableau 13, p. 80.

À la suite de cet ensemble de mesures, le système bancaire a été profondément transformé, et cela sous plusieurs aspects. Le nombre des institutions a tout d'abord été réduit et, au travers des fusions, des intermédiaires de plus grande taille ont été créés[37]. Ensuite, la participation publique dans le capital de plusieurs des entités réhabilitées ou en voie de l'être est très élevée[38]. Ce qui pose évidemment problème dans le cadre de réformes destinées à renforcer le pouvoir des mécanismes de marché, et soulève la question des modalités de la privatisation future de ces paquets d'actions. Enfin, la participation d'investisseurs étrangers s'est accrue et continuera à progresser. Elle a été libéralisée dans le cadre de l'ouverture du compte de capital et permet tout à la fois d'injecter de l'argent frais dans le système bancaire et de rapprocher le mode d'opération des banques coréennes de la norme internationale[39].

37. En juin 1999, le système comptait 11 banques commerciales nationales, 7 banques locales, 50 succursales de banques étrangères et 11 banques d'investissement (Banque de Corée, 1999).

38. Elle a atteint 95% pour l'institution qui a émergé de la fusion de la Banque Hanil et de la Banque commerciale de Corée, 94% pour la Banque de Séoul et la Korea First (deux banques où les autorités sont intervenues dès décembre 1997), 90% pour la Banque Chohung et 57% pour la Banque Hana. Il existe également des participations minoritaires dans d'autres banques.

39. Les crises bancaires des économies émergentes ont souvent amené une ouverture rapide à l'investissement étranger, qui a entraîné le rachat de réseaux complets de banque de détail. Voir par exemple la pénétration des banques espagnoles (Santander, BBV) en Amérique latine. En Corée, on comptait en 1999 des participations minoritaires dans le capital de plusieurs banques, avec notamment, un investissement à hauteur de 34% de la Commerzbank au capital de la Korea Exchange Bank, des participations de la CFI dans la Banque Hana et la Banque de crédit à long terme, et d'autres investisseurs dans la Banque Kookmin et la Banque du logement (respectivement 22 et 27%).

En guise de conclusion : quelques réflexions sur la restructuration financière

Dans ce texte nous avons tenté de montrer que la crise bancaire coréenne est survenue au terme d'une transformation progressive du système financier, qui a longtemps consisté en une diversification institutionnelle alors que la déréglementation du système bancaire était repoussée. C'est au cours des années 1990, lors de l'accélération des réformes, qui combinent alors la libéralisation des opérations bancaires et une plus grande ouverture du compte de capital, que se sont formées les tendances qui ont mené à la crise. Il est maintenant clair que les banques n'étaient pas préparées à affronter simultanément la déréglementation de leurs opérations internes et la plus grande liberté d'effectuer des transactions financières internationales qui leur avaient été accordées. C'est donc ici la séquence de la libéralisation qui a été erronée. En raison des difficultés liées à l'abandon du système dirigé par l'État, la libéralisation interne du système bancaire aurait dû précéder l'ouverture externe, afin que les intermédiaires aient le temps de se donner les capacités requises par leur nouveau rôle de sélection et de suivi des projets et des emprunteurs, et pour autoriser, le cas échéant, l'intervention en dernier ressort de l'autorité monétaire. Il est également clair qu'à l'instar de ce qui s'est produit au cours de nombreux autres processus de libéralisation financière, la réglementation et la supervision prudentielle ont été à la traîne des réformes et qu'une part des coûts de la crise doit être attribuée à ce retard. À cet égard, l'établissement d'une réglementation et d'une infrastructure de supervision proches des standards internationaux contribuera à éviter que le système bancaire réhabilité assume des risques excessifs. Cependant, il convient de rappeler que les changements requis dans la conduite des intermédiaires ne s'installeront qu'à moyen et long terme.

En revanche, il n'apparaît pas que les réformes soient en elles-mêmes les seules responsables des entrées excessives de capitaux enregistrées dès l'approfondissement de l'ouverture du compte de capital. Les asymétries de cette ouverture — en partie motivées par la crainte des capitaux volatils — ont favorisé l'endettement à court terme, et en ce sens, elles ont contribué à modifier la composition des flux dans une direction qui a renforcé la vulnérabilité financière de l'économie. Mais, comme l'ont montré les expériences d'autres pays, la libéralisation complète des transactions financières internationales a, dans la plupart des cas, également été accompagnée d'un excès d'investissements étrangers à court terme. À un moment où les doutes se multiplient en ce qui concerne le rapport coûts-bénéfices de l'ouverture sans aucune restriction du compte de capital pour une petite économie et où il devient clair que des fondements sains ne suffisent pas à éviter à ces économies des sorties de fonds déstabilisantes, il est probable que les quelques garde-fous prévus par les réformes ne protégeront pas la Corée de nouveaux épisodes de ce genre. L'introduction de dispositifs telle la taxe sur les entrées de capitaux à court terme appliquée par le Chili, ou tels les mécanismes chargés d'accroître les liquidités internationales de ces économies (Feldstein, 1999) pourraient toutefois contribuer à réduire ces risques de façon significative.

Bibliographie

Amsden, Alice H. et Yong-Dae Euh (1993), « South Korea's 1980s Financial Reforms : Good-bye Financial Repression (Maybe), Hello New Institutional Restraints », *World Development*, vol. XXI, n° 3, p. 379-390.

————— (1998), « Rapid Deregulation Led to the Korean Crisis », In *Perspectives on International Financial Liberalization*, Manuel R. Agosín *et al.* (dir.), Discussion Paper n° 15, PNUD.

Baliño, Tomás J. T. et Angel Ubide (1999), *The Korean Financial Crisis of 1997 : a Strategy of Financial Sector Reform*, Working Paper 99/28, FMI, mars.

Bank of Korea (1999), *Financial System in Korea*, <http ://www.bok.or.kr/kobank>.

Banque mondiale (1993), *The East Asian Miracle. Economic Growth and Public Policy*, New York, Oxford University Press.

Borensztein, Eduardo et Jong-Wha Lee (1999), *Credit Allocation and Financial Crisis in Korea*, Working Paper 99/20, FMI, février.

Cargill, Thomas F. (1999), *The Political Economy of Financial Liberalization in Korea : Lessons from Japan and the United States*, Mimeo.

Chon, Chol-Hwan (1998), « Principles in Financial Sector Reform », discours prononcé lors de la conférence *A Unique Opportunity to Meet the New Leadership*, organisée par le *Financial Times*, 24 avril.

Demetriades, Panicos et Bassam A. Fattouh (1996), « The South Korean Financial Crisis : Competing Explanations and Policy Lessons for Financial Liberalization », *International Affairs*, vol. LXXV, n° 4, p. 779-792.

Feldstein, Martin (1999), *Self-protection for Emerging Market Economies*, Working Paper 6907, NBER, janvier.

Gavin, Michael et Ricardo Hausman (1996), « Les origines des crises bancaires : le contexte macroéconomique », *Problèmes d'Amérique latine*, n° 21, avril-juin, p. 117-147.

Goldstein, Morris et Philip Turner (1996), *Banking Crises in Emerging Economies. Origins and Policy Options*, Economic Paper n° 46, BPI, octobre.

Hong, Wontack et Yung Chul Park (1986), « The Financing of Export-oriented Growth in Korea », in *Pacific Growth and Financial Interdependence*, Augustine H. H. Tan et Basant Kapur (dir.), Singapur, Allen and Unwin, p. 163-182.

Johnston, R. Barry, Salin M Darbar et Claudia Echeverría (1997), « Sequencing Capital Account Liberalization : Lessons from the Experiences of Chile, Indonesia, Korea and Thailand », Working Paper 97/157, FMI, novembre.

Kim, In-June et Yeongseop Rhee (1999), « Currency Crisis of the Asian Countries in a Globalized Financial Market », communication présentée lors de la conférence *The Implications of Globalization of the Financial Markets*, <http://www.bok.or.kr/kb/proceedings/s2p2.doc>, juin.

McKinnon, Ronald I. (1973), *Dinero y Capital en el Desarrollo Económico*. México, CEMLA.

McKinnon, Ronald et Huw Pill (1996), « Credible Liberalizations and International Capital Flows : the Overborrowing Syndrome », in *Financial Regulation and Integration in East Asia*, Takatoshi Ito et Anne O. Krueger (dir.), Chicago, University of Chicago Press.

McKinnon, Ronald (1998), « Beware the "Overborrowing Syndrome" », in *Perspectives on International Financial Liberalization*, Manuel R. Agosín *et al.*, Discussion Paper n° 15, PNUD.

OCDE (1996, 1998, 1999), *Economic Surveys : Korea*, Paris, OCDE.

Rojas-Suárez, Liliana (1998), *Early Banking Indicators of Banking Crises : What Works for Emerging Markets*, Mimeo, BID, février.

Rojas-Suárez, Liliana et Steven Weisbrod (1996), *Managing Banking Crises in Latin America : the Do's and Don'ts of Successful Bank Restructuring Programs*, Working Paper n° 319, BID, février.

Shaw, Edward S. (1973), *Financial Deepening in Economic Development*, New York, Oxford University Press.

Westphal, Larry E. (1990), « Industrial Policy in an Export-propelled Economy : Lessons from South Korea's Experience », *Journal of Economic Perspectives*, vol. IV, n° 3, été, p. 41-59.

Les fluctuations de l'identité des Coréens de Chine

Bernard Olivier

La recherche qui suit part du principe qu'étudier l'ethnicité revient à analyser plus que la langue ou la culture d'un groupe minoritaire donné qu'il faut en fait tenir compte de l'interaction entre différentes communautés dans le cadre des institutions de la société dominante, des relations avec l'environnement social, politique et économique et des changements, redéfinitions et réorganisations que cela peut déclencher. C'est ce qui amène une minorité à « jouer la carte ethnique » pour pouvoir s'accommoder aux exigences politiques, culturelles et commerciales de la majorité tout en se réservant le droit de décider quand activer cette « carte ethnique » afin de protéger ses propres intérêts. L'objectif principal de cet article est donc d'analyser comment cette façon de voir et d'étudier l'ethnicité peut s'appliquer à la minorité coréenne de la Chine du Nord-Est pour mieux comprendre non seulement quand et comment elle peut être appelée à « jouer la carte ethnique » mais aussi combien les concepts d'ethnicité situationniste et de mobilisation ethnique permettent une analyse plus optimiste des défis et des opportunités que posent le changement politique et le développement économique pour les communautés minoritaires.

EN CETTE FIN de XXe siècle, on assiste à des tendances qui paraissent plus contradictoires qu'elles ne le sont réellement. L'une est directement liée à la mondialisation des marchés et tend vers une globalisation de l'identité ethnique et culturelle dans le sens qu'on peut de nos jours choisir de se définir comme « citoyen du monde ». Ceux qui raisonnent ainsi et qui peuvent se permettre de le faire viennent surtout des pays riches qui contrôlent cette mondialisation, en profitent directement et voient leur culture, leurs valeurs et leurs façons de faire se répandre plutôt qu'être menacées. Ce sont aussi des intellectuels ou des gens d'affaires qui ne viennent pas de ces cultures dirigeantes mais qui ont néanmoins une attitude internationale, qui voyagent et qui connaissent le monde. Ils profitent de la mondialisation sur les plans individuel, matériel et économique, et ils s'identifient à cette culture globale des élites économiques et financière même si leur propre culture et leurs valeurs d'origine sont du côté des laissés-pour-compte.

Et puis il y a les autres, ceux qui rêvent de ce dont l'élite internationale manipulatrice ne semble plus vouloir et paraît avoir hâte de démanteler, sachant qu'elle a bien plus à y gagner qu'à y perdre. Ces laissés-pour-compte ressentent le besoin de s'organiser afin de mieux résister au rouleau compresseur de cette mondialisation qui décide déjà pour eux de beaucoup de choses[1], et plus seulement dans les domaines économique et financier. Ils ne refusent pas le développement économique et le bien-être matériel mais veulent [sauvegarder leur droit à être différent, à choisir et à décider par et pour eux-mêmes] afin de ne pas simplement subir les conséquences des décisions prises par ceux qui contrôlent et manipulent le système mondial. [Ce qui compte, c'est d'essayer de garder le contrôle et de pouvoir accéder à un développement économique qui soit autant que possible autogéré mais aussi durable.]

Une bonne façon de s'organiser est de développer une communauté solide et identifiable, un sentiment d'appartenance à une société distincte, mais pas isolée, afin de ne pas perdre de vue ce qui se trame aux alentours. S'il n'y a jamais eu de communautés vraiment isolées — afin que les ethnologues puissent les étudier plus facilement[2], c'est encore moins le cas maintenant. Ce phénomène de réaction à une manipulation qui engouffre la majorité de la population du monde remet en question des notions ethniques et culturelles jusqu'alors considérées, à tort, comme plus ou moins immuables. Cette redéfinition de l'identité ethnique et culturelle d'un individu, ou d'un groupe d'individus, selon des critères qui n'établissent plus nécessairement un lien direct entre une « société » et une « culture » et le concept d'« État-nation[3] » ne se limite pas aux sociétés d'immigrants mais touche toutes sortes de communautés minoritaires.

→ Étudier l'ethnicité, c'est donc analyser plus que la culture du groupe en question. C'est tenir compte de l'interaction entre différentes communautés dans le cadre des institutions de la société dominante[4], c'est-à-dire des relations avec l'environnement social, politique et économique et des changements, redéfinitions et réorganisations que cela peut déclencher[5]. La minorité en vient à jouer la « carte ethnique » pour pouvoir s'accom-

---

1. Richard G. Fox (dir.), *Recapturing Anthropology — Working in the present*, Santa Fe, (New Mexico), School of American Research Press, 1991, p. 191.

2. Fredrik Barth (dir.), *Ethnic Groups and Boundaries — The Social Organization of Cultural Difference*, Bergen, Universitetsforlaget, 1969, p. 11.

3. Akhil Gupta et James Ferguson, « Beyond "Culture" : Space, Identity, and the Politics of Difference », *Cultural Anthropology*, vol. VII, N° 1, février 1992, p. 6–7 et p. 11.

4. Fredrik Barth, *op. cit.*, p. 31.

5. Thomas H. Eriksen, *Ethnicity and Nationalism — Anthropological Perspectives*, Londres, Pluto Press, 1993, p. 9.

moder aux exigences politiques, culturelles et commerciales de la majorité[6] tout en se réservant le droit de décider quand activer cette « carte ethnique » afin de protéger ses propres intérêts[7]. Cela revient à utiliser l'ethnicité à des fins politiques et économiques. Cette méthode est acceptée de nos jours comme étant l'un des moyens dont les minorités disposent encore pour combattre l'assimilation et l'acculturation. Ce phénomène a été étudié chez diverses populations, tant du monde arctique que de l'Amazonie[8], mais les minorités de la Chine sont encore trop souvent analysées d'une façon traditionnelle qui est dépassée. Le but de cette recherche est donc d'appliquer cette méthode à la minorité coréenne de la Chine du Nord-Est afin de mieux comprendre comment ces concepts d'ethnicité situationniste et de mobilisation ethnique permettent une analyse plus optimiste des défis mais aussi des opportunités que posent les changements de politique et le développement économique[9] aux Coréens de la Chine du Nord-Est. Autrement dit, cela permet de considérer les développements politique et économique de la société dominante non pas comme une menace à la culture ancestrale traditionnelle de la minorité mais comme une opportunité dont la minorité peut profiter. Après tout, si ces développements influencent et transforment la culture et les valeurs de la société dominante, pourquoi est-ce que les minorités devraient à tout prix préserver un mode de vie « folklorique » et « exotique » ? Trop d'ethnologues déplorent encore trop facilement le fait que la culture patrimoniale des minorités se transforme et évolue au lieu de rester « figée dans le temps », alors qu'eux-mêmes ne sont pas du tout prêts à revêtir la robe de leurs ancêtres et à vivre sans les facilités du monde actuel.

Malheureusement, cette notion dépassée d'un besoin de protéger les minorités du monde environnant, et donc aussi indirectement de ce qui peut rendre la vie plus facile, a souvent été adoptée par les États et les élites de la culture dominante comme du pays ancestral, dans le cas d'une communauté d'immigrants. Le but de cette recherche n'est donc pas d'analyser ce que la Chine et la Corée pensent que les Coréens de la Chine du Nord-Est sont ou devraient être. Il s'agit plutôt de mettre l'emphase !

---

6. James Clifford, «Diasporas», *Cultural Anthropology*, vol. IX, n° 3), 1994, p. 302-338.

7. Thomas H. Eriksen, *op. cit.*, p. 31 et p. 38-39.

8. Françoise Morin et Bernard Saladin D'Anglure, « L'ethnicité, un outil politique pour les autochtones de l'Arctique et de l'Amazonie », *Études inuit*, vol. XIX, n° 1, 1995, p. 37-68.

9. Fredrik Barth, *op. cit.*, p. 25.

sur l'évolution et le résultat[10] de leur adaptation à un environnement en plein bouleversement. Comment vivent-ils la Chine ? Comment s'accommodent-ils des changements et développements politiques, économiques et sociaux de la société chinoise dominante ? Et quelles influences ces changements ont-ils eues sur leur identité ethnique et culturelle ? Voilà les questions auxquelles il faut répondre.

Les Coréens en Chine avant 1945

À la fin du XIXᵉ et au début du XXᵉ siècles, la frontière entre la Chine et la Corée n'était pas définie de façon précise et elle ne voulait pas dire grand-chose pour les populations qui vivaient d'un côté comme de l'autre. Des Coréens pauvres à la recherche de meilleures terres s'étaient installés depuis des dizaines d'années de l'autre côté de la frontière, dans cette Chine du Nord-Est où les terres étaient bien meilleures. Et ceux qui passaient la frontière pour d'autres raisons que ces raisons économiques n'étaient encore qu'une petite minorité.

Tout cela changea en 1910, quand le Japon annexa la Corée. La Chine du Nord-Est et plus particulièrement la région de Yanbian devinrent les destinations favorites de beaucoup de nationalistes coréens. Dans les années 1920, la conjoncture politique de la Chine du Nord-Est et les différentes sympathies et affiliations politiques des réfugiés coréens en firent une communauté divisée mais qui restait toutefois unie par un objectif commun, celui de contribuer à la libération de la Corée et de participer à son futur développement. Même les paysans rêvaient de pouvoir un jour retourner dans le pays de leurs ancêtres : les Coréens étant alors une communauté en exil, la question de leur identification avec la société chinoise dominante ne se posait pas. Qui plus est, tous les Coréens résidant en Chine reçurent, en 1925, un permis de résidence pour étrangers, ce qui montre que la Chine les considérait aussi comme des résidents temporaires[11].

Au début des années 1930, les Japonais du Manchukuo[12] essayèrent de gagner la confiance et le support des Coréens locaux en leur donnant la

---

10. *Ibid.*, p. 11.

11. Yanbian renmin chubanbu 延邊人民出版部, *Chaoxianzu jianshi* 朝鮮族簡史, Yanji, Yanbian renmin chubanshe 延邊人民出版社, 1986, p. 67-68.

12. Les Japonais occupèrent la Mandchourie de 1931 à 1945 et y établirent un État vassal, le Manchukuo, à la tête duquel ils placèrent l'ex-empereur de Chine Puyi. Cet État fut désigné en chinois par Manzhouguo 滿洲國, en japonais par Manshūkoku 滿洲國 et en coréen Manjukug 만주국.

double nationalité, *manzhouguo~manshūkoku* et japonaise. En fait, les Japonais pensaient utiliser les Coréens pour affaiblir la Chine et faire contrepoids à l'influence chinoise dans ce territoire, aussi encouragèrent-ils l'immigration coréenne. Cette attitude ambiguë fit naître chez certains Coréens un sentiment ambivalent à l'égard des Japonais. Mais avant que ces Coréens commencent à se demander comment s'identifier avec le Manchukuo et à considérer une identité multiple *manzhouguo~manshūkoku* et coréenne, la guerre sino-japonaise qui éclata en 1937 renforça la résistance anti-japonaise et élimina le problème.

Dès 1941, et ce, malgré que l'armée et la police japonaises aient réussi à rendre toute activité de résistance ou de guérilla pratiquement impossible, les Coréens n'en étaient pas matés pour autant. Le simple fait de mentionner une éventuelle identité *manzhouguo~manshūkoku* coréenne aurait suffi à se faire accuser de collaboration et à se faire mettre au ban de la communauté coréenne en exil. Les Coréens du Manchukuo continuèrent donc à ne se sentir que coréens et à ne tourner leur regard que vers la Corée.

De 1945 à la fin de la guerre de Corée

Pendant la guerre civile, de 1945 à 1949, le Guomindang 國民黨 et le Parti communiste chinois s'efforcèrent tous les deux de gagner à leur cause les populations de ces provinces du Nord-Est qui venaient juste d'être réintégrées à la Chine. Ce n'était pas une tâche facile car les Japonais avaient supprimé toute résistance, chinoise autant que coréenne, et beaucoup hésitaient à se choisir un camp, que cela soit le Guomindang ou les communistes[13]. Mais puisque les troupes soviétiques libérèrent les régions à forte concentration coréenne, elles facilitèrent leur réoccupation par les communistes plutôt que par le Guomindang.

※ Les dirigeants du Parti communiste chinois n'étaient pas familiers avec le Nord-Est et ils durent s'en remettre à ce qui restait des communistes coréens locaux pour les aider à s'implanter dans la région parce que la résistance communiste coréenne contre le Japon au Manchukuo avait mieux réussi que celle des communistes chinois locaux. Les communistes coréens avaient donc plus d'expérience et ils étaient plus faciles à réorganiser et à remobiliser. [Cette alliance est très importante parce que c'est elle qui contribua à neutraliser, faute de gagner leur confiance, les

---

13. Steven I. Levine, *Anvil of Victory — The Communist Revolution in Manchuria, 1945–1948*, New York, Columbia University Press, 1987.

paysans coréens pauvres qui n'avaient pas de terre et qui étaient encore en Chine du Nord-Est après la libération de la Corée en 1945.

La frontière entre la Chine et la Corée était restée très ouverte puisque les deux côtés avaient été libérés par les troupes soviétiques. La problématique de la citoyenneté des Coréens qui restaient en Chine du Nord-Est n'avait pas encore été officiellement adressée. Ces Coréens ne retournaient pas en Corée soit parce qu'ils s'étaient engagés activement dans le mouvement communiste chinois, soit parce qu'ils n'avaient rien à gagner ni à perdre en se décidant plus rapidement puisque la réforme agraire venait de leur attribuer des terres. Et puis, il y avait ceux qui attendaient de voir comment tout cela allait tourner tant du côté chinois que du côté coréen avant de prendre une décision, ce qui est en fait très compréhensible. Cela nous montre que, dans de telles circonstances, les populations déplacées ont d'autres soucis que de se préoccuper de savoir qui elles sont ou devraient être et d'où elles sont ou devraient être.

Il va sans dire que la réforme agraire menée à bien par le Parti communiste chinois dans les provinces du Nord-Est impressionna les masses paysannes coréennes. Quant à ceux qui n'étaient pas satisfaits de la situation, tant en Chine que dans le nord de la Corée, ils pouvaient encore essayer d'aller dans le sud de la Corée, la frontière entre les deux zones d'occupation sur la péninsule n'étant pas encore hermétiquement fermée. Mais la situation changea en octobre 1950, quand, tout juste un an après la proclamation de la République populaire en Chine, Mao Zedong décida d'intervenir dans la guerre de Corée. Cette décision fut expliquée aux masses comme nécessaire à la sécurité de la patrie contre une éventuelle invasion guomindang / étatsunienne, le terme « patrie » signifiant la Chine, que l'on soit chinois ou coréen. La campagne patriotique lancée dans le but de « résister aux États-Unis et d'aider la Corée » devint un véritable test pour les Coréens qui étaient restés en Chine sans vraiment réfléchir aux conséquences de leur décision — ou de leur manque de décision. C'était l'occasion rêvée pour le Parti de mettre les Coréens des provinces du Nord-Est à l'épreuve. Pour les Chinois, la guerre de Corée renforçait le patriotisme et contribuait à rassembler tous ceux qui vivaient en Chine derrière l'étendard de la résistance aux États-Unis, aucune mention n'étant faite de la Corée du Sud. Quant aux Coréens de Chine, il ne leur restait plus qu'à suivre, et il était désormais difficile, voire impossible, de faire autrement.

Les Chinois ne gagnèrent pas la guerre de Corée mais ils ne la perdirent pas non plus et le fait d'avoir osé tenir tête aux États-Unis eut un impact immense sur la légitimité et le potentiel du jeune régime. Les Coréens de Chine purent ainsi montrer leur dévouement au régime du pays d'accueil tout en aidant le pays ancestral, la Corée, du moins celle du Nord, et ils ne voyaient pas cela comme étant forcément contradictoire. Ils n'étaient pas citoyens chinois et le sens profond de la différence entre lieu d'origine et lieu de résidence n'était pas encore parfaitement clair. La frontière idéologique entre le monde socialiste de la Chine et de la Corée du Nord et le monde impérialiste des États-Unis et de leurs alliés taiwanais et sud-coréens comptait encore tout autant, sinon plus, que la frontière politique entre la République populaire de Chine et la République populaire démocratique de Corée. La doctrine marxiste-léniniste n'était-elle pas elle-même internationaliste ? Quant à la contradiction entre cet internationalisme et le nationalisme des dirigeants chinois et de bien d'autres leaders et partis communistes, nul ne se doutait encore qu'elle allait forcer les nouveaux régimes du camp socialiste à prendre des décisions frontalières très précises.

Les Coréens de Chine après la guerre de Corée

À la fin de la guerre, Kim Il Sung encouragea officiellement les Coréens de Chine qui avaient participé aux combats aux côtés des Coréens du Nord à rester en Corée pour aider à reconstruire le pays. Un certain nombre d'entre eux décidèrent de rester en Corée du Nord[14] et en 1958, Mao Zedong et Kim Il Sung formalisèrent la situation en déclenchant le retrait des troupes chinoises de la Corée, n'y laissant que les Coréens de Chine qui désiraient y rester[15]. Ceux qui retournèrent en Chine le firent soit pour des raisons familiales, n'ayant plus de parents proches en Corée, soit parce qu'ils occupaient un poste important dans les troupes chinoises.
En Chine, les autorités venaient de finaliser l'adaptation de la politique des minorités de Lénine aux conditions propres au pays. Tout comme Lénine, ils espéraient gagner la confiance et l'appui des minorités en légalisant leur statut et en leur offrant certains privilèges. Cette politique avait pour but de motiver les minorités à s'intégrer tout en faisant en sorte qu'elles puissent préserver leur langue et leur culture patrimoniales. Il est bien évident que le gouvernement socialiste mettait cette politique en place afin de pouvoir mieux contrôler ces communautés et de s'assurer de leur soutien au nouveau régime plus que pour simplement les aider. Cette vérité politique dévoile la main manipulatrice de l'État mais elle ne devrait

14. *Minzu lilun yanjiu tongxun* 民主理論研究通訊, 1983, p. 58-63.
15. Yang Zhaoquan, *Zhongchao guanxishi lunwenji* 中朝關係史論文集, Beijing, Shijie zhishi chubanshe 世界知識出版社, 1988, p. 429-448 et *Minzu lilun yanjiu tongxun* 民主理論研究通訊, *op.cit.*

pas obscurcir le fait qu'une telle politique va aussi permettre aux minorités d'y réagir tout en leur offrant des opportunités légales qu'une absence de politique ne pourrait pas leur donner.

Les Coréens de Chine devinrent ainsi des *Chaoxianzu/Chosŏnjok* 朝鮮族 / 조선족 [citoyens chinois de nationalité coréenne] et la frontière entre la Chine et la Corée resta ouverte aux contacts officiels mais se ferma aux contacts individuels privés. Quel changement pour les Coréens, habitués à une frontière plutôt poreuse ! Qui plus est, les Coréens de Chine, désormais minorité ethnique officielle et légale, n'étaient plus des étrangers résidant en Chine mais bien des Chinois censés rester loyaux à la République populaire de Chine et au Parti communiste chinois.

Le gouvernement chinois n'avait plus qu'à faire en sorte que cette politique marche. Il comprit que la cohabitation entre différentes communautés ethniques ne pouvait réussir que si on allait au-delà des affaires purement culturelles pour s'attaquer à la problématique des inégalités créées par la conjoncture politique[16]. Mais pour pouvoir s'attaquer à ce problème, il fallait voir comment les Coréens de Chine allaient réagir et accepter cette nouvelle identité « *chaoxianzu~chosŏnjok* » que le gouvernement venait de créer. L'identité collective n'est pas uniquement ce que les individus ou le groupe pensent être, mais c'est également ce que les autres pensent ce qu'ils sont. C'est pourquoi, quand la différence avec non seulement la majorité han mais aussi avec les Coréens de Corée devient ce qui compte et prend un sens politique, il faut, pour survivre en tant que groupe distinct, non seulement s'accommoder de cette redéfinition mais aussi tendre à la justifier. C'est ce qui pousse à la réévaluation des coutumes, des façons de vivre et des valeurs locales et à la création, volontaire ou non, d'une nouvelle identité qui n'est pas nécessairement une identité ethnique[17].

L'ethnicité peut donc être manipulée et des groupes ethniques mobilisés pour justifier une action politique. Les manipulateurs peuvent être à la fois l'État et les leaders ethniques locaux, mais pour des raisons différentes. Alors que l'État donne l'accès à des ressources économiques, politiques et sociales pour s'assurer la loyauté de la minorité ethnique et maintenir ainsi la paix et la stabilité, la communauté ethnique minoritaire

---

16. Matti Klinge, *The Finnish Tradition — Essays on Structures and Identities in the North of Europe*, Helsinki, Suomen historiallinen seura, 1993, p. 149.

17. Fredrik Barth, *op. cit.*, p. 15; Hans Vermeulen et Cora Govers (dir.), *The Anthropology of Ethnicity — Beyond Ethnic Groups and Boundaries*, Amsterdam, Het Spinhuis, 1994, p. 1, p. 13–14, p. 35 et p. 44–46; Louis-Jacques Dorais, « À propos d'identité inuit », *Études inuit*, vol. XVIII, nᵒˢ 1–2, 1994, p. 253.

accepte ces conditions pour maintenir et garantir un accès plus facile et plus direct à ces mêmes ressources[18]. La langue et la culture deviennent alors des symboles politiques importants qui concrétisent ces acquis et en arrivent à justifier ce droit à un libre accès à un développement économique et social durable mais surtout autogéré, un droit qui est donné à la minorité par le statut privilégié reconnu officiellement par les autorités[19].

En Chine du Nord-Est comme ailleurs de par le monde, et pas seulement dans le camp socialiste, cela est observable dans la création de territoires ethniques autonomes et la promulgation de lois et de décrets qui visent à aider les minorités, même si c'est en fait pour mieux les garder sous la tutelle de la majorité[20]. Comment est-ce que les *Chaoxianzu/Chosŏnjok* ont réagi à tout cela ? Ils se rendaient compte que cela voulait dire, même si ce n'était qu'à un niveau purement local, une absence de discrimination et une participation plus directe dans la gestion de leurs affaires et dans l'application mais aussi la préparation des politiques économiques, sociales et culturelles locales. Qui plus est, cela leur donnait la liberté de préserver, d'utiliser et de développer leur langue et leur culture patrimoniales. La mise en pratique de cette politique fut directement liée à la composition ethnique de la population de chaque région. Le pourcentage que représentait la minorité dans l'ensemble de la population locale devait se refléter à tous les niveaux et dans tous les organes du pouvoir local, que cela soit dans le domaine politique, économique, éducatif et scolaire (pour ce qui est des élèves aussi bien que des enseignants) ou encore dans le domaine culturel.

Les *Chaoxianzu/Chosŏnjok* et les fluctuations des politiques chinoise et coréenne

Les fluctuations de la politique chinoise sont bien connues et les campagnes des années 1950 à 1970 ont empêché la mise en pratique continue de cette politique des minorités. Personne n'y a vraiment échappé et pourtant, même en pleine Révolution culturelle, la politique des minorités n'a jamais été abolie. Elle n'était pas appliquée mais elle

---

18. Hans Vermeulen et Cora Govers (dir.), *op. cit.*, p. 12.

19. Louis-Jacques Dorais, *loc. cit.*, p. 258.

20. La préfecture autonome coréenne de Yanbian/Yŏnbyŏn 延邊 / 연변 fut créée en 1955 et le comté autonome coréen de Changbai/Changbaek 長白 / 장백 en 1958. Plus de quarante communes et villages coréens autonomes furent aussi établis à la fin des années 1950.

restait en vigueur, et c'est ce qui en permettait une réutilisation immédiate quand le vent tournait et que la situation se calmait.

Pour ce qui est de la Corée, les *Chaoxianzu/Chosŏnjok* 朝鮮族 / 조선족 n'avaient aucune idée de ce qui se passait en Corée du Sud et la frontière avec la Corée du Nord était, rappelons-le, fermée aux contacts individuels non officiels. Si l'on s'en tient au concept qu'une partie cruciale de l'identité vient de ce contrôle qu'on a, et ce qu'il soit réel ou imaginaire, au libre accès à un développement et à un bien-être économiques durables mais surtout autogérés, le chaos auquel la Chine dut faire face à plusieurs reprises a dû ébranler la nouvelle identité *Chaoxianzu/ Chosŏnjok*. La famine qui suivit le Grand Bond en avant en 1959-1961 raviva chez les Coréens de Chine le sentiment d'ambivalence que tous les immigrants ont envers le pays d'origine ancestrale. Ce sentiment d'ambivalence ne joue pas toujours un rôle actif et il reste souvent dans un état latent quand tout va bien dans le pays d'adoption et surtout quand tout va mieux que dans le pays d'origine ancestrale. Mais quand la vie devient dure ou insupportable dans le pays d'adoption, penser ou rêver à la terre des ancêtres où l'on pourrait éventuellement retourner peut être très réconfortant. Il n'y a rien d'intrinsèquement mauvais là-dedans et c'est une réaction humaine que de rechercher un endroit où l'on puisse continuer à vivre normalement, mais les États et les gouvernements n'aiment en général pas cela, ou alors ils essayent d'en profiter.

C'est ce que fit Kim Il Sung afin de mieux influencer la diaspora coréenne en Chine du Nord-Est. Il accepta de donner la citoyenneté coréenne à tous ceux qui, déçus par la Chine, commencèrent à passer la frontière individuellement, donc illégalement, espérant se refaire une vie en Corée[21]. On assiste ici à la revitalisation du concept de la terre ancestrale et on peut y voir la « cohérence idéalisée » de la civilisation d'origine à travers les frontières. Dans le cas de la Corée, c'est aussi la renaissance du lien entre la culture minoritaire *Chaoxianzu/Chosŏnjok* et la culture mère de la Corée à travers des lieux et événements historiques « immortalisés ». C'est le cas du symbole mythique de l'origine des Coréens — mais aussi des Mandchous — qu'est le mont Paektu/Baitou situé juste sur la frontière sino-coréenne, ou des ruines des anciennes capitales des royaumes de Koguryŏ (37 av. J.-C.–668) et de Parhae/Bohai

21. O Chung Chin, *P'yŏngyang between Peking and Moscow — North Korea's Involvement in the Sino-Soviet Dispute, 1958-1975*, Birmingham (Al.), University of Alabama Press, 1978, p. 28-37 et p. 54; Park Jae Kyu *et al.*, *The Foreign Relations of North Korea : New Perspectives*, Boulder (Colo.), Westview Press, 1987, p. 169-179.

(698–927), présentement en territoire chinois, dans le Nord-Est, et débordant sur la Province maritime de la Russie[22].

À la fin de 1962, après avoir décidé de se ranger du côté de la Chine dans la querelle sino-soviétique et d'améliorer les relations avec celle-ci, Kim Il Sung décida également de laisser repartir en Chine les *Chaoxianzu/ Chosŏnjok* qui étaient maintenant déçus par la Corée du Nord. La situation en Chine s'était améliorée et le gouvernement chinois leur permit de s'y réinstaller une fois qu'ils eurent renoncé à la citoyenneté coréenne que leur avait donnée Kim Il Sung[23]. Ils avaient décidé de retourner en Chine parce que, n'ayant pour la plupart jamais vécu en Corée du Nord, ils ne comprirent qu'après leur retour en Corée que la vie en Chine était en fait bien plus facile, moins régimentaire et moins strictement collectivisée, qu'on y prenait son temps et qu'on se pressait moins, qu'on y avait en fait plus de liberté de mouvement et plus de liberté individuelle. Et ils y étaient tellement habitués que c'est la vie en Corée du Nord qui leur paraissait maintenant insupportable[24].

Cet exemple étonnant nous prouve que le sentiment d'ambivalence des immigrants en ce qui concerne leur déplacement ne consiste pas seulement en rêves de retour dans le pays d'origine. Ce qui compte, en fait, c'est d'être ou de retourner à l'endroit où l'on se sent le mieux, que cela soit le pays d'origine ou le pays d'adoption. Le problème qui se pose le plus souvent est qu'il n'est pas facile à quelqu'un qui n'a pas vécu dans les deux endroits de savoir à l'avance lequel est l'endroit où il se sent le mieux à moins qu'il n'ait l'occasion d'essayer les deux, de comparer et de choisir. De la même façon, quelqu'un qui a vécu dans les deux pays mais à des périodes très différentes de sa vie peut aussi être déçu par le retour dans un pays d'origine qui a tellement changé qu'il est devenu étrange et méconnaissable. C'est ce qui explique pourquoi il est courant de rencontrer des communautés d'immigrants qui considèrent que la fidélité à la « culture » d'origine est bien plus importante que la loyauté envers le « pays » ancestral parce qu'ils savent que « leur » culture évolue de façon différente par rapport à la culture de leurs « compatriotes restés au pays ».

22. Akhil Gupta et James Ferguson, *loc. cit.*, p. 10–11; Jonathan Rutherford (dir.), *Identity — Community, Culture, Difference*, London, Lawrence & Wishart Hall, 1990, p. 224; Benedict Anderson, *Imagined Communities — Reflections on the Origin and Spread of Nationalism*, London, Verso, 1991.

23. Park Jae Kyu *et al.*, *op. cit.*, p. 171; *Heilongjiangsheng minzu gongzuo shouce* 黑龍江省民族工作手冊, Mudanjiang, Heilongjiang Chaoxian minzu chubanshe 黑龍江朝鮮民族出版社, 1987, p. 190–191.

24. D'après les entrevues personnelles à Yanbian/Yŏnbyŏn 延邊 / 연변et à Mudanjiang/Moktan'gang 木丹江 / 목단강 en août 1989.

Les *Chaoxianzu*/*Chosŏnjok* depuis la fin de la Révolution culturelle

La libéralisation de la Chine après la mort de Mao Zedong et le développement économique qui s'ensuivit eurent pour effet de remotiver les *Chaoxianzu*/*Chosŏnjok* à renforcer leur sentiment d'appartenance à la Chine. Mais ils durent aussi faire face à de nouveaux défis. La libéralisation permit le développement d'une économie de marché et d'une hausse de la production qui augmentèrent le revenu des habitants des villes autant que des campagnes. Mais tout le monde ne devint pas capable du jour au lendemain d'accepter l'idée de la concurrence et surtout de pouvoir y faire face afin de profiter de la situation pour améliorer son niveau de vie.

Les paysans *Chaoxianzu*/*Chosŏnjok* ne disposaient pas en général d'un réseau de contacts aussi développé et aussi étendu que celui des Han. Les Han pouvaient donc vendre plus facilement à travers toute la Chine et en plus grandes quantités. Le marché que les *Chaoxianzu*/*Chosŏnjok* connaissaient étant plus limité, ils étaient moins compétitifs et il leur était plus difficile de distribuer leurs produits à grande échelle. Au début, les *Chaoxianzu*/*Chosŏnjok* avaient donc tendance à se replier sur ce qu'ils avaient toujours bien fait, à savoir la riziculture, plutôt que d'essayer de diversifier leurs activités et de sauter sur les occasions qu'offrait maintenant l'économie de marché. N'étaient-ils pas considérés dans le Nord-Est comme des champions de la riziculture ? C'était, après tout, une tâche tellement difficile dans ces régions nordiques que beaucoup de paysans han préféraient l'éviter. Les *Chaoxianzu*/*Chosŏnjok* avaient toujours persisté et cela leur avait même permis d'atteindre un niveau de vie que beaucoup d'autres communautés enviaient.

Le problème avec la riziculture, c'est que cela a toujours demandé beaucoup de travail mais le rendement ne peut être poussé que jusqu'à un certain niveau. Qui plus est, les terres cultivables dans les petites plaines des régions montagneuses où vivent les *Chaoxianzu*/*Chosŏnjok* étaient déjà surexploitées. Il était donc hors de question de défricher de nouvelles terres qui auraient de toute façon été encore plus montagneuses et difficilement irrigables. Il leur fallait donc diversifier leurs activités afin de pouvoir faire concurrence aux paysans han et de profiter de l'économie de marché. Les autorités chinoises prirent alors des mesures concrètes pour aider les *Chaoxianzu*/*Chosŏnjok* à s'adapter à la nouvelle situation. Cette aide de l'État, tant financière qu'organisationnelle, en marketing et dans les ventes, redonna confiance aux *Chaoxianzu*/*Chosŏnjok* et leur permit de sortir peu à peu de cette situation difficile. Vers la fin des années 1980, leur niveau de vie s'était relativement amélioré et ils comprirent que cela était en partie grâce à leur statut de minorité officielle.

Tous les problèmes de la revitalisation de la politique des minorités n'en étaient pas pour autant résolus. L'État gardait le contrôle des territoires autonomes et les affaires politiques et économiques locales les plus importantes ou les plus délicates se décidaient encore plus à Pékin que dans les bureaux du gouvernement autonome local. Et pourtant, les efforts réels que l'État faisait dans divers domaines furent appréciés et permirent aux *Chaoxianzu/Chosŏnjok* de réaliser que cela leur donnait un meilleur accès à un développement économique et social durable mais surtout autogéré, et ce, même s'il restait encore beaucoup de choses à faire. Cela leur permit de réaliser qu'il valait la peine de préserver et de développer leur langue et culture patrimoniales parce que c'était ce qui les différenciait de la majorité han et ce qui justifiait leur « droit » à ce traitement spécial qui leur permettait de faire face à la majorité, mieux organisée et disposant d'un meilleur réseautage.

Cette identité *chaoxianzu~chosŏnjok* s'étant développée sans contact direct avec la Corée du Sud, elle fut à nouveau ébranlée par le rapprochement entre la Chine et la Corée du Sud. Depuis le début des années 1980, les *Chaoxianzu/Chosŏnjok* commençaient en effet à « découvrir » la Corée du Sud tout comme les Coréens du Sud « découvraient » ces « compatriotes perdus et oubliés ». Quand les premiers *Chaoxianzu/Chosŏnjok* arrivèrent à Séoul, ils furent accueillis à bras ouverts comme des exilés pouvant enfin retourner dans la mère patrie. Beaucoup se sentirent alors coréens, prouvant ainsi le caractère très changeant de l'identité.

Mais ce coup de foudre ne dura pas longtemps. Dès la fin des années 1980, l'admiration et l'enthousiasme des Sud-Coréens se refroidirent au fur et à mesure qu'ils se rendaient compte combien ces Coréens de Chine avaient changé et étaient devenus différents. La société coréenne n'est pas multiethnique et le gouvernement comme les médias et la population en général s'attendaient à ce que les Coréens de Chine se comportent comme des Coréens « normaux » et ce n'était pas le cas. La plupart d'entre eux étaient nés en Chine, c'était leur premier voyage en Corée, et ils avaient grandi dans un environnement totalement différent. Maintenant qu'il semblait bien qu'on pourrait leur donner la possibilité de quitter de façon permanente le pays d'adoption, la Chine, pour se refaire une vie dans la terre de leurs ancêtres, la Corée, bien plus riche, les « vrais » Coréens commencèrent à craindre un éventuel rapatriement de ces plus de deux millions de Coréens chinois. Les seuls à être vraiment contents de la situation étaient les patrons coréens peu scrupuleux qui profitèrent tout de suite de cette main-d'œuvre que le « marché » mettait à leur entière disposition. Une main-d'œuvre travailleuse, qui parlait coréen mais n'organisait pas de manifestations ni de grèves et qui était habituée à des conditions de vie et de travail ainsi qu'à des salaires dont les ouvriers de la Corée ne voulaient plus.

Vers le milieu des années 1990, de plus en plus de Coréens de la Corée en étaient déjà arrivés à accepter et à propager les pires stéréotypes à propos de ceux qu'on n'appelait plus maintenant « Coréens » mais plutôt « Yŏnbyŏn saram 연변사람 [ceux de Yanbian/Yŏnbyŏn] », puisque plus de la moitié des Chaoxianzu/Chosŏnjok viennent de cette préfecture autonome de la province chinoise du Jilin. Ces « stéréotypes » définirent de nouvelles « frontières[25] » qui accentuèrent la discrimination populaire et officielle et le désillusionnement des Chaoxianzu/Chosŏnjok envers la Corée. Car maintenant qu'ils savaient qu'ils n'étaient plus les bienvenus en Corée, il ne leur restait plus qu'à « redevenir » Chaoxianzu/Chosŏnjok. En Corée, il y a même des journalistes qui ont écrit que l'« État-nation » ne devrait pas être confondu avec une « ethnicité coréenne transnationale abstraite », ce qui avait évidemment pour but de catégoriser les Chaoxianzu/Chosŏnjok vraiment à part[26].

Qui gagne quoi dans tout cela ? Le gouvernement chinois ou les Chaoxianzu/Chosŏnjok ? Tous les deux ont en fait quelque chose à gagner, même s'il faudra peut-être le renégocier un jour. Du côté du gouvernement central, il ne peut que faire plaisir aux dirigeants de constater que les Chaoxianzu/Chosŏnjok, en tant que minorité officielle, se sentent membres de l'« État pluriethnique unitaire » que se veut la Chine. Mais si cette « identité négociable[27] » fait l'affaire du gouvernement central, elle permet aussi aux Coréens de Chine de survivre comme société distincte en sauvegardant leur accès aux privilèges que leur statut de minorité leur garantit. Et ce sont ces privilèges qui leur facilitent l'accès, autrement toujours plus difficile pour une communauté minoritaire, à un développement économique et social durable mais surtout autogéré. Rien n'est vraiment « acquis » pour toujours car le vent peut encore tourner et balayer toutes ces politiques envers les minorités. Il n'en reste pas moins que c'est quand cela sert à quelque chose que les différences culturelles jouent vraiment un rôle dans la formation de frontières ethniques[28] et que cette attribution personnelle subjective[29] qu'est l'identité Chaoxianzu/Chosŏnjok ne restera pas statique mais sera certainement affectée par les développements futurs tant en Chine qu'en Corée du Sud et en Corée du Nord. Nul ne sait quand les Chaoxianzu/Chosŏnjok auront encore à jouer la « carte ethnique ».

25. Thomas H. Eriksen, op. cit., p. 24.
26. Le quoditen Chosŏn ilbo 조선일보, 7 septembre 1996.
27. Thomas H. Eriksen, op. cit., p. 3 et p. 20.
28. Ibid., p. 39.
29. Fredrik Barth, op. cit., p. 48.

The Korean Immigration in Mexico

Alfredo Romero-Castilla

Contemporary Mexico needs to revive its cultural heritage in order to construct a new national consciousness based on the large number of cultures living in the country: the descendants of the indigenous peoples and those of foreign immigrants. This essay attempts so shed some light on the conditions and circumstances under which the Korean immigrants arrived, at the turn of twentieth century, as "indentured labours" in the henequen plantations of Yucatan and the way they later interacted in their contact with different social and cultural milieus they found in the various Mexican regions they moved to. Given the incomplete knowledge of this part of history, this essay remains only a snapshot in time that aims to portray a preliminary view of the life of these immigrants and their descendants in the process of becoming adapted, integrated and accultur-ated to finally be identified as Mexicans of Korean ancestry.

IT HAS BEEN ASSUMED that contemporary Mexican society is the blend of two main ethnical components— Spanish and the descendants of the indigenous inhabitants—that for more than four hundred years have shaped a *mestizo* type of national identity. This broadly-accepted idea of a country inhabited by a racially mixed population puts aside two other important historical facts: 1) The modernization process of Mexico is the least modern one can imagine because it has not taken into account the multi-ethnic mosaic formed by the various indigenous groups who are not a visible part of the above idea of Mexican society.[1] 2) In the construction

1. This issue is not only a cultural issue, but a political and economic one as well. To talk about the co-existence of cultures in Mexico is certainly a controversial matter. The integration within Mexican society of the several Indian cultures still existing in the country has been viewed through a western perspective that has induced them to deny their roots and to become segregated from the rest of Mexican society. Then the idea of Mexico as a *mestizo* society is the fictitious image of a society invented to be matched with the model of a foreign civiliz-ation. The recent uprising of Indian communities in Chiapas and some other places reflects the decision of these indigenous groups to create their own image by themselves. Thus there is a need to build a new Mexican culture based on its cultural diversity in order to respect all sort of identities, all forms of social organization and economic production and to accept new ways of participation in politics. An important study that discusses these issues is Guillermo Bonfil

of modern Mexico the coming of foreign immigration which was encouraged by the government during the second half of the nineteenth century and the early years of the twentieth, has also played an important role in the shaping of the present Mexican society that deserves to be more properly understood as a multicultural and a multilingual society. Thus, contemporary Mexican society is the product of the interaction of various ethnic groups and cultures that since early history have melted in Mexican soil. In this land of encounter took place the initial collision between the original inhabitants with the European conquerors. Next was the coming of African slaves and the maritime discovery of the Pacific Ocean that brought the first Asians. The Asians came with the Manila galleon trade that carried cargoes between Manila and Acapulco from 1565 to 1815.

In the nineteenth century, several groups of foreign immigrants entered Mexico, some did it under the 1886 Law that wanted to attract new settlers of European origin to colonize certain uninhabited regions of the country. Later came others as contract workers. After 1910 this policy changed and foreign immigration was stopped. In spite of this restriction, foreigners have been entering Mexico mostly as political refugees and in recent time the new immigrants have been allowed to enter the country with the status of foreign investors.

Until very recently, this historical process has received no research attention. Currently there are various research projects in progress that have produced an important amount of research material on various groups of immigrants, mostly those of European origin. Among the East-Asian immigrants, only Japanese and Chinese have been researched to a certain extent; Korean immigration has remained in oblivion. The general works that have dealt with some issues related to Asian immigrations are Moiss Gonzlez Navarro (1960, 1994), Luz Mara Martnez Montiel and Araceli Reynoso (1993) and Mara Elena Ota Mishima (1993). In regard to both Chinese and Japanese immigration, the most important studies are: Jorge Gómez Izquierdo (1991); Juan Puig (1992) and María Elena Ota Mishima (1985). The latest book dealing with single Asian groups such as Arabians, Asian Indian, Chinese, Koreans, Japanese and Filipino has been edited by María Elena Ota Mishima (1997). Therefore there is a need to know the circumstances under which the Koreans settled on Mexican soil and the way they adapted, integrated and acculturated into the host

Batalla's book, *Mexico Profundo. Una civilización negada* [The Deep-rooted Mexico. A Denied Civilization]. México : Editorial Grijalbo & Consejo Nacional para la Cultura y las Artes, 1990.

society. This study is an interim effort to meet such a need presenting an overview of the lives of the first Korean immigrants and their descendants. The existing literature published on the subject in both Korean and English is rather small. With some exceptions, it appears to be mostly in relation to the group of Korean immigrants coming to the United States. In the case of Spanish literature, studies on Korean immigration are almost non-existent. Thus, the account of the life of Koreans in Mexico is a history yet to be written. This is not an easy task because of the relatively insignificant original group in terms of the number of people involved—a little over one thousand, who came as "indentured labourers" to Yucatan in 1905, spread out and settled down in several places on Mexican territory. This is a complex process which had various historical and social consequences, all of which deserve to be studied.

The first attempt to study this group of immigrants has already produced some results. The starting point was the files of *Registro Nacional de Extranjeros* [Alien Registration Office] first taken in 1926; the set of three population census taken in 1910, 1920 and 1930 and six previous studies written by people with different individual and academic motivations.

The total amount of identification cards related to the Korean immigrants housed in the Mexican *Archivo General de la Nación* [National General Archive] is rather small (153) and there is no way to find out what happened to the rest of the cards belonging to the original group that departed from Korea which, as it has been reported comprised 1031 individuals. This scant amount of registration cards prompts serious doubts about the final destiny of the rest of the immigrants, questions to which is not easy to give a satisfactory response. It seems that a large amount of these cards were lost, or perhaps most of the immigrants decided not to go down to the Alien Registration Office.

On this last point, something similar can be said about the three census taken in 1910, 1920 and 1930 in which the number of documented Korean immigrants appears to be rather small, showing a tendency to decline. In 1910, a total of 310 individuals of Korean origin were registered, most of whom (306) were living in Yucatan. In 1920 the total figure is 257, most of whom (131) are still living in Yucatan. Finally in 1930 the total figure is 219, and 101 still remain in Yucatan.

This data does not agree with that of a letter found in the Archives of the State of Yucatan, sent by the Governor of Yucatan to the Mexican Ministry of Foreign Affairs, which states that the group of Korean labourers living in the henequen haciendas of Yucatan numbered 1085 people, including women and children.[2] Therefore, it is hard to believe that by 1910 only 310 immigrants could have been living in Mexico, because as it will be explained later, after their working contracts were released, most of them remained in such a poor economic situation that they would not have enough money to afford the travel expenses to go back to Korea or emigrate to a third country.

Moreover there is another fact that suggests that the number of Koreans living in Mexico was not so small. In early 1920, about 289 Korean residents departed from Yucatan to Cuba. This group of people is almost equivalent to the total number of Koreans listed on the census of 1920.

Out of this confusion one can conclude that most probably only a limited number of immigrants were able to leave Mexico but there is no information on the actual number of those who have managed to go back to Korea; the only thing known for sure is that only a few of them were able to reach the United States. Thus, the majority remained in Mexico and made their lives in this country.

Another area of confusion concerns the information contained in the cards. It is a fact that most of the immigrants mentioned different dates of arrival and different ports of entry. The diplomatic correspondence housed at the Japanese *Gaimusho gaiko shyryokan* 外務省 外交 資料館 [Diplomatic Records Office], corrected this error, providing the exact number of the immigrants, their regional origin, their social status, and both the date and port of entry.[3] Additional information was obtained at the *Archivo Histórico Diplomático "Genaro Estrada"* of the Mexican Secretary of Foreign Relations.

According to all these data, it can be asserted that there was only one group of immigrants formed by 1031 people who were recruited by Yucatan's henequen plantation owners. These owners sent a British agent to recruit labourers in East Asia when henequen cultivation expanded. All of them arrived on May 15, 1905. Therefore the majority of the 151 people registered arrived on that date, some of them as little children. The exception are those 28 who were born in Mexico, and 5 that later entered the country as visitors.

2. Letter answering the request made by the Secretary of State on September 23, 1908 in regard to the working conditions of the people that formed "the expedition of Korean coolies (sic) that arrived in Yucatan on May 15, 1905".

3. *Kankoku seifu Hawaii oyobi Mokushika yuki Kankoku imin kinshi ikken-tsuki hogo itaku Kankou no ken* 韓國政府布哇及墨西哥行韓國移民禁止一件—附, 保護委託勸告, 件 [The issue of the Prohibition of Emigration to Hawaii and Mexico by the Korean Government. Recommendation and Protection.

Likewise, most of the Korean immigrants disembarked from the same ship at the port of Salina Cruz, Oaxaca. Therefore, there were no different ports of entry, except for those who later entered as visitors from Tapachula, Chiapas, at the Southern border and Ciudad Juarez, Chihuahua, at the Northern border. However, there could be possible cases of Koreans who might have entered Mexico holding Japanese passports, but their number is unknown, besides the 5 listed above as visitors.

On this last point, it can also be mentioned that there is the case of a man named You Chon found in a file at the Japanese *Gaimusho gaiko shyryokan*. On this document dated on February 16, 1922, the Japanese Consulate in Havana, Cuba, asks for instructions to issue a Japanese passport to this person who declared that he was a Korean immigrant. Unsatisfied with his life in Cuba and willing to go back to Mexico, he left the country carrying only an identification card.[4]

Along with these primary sources, the following works have helped me to follow my own research path to study Korean immigration to Mexico.

In the first place, there is Warren Y. Kim's [Kim Won Yong] historical account of the four groups of Korean immigrants who came to the American continent at the turn of twentieth century.[5] Second, Paek Pong Hyon's M.A. dissertation which is the result of field research conducted in Mexico and the Korean National Association in Los Angeles in 1967. It studies the Mexican government's immigration and colonisation policy during the last part of the nineteen century when Korean workers arrived in Yucatan. He also describes the early days of the lives of these immigrants in the henequen haciendas and later in Merida along with the failed project to release them from Mexico and bring them to the United States.[6] Third, José Sánchez Pac's memories, a personal account of his life in Mexico, the country where he arrived as a baby. He grew up in Mexico and witnessed the way the Korean immigrants and their descendants adapted themselves to this new social environment.[7] Fourth, there is Yun

4. *Ryoken Hyoki Oyobi dou Hoki Toriatsukai Tesuzuki i kansuro kanrei shire narabai Ryoken Ko fu Torishimari zakken* 旅券法規及同法規取扱手穀二関スル訓令指令び券下付取締雑件 [Several Issues Related to the Law of Passport Issue and Control].

5. Warren Y. Kim, *Koreans in America*, Seoul: Pochin Chai Printing Co. Ltd., 1971. Originally published in Korean as *Chaemi Hanin osip-nyon-sa* 재미한인 오십년사 [Fifty-Year History of Korean Migration to the United States]. Reedley, (Calif.), 1959.

6. Paek Pong Hyon. *The Koreans in Mexico: 1905-1911*. M.A. dissertation. The University of Texas at Austin, January 1968.

7. Sánchez Pac, José. *Memoria de la Vida y Obra de los Coreanos en México desde*

Yo-jun's article. He made a research tour on the American continent to collect data for a series of articles which appeared in the newspaper *Kyounghyan Sinmun* 경향신문, on which this English article is based. In this general historical account of Korean immigration in the United States, the second part of the article deals with the story of the first Korean immigrants in Mexico.[8]

Finally, I feel most obliged to Wayne Patterson whose highly scholarly written essay provided me important insights for understanding the initial steps of the Korean immigration in Mexico. His account of the role played by the immigrants in the Japanese takeover of Korea, gave me the opportunity to learn about the diplomatic correspondence housed at the *Gaimusho gaiko shiryokan*. This correspondence includes a letter, dated September 16, 1905, written by John Meyers— a British agent, in which Meyers outlined his own version of the immigrants recruiting operation. This same essay also provided various references to material found in Korean periodicals.[9]

All this shows an obvious absence of Mexican sources. However, along with Sánchez Pac's book of memories, there remain the two previously mentioned works on the history of foreign immigration to Mexico written by Moisés González Navarro. In this same regard, I have to mention my own research work that has attempted to enlarge the view of the Korean immigration in Mexico by searching for archive materials in Mexico City; Mérida, Yucatán; Tampico, Tamaulipas; Havana and Matanzas in Cuba, collecting articles published in Mexican newspapers and magazines, and by conducting personal interviews among the descendants of the first Korean immigrants living in Mexico City, Mérida, Coatzacoalcos, Veracruz, Tijuana, Baja California and Havana.[10]

Yucatán, México [Memories of the Life and Work of the Koreans in Yucatan, Mexico]. Mexico: author's edition, 1973. There is a Korean translation edited by Mrs. Yi Yong-suk, under the title: *Yucatan-ŭi ch'otk'orion. Hanguk meshik'o inmin p'alsipnyon-sa* 유카탄의 첫코리언. 한국멕시코 移民 80年史 [The First Koreans in Yucatan. Eighty-Year History of Korean Immigration to Mexico]. Seoul, In Mun Dang, 1988.

8. Yun Yo-jun, "Early History of Korean Emigration to America" (I and II), *Korea Journal*, vol. 14 (6), p. 21–26; vol. 14 (7), p. 40–45. Reprinted in Kim Hyung-chan (ed.), *The Korean Diaspora: Historical and Sociological Studies of Korean Immigration and Assimilation in North America*. Sata Barbara: ABC Clio Press, 1977.

9. Wayne Patterson, "Korean Immigration to the Yucatan at the Turn of the Century: The Diplomatic Consequences". Paper presented at the 24th Annual Convention of the International Studies Association, Mexico City, April 5–9, 1983.

10. Alfredo Romero-Castilla, "Los coreanos en México [The Koreans in Mexico]",

Though there are reasons to feel satisfied with the material collected, it is far from enough to write an accurate history of the Korean immigrants in Mexico. Given the present stage of the research and the brevity of my account, I am not able to discuss in more analytical terms the whole set of social, economic and political aspects of this story. That will have to be dealt with in a future work.

From Chemulp'o to Yucatan and another exodus

In the late nineteenth century, 1876–1910, during the so called *Porfiritato*, the name by which the Porfirio Diaz' ruling is referred to in Mexican history books, came the first East Asian immigrants. They came, primarily, to earn a living just after the colonisation policy failed to attract European settlers. The first to come were the Chinese, followed by the Japanese. The last arrivals were the Koreans, who, as it has been mentioned, came as farm labourers to the henequen plantations in Yucatan.

In the early years of the twentieth century, Yucatan appeared to have a promising future. The henequen industry was prosperous, though there were signs of an unexpected change in the market price. An economic instability needed to be avoided, thus foreign immigration was considered one of the basic issues to be considered for fostering economic development. This desperate need for labourers led the plantations' owners to recruit workers from many different countries where cheap labour could be found. Among them the Chinese were considered to be the best adapted to the weather and work conditions of Yucatan, and therefore they were regarded as the most suitable. By 1904 the farm owners wanted to continue the recruitment of Chinese labourers, and for that purpose named John Meyers as their agent in China.

Once in China, Meyers found out that bad publicity in China and the United States claimed that the Chinese immigrants were being ill-treated at the henequen farms in Yucatan. As result, the Chinese were advised to avoid accepting jobs in Mexico, hindering Meyers efforts to hire Chinese

Eslabones. Review of Regional Studies, n° 9. México, June 1995, p, 96–105; and "Huellas del paso de los inmigrantes coreanos en tierras de Yucatán y su dispersión por el territorio mexicano [Footprints of Korean Immigrants in the Yucatan and its Diaspora trough Mexican Territory]", In María Elena Ota Mishima (ed.), *Destino México: Un estudio de las migraciones asiáticas a México, siglos XIX y XX*. México: El Colegio de México, 1997, p. 123–166.

workers. So, he moved to Japan, where he also failed. Both failures pushed him to change his plans and he decided to go to Korea.[11]

Meyers arrived in Korea in August 1904 planning to meet the farm owners, and to hire workers on a long-term basis through a recruiting system based on either individuals or families. He joined forces with Hinata Terutake, the director of the Continental Colonisation Company (*Tairiku Shokumin Kaisha* in Japanese and *Teryuk Shinmin Hoesa* in Korean), and they set up a whole recruiting network in Korea, through a series of advertisements in the *Hwansong Shinmun*, based on attractive, and in every case, false promises about labour and living conditions. They established a head office in Seoul, and office branches at Kwangju, Mokpo, Pusan, Inch'on, Pyongyang, Wonsan, Kaesong, Suwon and Chinamp'o.[12]

The recruited immigrants signed a contract form written in both Korean and English binding them to work at Yucatan for four years. During the Porfiritato, a practice on the Mexican haciendas bound workers to the farms by debts under a system of economic bondage. Both Mexican and foreign workers faced the same type of situation. In straightforward terms, the system was slavery; but in the way it was practised in Mexico and Yucatan it may be considered as a disguised slavery. Certainly the masters of Yucatan dared not call this system slavery; they preferred to name it "enforced service for debt".[13]

Warren Kim states that all arrangements made by Meyers to establish the network to contract Korean immigrants were conducted as an illegal recruiting operation without official permission from the Korean Bureau of Development, suggesting that they were recruited in secret. On the other hand, Yu Yo-jun and Wayne Patterson mention that the operation was conducted openly through newspaper advertisements.

However, it is true that Meyers failed to inform the Korean government about his operation. He did not call on the Chungch'uwon, the Privy Council which was in charge of immigration matters sharing responsibilities with the Foreign Office and the Ministry of Agriculture,

11. "Lian Hsun. Encargado de Negocios de China quien afirmó que la 'inmigración coreana no dará resultado en Yucatán' [Lian Hsun. Chargé d'Affaires of China said that 'the Korean immigration will not suceed in Yucatan']", *La Revista de Mérida*. 31 de enero de 1905; "La inmigración amarilla. Trabajadores coreanos para Yucatán [The Yellow Immigration. Korean Laborers for Yucatan]", *El Imparcial*, vol. XVIII, n° 3076, February 20, 1905.

12. Warren Y. Kim, *op. cit.*, p. 14; Yun Yo-jun, *op. cit.*, p. 40; Wayne Patterson, "Korean Immigration to the United States", p. 1–2 and the Japanese diplomatic correspondence.

13. John Kenneth Turner, *Barbarous Mexico*, Austin, University of Texas, 1969.

Commerce and Industry after the demise of the Yuminwon in 1903. This was the former Korean Department of Emigration, the office in charge of issuing passports to Koreans going to Hawaii.[14] Originally, the immigrants were informed that the departure would be from the port of Pusan, but later it was changed to the port of Chemulp'o. Warren Kim says that the reason why Meyers decided to have the group in this place was a "manoeuvre to secure passports for them, and he asked the British Minister in Korea for help. The British, however, knowing the illegality, declined to intervene directly, but to 'save the English face' advised Meyers to seek help trough the French legation. Urged by the French Minister as a favor to his British colleague, the Korean government issued passports to the group without any investigation".[15] When the Korean government learned about this fraud, it was too late and the ship carrying the immigrants had already sailed for Mexico.

Korea was left behind. After forty-one days, they arrived to the port of Salina Cruz on May 15, 1905. From this port, they took the railroad to Coatzacoalcos; and here, they boarded a boat that brought them to the port of Progreso, the last stop before their final destination.

Once in Merida, the city capital of Yucatán, they received a warm welcome. "The Koreans just arrived! They are just robust and healthy" was the title under which *La Revista de Mérida* heralded their arrival. The excited writer wrote:

> ... they look in very good shape, some of them have even an athletic body complexion. It is noteworthy the large amount of youngsters, one could see many soft skin faced young boys playing around, eating or talking joyfully. Women also came... The Immigration Junta seems to be satisfied with them and as it is expected, the Koreans who appear to be frugal and hard working people, will certainly make a contribution to the improvement of Yucatan's agriculture, solving the serious problem caused by the lack of workers.[16]

Sánchez Pac describes their encounter with the Promised Land as follows:

---

14. Wayne Patterson, *The Korean Frontier in America. Immigration to Hawaii 1896–1910*, Honolulu: University of Hawaii Press, p. 252 and p. 257.

15. Warren Y. Kim, *op. cit.*, p. 15.

16. *La Revista de Mérida*. May, 1905.

After resting from the long trip, and when they were starting
to get bored from inactivity, not understanding why they
have been housed on an open air place [the Army quarters in
Merida], closely watched and without any money, the first
hacendado came... The guards ordered the immigrants to
form a line and the hacendado, who was holding a walking
cane, pointed to several people and they were set apart from
the rest of the group... Most probably, this man was the one
who had contributed the largest amount of money because
he took with him the largest crew of workers.[17]

They were divided among twenty-two henequen farms. These haciendas
were: Chenche, Az-kora, Zuku, Buenavista, Chin-ki-la, Ti-zi-min, San
Enrique, Za-cil, San Francisco, Santiago, Kan-kap-chen, Ku-kka, Noge-
yong, It-zin-cap, San Antonio, San-ak-taj, Chun-chu-mil, Yaz-ché, Cho-
cho-la, Ko-hop-cha-ka, Santa Rosa y Temo-zon.

They started their lives in this outlandish environment facing many
difficulties. Three years later, eight men were able to free themselves, and
they remained in Merida, where they got in contact with the Korean
National Association in the United States and informed them about the
situation of Koreans in Mexico. The following year, 1909, all the contracts
had finally expired, and the Association sent two representatives to
conduct a relief project that eventually attempted to move them all to the
United States. At the last moment, this project did not work. After this
failure, most immigrants remained in Mérida and from there they started
to move to neighbour states such as Campeche and Quintana Roo. Step
by step, they began to move to more distant places: Tabasco, Oaxaca,
Veracruz, Nuevo León, Mexico City and Tamaulipas.

Early in the twenties, a group of them moved to Cuba after hearing
that there was a sugar boom in that country and that labourers were
needed. According to Warren Kim, a Korean resident in Havana, Yi Hai-
Young, made an agreement with the Manachi [Manati] plantation to
supply 400 labourers within six months for a commission of $25 per
labourer, transportation to be provided by the plantation. He came to
Mexico where he recruited 288 persons.[18] They arrived at the port of
Manati, on March 11, 1921, but were detained for 15 days on the ship,
because of an unforeseen controversy over nationality:

17. Sánchez Pac, José, op. cit., p. 11–12.

18. The already mentioned document from the Japanese Legation in Havana, the
total number of immigrants was 289 people. *Ryoken Hoki oyobi dou Hoki Toritsukai*
(3–8–5–11) February 16, 1922. GGSK.

The Cuban government regarded these immigrants as Japanese citizens, but the immigrants insisted they were Korean and refused to land if they were not accepted as Koreans. Such was the national spirit of the Koreans in America. Finally the Japanese legation in Cuba proved that they were not Japanese, and the Cuban government permitted their entry as Koreans.[19]

It has not been possible to find any written evidence that might confirm this incident neither in the National Archives of Cuba nor the Japanese GGSK. In the only source available, The Korean Community in Matanzas, Cuba, authored by Alberto Pedro Díaz, this incident is not mentioned. The main difficulty to assert the truth lies in the fact that by the time the Koreans arrived in Cuba, many people of different nationalities were also coming in search of jobs, and it was almost impossible to control immigration. Therefore, none of them were officially registered. The Korean descendants Alberto Pedro interviewed said that they arrived at Manati on May 1921, with a labour contract that allowed them the right to open a Cuban branch of the Korean National Association. After their arrival, it turned out that the contract was a fraud. This sort of international commerce was frequent and the case of the Koreans was not an exception. Unfortunately things did not work out as they had expected, and just after their arrival in Cuba, the sugar market collapsed and they were left helpless without any chance of finding a job. The only opportunity they got was to go back to the henequen fields, this time in the Cuban Province of Matanzas.[20]

In this way the Korean immigrants kept moving all across the Mexican territory settling down in many distant places that separated them in various groups that gave birth to different forms of relationships with the new host societies. The most important Korean communities in Mexico are now located in Mérida, Yucatán, Mexico City and Tijuana, Baja California, where they settled in the early fifties.

19. Report by Yi Hai-Young of Havana, Cuba, to the Korean National Association of San Francisco, February, 1922. See Warren Kim, op. cit., p. 23-24.

20. Alberto Pedro Díaz, "Gruppa koreiskij emigrantov v Matansas [The Korean Immigrants in Matanzas]". In Etnografiia Kubinskoi Provintsii. [Ethnography in the Cuban Provinces], E. G. Aleksandrenkov (dir.). Moscow: Nauca, 1988, p. 84-97.

Adaptation, Integration and Acculturation

The history of the life of the Korean immigrants in Mexico cannot be fully understood without the knowledge of all those mechanisms they developed to ensure their own survival in confronting a new environment. The explanation of this process requires the understanding of the historical, sociological and psychological aspects involved in the various ways they followed in adapting, integrating and acculturating into the different Mexican regions where they settled. Their experiences were shaped by the peculiar ethnic and cultural histories of the societies they became acquainted with. Their personal experiences show various forms of relationships with the host society. All these issues are yet to be researched. This section is a first approach that covers some issues taken from the attestations collected by Paek Pong Hyon, Sánchez Pac, Alberto Pedro and myself.

Their life in Yucatan was not an easy one. They arrived in a land of poor soil, where the main products were corn and henequen, in a time when the economy was dominated by the land being owned by large states and therefore both native and foreign workers were bound by debt. Once they were placed in the henequen haciendas, they realised that their adaptation to the new land must be immediate to overcome initial difficulties. The work conditions were far from those they had been promised. They were kept at the haciendas where the work was hard, the weather unbearably hot, housing bad and the food poor and insufficient. Besides, the local food was distasteful.

They had to adapt to this new life as fast as possible. Their first step was to learn the Spanish language and to try to understand some words of the Mayan. language. Men had more opportunity to acquire these linguistic skills than women who mostly remained at home. At work they were looked upon with mixed views by the hacendados and their administrators— or *mayordomos*, because all of them were unaccustomed to the henequen cultivation. Later, they showed themselves to be clean, industrious and intelligent. One informant told Paek 'We were treated as patient workers, who worked all day long and who could not be easily swayed by the agitator'.[21]

In spite of being admired by the administrators, demonstrating these qualities did not help them to improve their wages. Thus their wish to make money and return home rich and prosperous was far for being accomplished. Another informant told Paek that they "worked twelve hours a day; adults received 35 cents, young men 25 cents and children 12

21. Paek Pon-ho, *op. cit.*, Interview on August 15, 1967, p. 31–32.

cents. Their work began right after they heard the big bell in the patio ringing at 3:45 or 4 o'clock in the morning and continued until sunset. Sometimes women and children had to work in the fields. Often the working hours were extended until long into the night. At night they were locked in one-room huts. Husbands were allowed to live with their families. If they wanted to move around, they had to obtain a pass from the *mayordomo primero*— or superintendent— and *mayordomos segundos*— or overseers— depending upon the conditions of haciendas and the characters of the hacendados. Their movements thus were severely restricted".[22]

In the very beginning the *mayordomos* thought that Korean labourers would behave as their native counterparts who often were reluctant to work. They accused the Koreans of laziness and disinclination to work, and they imposed upon them working days of twelve or more hours so they would not waste time. "When they became more conscious of the wrongs to which they were subjected, they knew that it was physically difficult for them to reach the ear of authority and they had little confidence in justice..."[23]

The food habits were more difficult to overcome. In some haciendas they could get rice, beans, salt and sugar, but in others they mostly received corn, which they did not know how to cook. They discovered, by chance, some edible herbs that were not eaten in Yucatan, and this helped improve their diets. Along with these herbs, they found out that the cooks in the haciendas disposed of some parts of the cabbage, which they thought would be a suitable ingredient for preparing some *kimchi*. For this same purpose, they also used the white part of the pulp of watermelons.

After their contracts ended and the relief project supported by the Korean National Association in the United States failed, most of the immigrants remained in Merida where they tried to create a new life. Merida was the centre of their lives and activities, which were divided between this city and the nearby haciendas, the latter constituting the nucleus of the labour force and a place for recreation and public entertainment. They managed to survive by helping each other. These ties of solidarity were both the natural results of their Korean traditional family relations and their own patriotic ideals.

Later on, more formal ties were developed when they organized a society known as the *Korean Ch'in Mok Association*, born on February 10, 1909. This society pursued the promotion of friendship among its

22. *Ibid.*, Interview on July 24 1967, p. 32.
23. *Ibid.*, p. 32–33.

members in order to intensify group unity and to encourage business. That same year, a Merida branch of the Korean National Association in the United States was founded, and new activities began, such as a church and a school.

On October 5, 1908, a Christian church was established to hold services in Korean. The following year, one of the delegates sent by the Korean National Association in the United States, a missionary, brought a new strength to the Korean congregation. The founding of this church not only helped to fulfil the spiritual needs of the immigrants, but it also had educational purposes that led to the founding of a school, where subjects on Korean language and customs were taught, along with military instruction.

This institute was a private school in which young men could get physical training to promote a strong sense of duty, moral obligation, and antagonism against the Japanese. The Korean language was used as a mean to teach Korean history and Mexican geography. Both the church and the school faced difficulties after the outbreak of the Mexican Revolution in 1910.

This movement brought along new social and economic reforms that improved the living conditions of the Mexican population as a whole. Yucatan was one of the last places controlled by the revolutionary forces. In February 1915 was established a new government that once in office abolished the servitude of the Maya Indians, liberated the debts that farm workers had contracted with the hacendados and stopped all forms of oppression.

At the same time that these reforms were affecting the lives of the Yucatan's population, they also had an especial impact on the lives of Korean immigrants. Though they were still living in a time of uncertainty, they no longer were considered subordinates as had been the case from the day they first set foot on Yucatan's soil. Now they could move more freely and their survival depended on the way they could manage the opportunities the building of a new society was providing. They looked for better jobs, and they worked hard: "[...] they were eager to prosper... some of them opened small shops, some others made and sold candy named *caramelos kikos* [...] finally others engaged in tin workshops".[24] However, some of them remained in the haciendas, this time under different working conditions.

---

24. Interview with Mr. Roberto LLanes Cho in Tijuana, Baja California, November 15, 1991.

In spite of this first success, most of them were not satisfied with their life in Yucatan and longed for better places to live. A new exodus began and they did as many different economic activities as they could manage wherever they moved. Sánchez Pac has written an account of all these experiences case by case. Those who moved to Campeche first worked as farm labourers, and later turned into merchants. In Frontera, Tabasco, they were mostly farmers. In the port of Veracruz they were blue-collar workers. In Cordoba, Veracruz they worked as house servants. In Mexico City they got different jobs, and later most of them become merchants. Little is known about those who moved to Monterrey. In Tampico they were merchants. The first to become prosperous were those who engaged in fisheries at the port of Coatzacoalcos, Veracruz.

This exodus and the reforms made by the Mexican revolutionary movement truncated the natural development of the Korean community, and opened the way for the integration of the Korean immigrants into the economic, political and social structures of Mexican society. As it has been mentioned, while all together in Yucatan, they refused to integrate, waiting for the release of their working contracts and the relief project that attempted to move them all to the United States. Once it turned out to be impossible they decided to remain. Then they began to sink deep roots into Mexican soil.

In the process they acquired a new consciousness. Once they were not able to preserve the national and cultural links they had while living in Yucatan, their contact with other social environments made them go through various forms of adaptation that finally paved the way for their integration. They had no choice but to merge into the local communities. They had to stop using the Korean language and start using Spanish as a lingua franca for communicating at home and with the outside world in order to get along with Mexican people at work, in the school and in socialising with the neighbourhood. In this way the Korean culture started to be abandoned.

In this regard, the Mexican public education system and the nationalistic trends in education imposed by the new revolutionary government precipitated this change. The Korean children attended classes in Spanish and were taught by Mexican teachers and they learned from textbooks that only contained information about Mexican culture. The teacher's main concern was to inculcate revolutionary and nationalistic values.

Another issue that fostered their integration inter-racial marriage. They were not inclined to marry outside the community, but they had to. As it has been mentioned with regard to the social composition of the group of immigrants who arrived in Yucatan, families were composed of adult men and women who came with their children. There was also a group of unmarried men. These were the first to marry with local women, and their children grew up with the rest of the children born in Korea. By the time they moved to new places, these children became adults who sought the company of local young men and women. In this way they started to get married. Over a few years, a new generation of Koreans outnumbered their immigrant parents and lived as a racially mixed progeny.

Perhaps the most important issue that helped their integration in Mexican society was the reform of the immigration legislation. The new legal system established after the Revolution removed all discrimination and allowed the right of naturalization to all foreigners living in Mexico and granted, according with the *jus solis*, to all children from foreign origin the right to be considered Mexicans by birth. In this way the Korean immigrants and their descendants were assured the same type of opportunities Mexican nationals.

Needless to say that ethnocentrism is a phenomenon of a different character in Mexico than in other parts of the world. While a discriminatory behaviour towards the indigenous groups still prevails, leaving them with a low position within the institutional structure of Mexico, the descendants of foreign immigrants have had the chance to improve their lives and to become equal partners.

In this last regard it can be asserted that through both the adaptation and integration processes, the descendants of the first Korean immigrants have assured their acculturation in becoming Mexicans of Korean ancestry. This is the natural result of the way they interacted in their exchange with the different social and cultural milieus they found in the several places where they settled down. The Koreans have proven their ability to survive in the way they have managed to improve their socio-economic status and educational backgrounds. Most of these achievements need to be studied in greater detail. All the social changes that influenced their lives need to be understood distinctly, because the various changes that occurred may differ from society to society the Korean immigrants entered into contact with.

The turning of a new century seems the appropriate time for Mexico to revive its cultural heritage in order to construct a different idea of national consciousness based on the large number of cultures living in the country: those of the descendants of the indigenous peoples and those of foreign immigrants. Contemporary Mexican society has to be understood as a multi-ethnic mosaic. Thus, for a better understanding of this idea, it is important to place the immigration-related phenomena in its proper historical context. The history of East Asians in Mexico can be fully understood by regarding them as immigrants and as people who later became completely absorbed into Mexican society. This acculturation process differs with the group of immigrants they belonged to and the place in which they made their lives. In the case of the Koreans they came as "indentured labourers" with a contract that bounded them to the henequen haciendas in Yucatan. After four years of forced work their contracts were released and they began the search for a new life. They spread to many different places in where they survived as merchants, fishers and doing other jobs. This first experience contrasts with that of their descendants who have been able to improve their socio-economic status and educational backgrounds. However, this is still a fragmented history that needs to be worked on. In this regard, it is important to keep looking into the lives of those Korean immigrants who made up their minds to remain in Mexico and to adopt this place as their permanent home. The Koreans in Mexico have played an important role in the social shaping of contemporary Mexico that can be understood only by analyzing the way they adapted, integrated and acculturated. The improvement of their status shows their ability for coping with the barriers within the socio-economic and political environments they found in this country. Given the incomplete knowledge of their history, I hope this essay can be of some interest as a snapshot in time that attempts to portray a preliminary view of the life of the first group of Korean immigrants and their descendants and of the process of their becoming Mexican citizens in their own right.

Bibliography

Gómez Izquierdo, Jorge. 1991. *El movimiento antichino en México. 1871-1934, problemas del racismo y del nacionalismo durante la revolución mexicana* [The Anti-Chinese Movement in Mexico, 1871-1934. Problems of Racism and Nationalism during the Mexican Revolution]. México: INAH-CNCA.

González Navarro, Moisés. 1960. *La colonización en México. 1877-1910* [The Colonization in Mexico. 1877-1910]. México: Talleres de Impresión de Estampillas y Valores.

————. 1994. *Los extranjeros en México y los mexicanos en el extranjero. 1821-1970* [Foreigners in Mexico and Mexicans in Foreign Countries. 1821-1970], vol. II. México: El Colegio de México.

Martínez Montiel, Luz María and Araceli Reynoso. 1993. "Inmigración europea y asiática, siglos XIX y XX [European and Asian Immigration. Nineteenth and Twentieth Centuries]", In *Simbiosis de culturas, los inmigrantes y su cultura en México* [Symbiosis of Cultures, the Inmmigrants and their Culture in Mexico], Guillermo Bonfil Batalla. (ed.). México: CNCA-FCE, p. 305-421.

Ota Mishima, María Elena. 1985. *Siete Migraciones japonesas a México, 1890-1978* [*Seven Japanese Migrations in Mexico, 1890-1978*]. México: El Colegio de México.

————. 1993. "Las migraciones asiáticas en México [The Asian Migrations in Mexico]", In *El poblamiento de México. Una visión histórico-demográfica* [The Peopling Mexico. An Historical and Demographic Perspective], vol. III. México: Secretaría de Gobernación y Consejo Nacional de Población, p. 188-205.

———— (ed.). 1997. *Destino México. Un estudio de las migraciones asiáticas a México, siglos XIX y XX* [Destination Mexico. A Study on Asian Migrations to Mexico, Nineteenth and Twentieth Centuries]. México: El Colegio de México.

Puig, Juan. 1992. *Entre el Río Perla y el Nazas. La China decimonónica y sus braceros emigrantes. La colonia china de Torreón y la matanza de 1911* [Between the Pearl River and the Nazas River. The Nineteenth Century China and its Immigrant Workers. The Chinese Colony in Torreon and the 1911 Masaccre]. México: CNCA.

Pedro Díaz, Alberto. 1988. "Gruppa koreiskij emigrantov v Matansas [The Korean Immigrants in Matanzas]". In *Etnografiia Kubinskoi Provintsii.* [Ethnography in the Cuban Provinces], E. G. Aleksandrenkov (dir.). Moscow: Nauca, p. 84-97

L'économie coréenne

VALEURS CULTURELLES ET RESTRUCTURATION

Yang Tae-Kyu

Dans le présent texte, nous exposons des réflexions sur le rapport entre la culture et le mode de développement de l'économie nationale en Corée. En nous inspirant des travaux tels que ceux de G. R. Ungson, R. M. Steers et S. H. Park, nous examinerons d'abord les cultures de la politique économique qui ont contribué à la fois au grand succès du développement économique de la Corée dans les années 1980, et au déclenchement de la crise financière en décembre 1997. Ces cultures de la politique économique s'inscrivent dans la tradition confucéenne propre à la Corée. Ce qui, entre autres, se reflète dans la pratique de l'interventionnisme du gouvernement coréen en faveur d'un clan de grands conglomérats, appelés *chaebol* 재벌, de même que dans les relations de travail paternalistes et loyalistes dans des entreprises. Mais nous croyons que ce type de développement de l'économie nationale à caractère confucéen ne fonctionne plus aujourd'hui où l'on parle de plus en plus de l'ère de la mondialisation. La Corée a donc besoin non seulement d'une restructuration de son économie pour une croissance durable, mais aussi d'un changement de la mentalité pour créer une économie véritablement dynamique, flexible et ajustée aux standards internationaux.

Un modèle économique culturellement déterminé

LA DÉBÂCLE FINANCIÈRE en Asie ne découle pas seulement des valeurs asiatiques, elle vient aussi d'une mauvaise application des valeurs occidentales. Cette débâcle financière asiatique fait suite à l'imposition d'un modèle de marché occidental aux cultures politico-économiques de l'Asie de l'Est où traditionnellement la primauté est donnée au collectif plutôt qu'à l'individuel, où le conformisme social représente une valeur positive, où la préservation des relations familiales et claniques est considérée comme une mission suprême et enfin où le gouvernement joue un rôle interventionniste majeur. En outre, tous ces aspects entrent en jeu dans le rapport entre patron, employé et client.

Contre la présomption qui veut que les valeurs culturelles soient à l'origine de la crise économique en Asie, il suffit de se rappeler qu'en Corée c'est justement grâce à l'implication et à l'achèvement d'un peuple laborieux et tenace que le pays a pu passer d'une économie déchirée par la guerre de Corée à la onzième puissance économique mondiale qu'elle est aujourd'hui. Le succès passé des grandes entreprises coréennes a été influencé par plusieurs valeurs culturelles inspirées du confucianisme. Ces valeurs confucéennes ont joué un rôle important dans le développement économique coréen en favorisant l'esprit de travail et la solidarité du groupe. Cependant, à la lumière de la crise actuelle et de la mutation rapide de l'environnement global, la Corée reconnaît le besoin de changer sa façon de faire du commerce. Véritable défi qui repose sur un paradoxe : comment les firmes coréennes peuvent-elles moderniser leurs structures de gestion de façon suffisante pour leur permettre de devenir des acteurs de l'économie globale sans pour autant mettre en péril les bases culturelles sur lesquelles leur succès s'est constitué ?

Des changements sont actuellement en train de se produire alors que les entreprises commencent à délaisser le modèle de gestion confucéen traditionnel pour aller vers une approche plus moderne. Cependant, il convient d'abord de s'interroger sur les conséquences culturelles de la mondialisation. Le capitalisme asiatique est en effet en crise en partie à cause de l'héritage de sa culture et de valeurs économiques importées qui sont mal assorties.

L'influence des valeurs confucéennes sur l'économie coréenne est indéniable. Le confucianisme a été introduit en Corée à partir de la Chine au IVe siècle de notre ère. Il fut adopté plus tard comme la religion d'État pendant plus de cinq cents ans sous la dynastie Yi. Bien qu'il n'ait pas proposé de divinité à adorer, le confucianisme a fourni une orientation morale pour la conduite des individus et des rapports sociaux. En mettant l'accent sur l'éducation, le culte des ancêtres et le respect des aînés, il influença l'étiquette et les règles de bienséance, le système familial et beaucoup d'autres aspects de la vie quotidienne. D'ailleurs, la terminologie honorifique et de multiples expressions de la langue coréenne sont directement liées au confucianisme.

La réputation des Coréens comme peuple laborieux et tenace se reflète dans la production de biens raffinés et de haute qualité. Pour une grande part, cela est attribuable à la tradition confucéenne de la Corée dont une des valeurs est l'importance prioritaire accordée à l'éducation, indispensable à la maîtrise technique. La conception coréenne du travail met l'accent sur la persévérance. Les autres valeurs culturelles insistent sur l'importance de rapports interpersonnels harmonieux, le respect pour les plus âgés, la solidarité du groupe et la discipline. De plus, la loyauté envers la famille est considérée comme une mission suprême et la société coréenne accorde une grande importance aux vertus d'autodiscipline, d'assiduité au travail, à la diligence et à la frugalité[1].

Les *chaebol* et la culture

Durant les années 1970, les conglomérats coréens, *chaebol*, furent une force et une conséquence de la croissance rapide de l'économie. À la fin de la phase d'industrialisation du pays, ils continuent d'être des institutions importantes qui contribuent encore au progrès économique national. Les *chaebol* sont les moteurs de la croissance économique et leurs modes de gestion s'appuient sur les valeurs culturelles. Les firmes coréennes présentent un certain nombre de caractéristiques qui leur sont propres : contrôle et gestion de type familial, orientation entrepreneuriale, leadership paternaliste, planification et administration centralisées, rapports étroits entre le gouvernement et les entreprises et, enfin, importance des liens d'écoles.

Dans le respect de la tradition confucéenne, la famille (ou le clan) joue un rôle central dans la Corée contemporaine. Il n'est donc pas surprenant que plusieurs compagnies aient été mises sur pied et soient gérées depuis plusieurs décennies par la même famille.

La deuxième caractéristique traditionnelle des firmes coréennes est leur orientation entrepreneuriale spécifique qui provient de la personnalité des fondateurs et de la nature de la société coréenne. En effet, l'ambition et l'acharnement des fondateurs combinés avec la nature unique des relations entre le gouvernement et le milieu des affaires en Corée sont autant de conditions qui ont contribué aux succès entrepreneuriaux. Ce qui distinguait les hommes d'affaires couronnés de succès de ceux qui ne l'étaient pas, c'était souvent le talent entrepreneurial. Une vision bien définie, de solides habiletés et aptitudes politiques, un engagement actif dans les affaires, une grande perspicacité de même que la chance sont autant d'atouts qui caractérisent ce sens particulier des affaires.

L'histoire du P.D.G. de Hyundai, Chung Ju-Yung, est un bon exemple de ce dynamisme entrepreneurial. Au début des années 1970, Hyundai, qui n'avait aucune expérience dans la construction navale, envisage néanmoins de construire le plus grand chantier naval du pays. Contre l'avis des experts, qui étaient persuadés de l'échec de cette entreprise hasardeuse, le P.D.G. a maintenu sa décision. Il avait en effet observé qu'à l'intar des centrales électriques qu'Hyundai avait déjà construites « un bateau possède un moteur interne et externe en plaque d'acier ». Son sens de l'observation et sa ténacité motivèrent les employés. Trente ans plus tard, Hyundai

---

Heavy Industries est l'un des plus grands chantiers navals au monde. Chung a réussi pour diverses raisons. Il avait une bonne connaissance du marché et une parfaite maîtrise de la planification des affaires. Mais il a également pu compter, d'une part, sur l'implication d'employés capables et disposés à faire de longues journées de travail pour la réussite de l'entreprise et, d'autre part, sur l'appui du gouvernement coréen. De plus, il avait un dynamisme entrepreneurial certain et le flair nécessaire pour reconnaître une opportunité et planifier en conséquence.

Une troisième caractéristique commune à plusieurs *chaebol* est qu'ils sont dirigés par une figure paternaliste centrale. Le président, souvent le fondateur de l'entreprise, assume en général toutes les responsabilités et veille au rendement de tous les aspects de la firme. En conséquence, il centralise la prise de décisions et l'autorité afin d'assurer un contrôle serré. De plus, un tel dirigeant a habituellement un intérêt personnel au bien-être et au développement de ses employés. Cet aspect de la gestion coréenne découle évidemment des valeurs confucéennes. Le président étant une figure quasi paternelle, il se fait ainsi obéir en toutes choses.

En partie à cause de la nature familiale de la gestion et d'un leadership autoritaire, la quatrième caractéristique de la plupart des corporations coréennes a historiquement été l'existence d'une fonction de planification centrale où les représentants travaillent étroitement avec la direction pour prendre des décisions et pour développer des stratégies d'action. Ce qui a également permis une coordination efficace de l'allocation des ressources à travers les différentes entreprises de façon à ce que des projets très complexes soient couronnés de succès.

Jusqu'à tout récemment, les bases économiques de la Corée moderne reposaient sur une relation étroite et mutuellement bénéfique entre les entreprises et le gouvernement. Alors que la force du lien unissant ces deux partenaires diminue, il n'en demeure pas moins que la clé du succès des *chaebol* a été leur utilité pour le gouvernement en tant qu'instrument du développement économique. Le gouvernement a utilisé son pouvoir financier en accordant des prêts à des taux d'intérêt préférentiels. Il a également utilisé son pouvoir décisionnel pour l'attribution de droits et de permis spéciaux et pour inclure certaines compagnies dans les différents plans quinquennaux. Ainsi a-t-il pu identifier et guider celles qui étaient promises au succès. Afin de réussir, il était donc essentiel pour les *chaebol* d'avoir de bons contacts avec le gouvernement.

Une dernière caractéristique des grandes compagnies coréennes est l'importance de l'école et le crédit accordé aux études, notamment à l'université d'où l'individu est issu. En Corée, l'université à laquelle on appartient est déterminante pour le développement de la carrière professionnelle de l'individu. Bien qu'il y ait de nombreuses bonnes universités, plus l'école est prestigieuse, meilleure c'est pour la carrière. Un diplôme obtenu dans l'une des trois universités les plus prestigieuses, à savoir l'Université nationale de Séoul, l'Université Yonsei et l'Université de Corée, a toujours été l'assurance, pour les étudiants, d'obtenir un travail dans les meilleures compagnies[2]. Quand les cadres d'entreprises coréens se rencontrent pour la première fois, l'une des premières questions abordées concerne l'université d'où l'on est issu. La découverte que l'on vient d'un même lycée ou d'une même université, même de promotions différentes, suscite un sentiment d'intimité et crée des liens qui vont favoriser l'employé tout au long de sa carrière.

De nouveaux défis pour l'économie coréenne

Les qualités entrepreneuriales des hommes d'affaires des *chaebol* ont permis la montée rapide du pays vers une économie globale. Les *chaebol* ont été le moteur de l'économie et de l'industrialisation en Corée au premier stade de sa croissance. Néanmoins, c'est sans surprise que des politiques visant à modérer ou à diminuer le pouvoir des *chaebol* dans le changement de l'environnement global ont été justifiées soit par une question d'efficacité et de croissance, soit par une question d'équité et de justice.

Le dilemme auquel fait face la Corée est que la croissance des *chaebol* et la performance de l'économie nationale sont intimement liées. Ainsi, les politiques de restructuration ont été adoucies durant les périodes de récession et renforcées durant les périodes de croissance. Ces performances favorables des *chaebol* ont souvent eu pour résultat de bonnes périodes économiques. Mais le développement de ces organisations et la croissance de leur pouvoir ont commencé à susciter des sentiments anti-*chaebol* dans la population coréenne à partir de la fin des années 1980[3]. Même si le poids économique et la concentration des *chaebol* ont été une force et une conséquence de la croissance économique rapide de la Corée,

---

2. Plus de la moitié des hauts cadres du conglomérat Daewoo sont issus du lycée Kyunggi ou de l'Université Yonsei. De la même façon, les diplômés de l'Université nationale de Séoul occupent 50 % des postes importants dans l'entreprise Sunkyong. Une étude faite en 1988 montre que 62 % des présidents-directeurs des sept premiers conglomérats sont issus de cette même université. Si on y ajoute ceux de l'Université Yonsei et de l'Université de Corée, le pourcentage monte alors à 84 % (G. R. Ungson, R. M. Steers et S. H. Park, *Korean Enterprise : The Quest for Globalization*, Boston, Harvard Business School Press, 1997, p. 73).

3. *Ibid.*, p. 165.

il est nécessaire, avec la mondialisation et le changement rapide des modalités dans une compétition mondiale, de réexaminer les politiques de restructuration de ces entreprises. Confronté à la crise actuelle et aux nouvelles exigences de la mondialisation, le défi pour les entreprises coréennes est devenu de savoir comment fusionner les valeurs familiales et celles du collectivisme de l'Est avec les valeurs de l'Ouest qui sont plus pragmatiques.

L'histoire récente de la Corée est riche d'exemples de corruption politique, de surconcentration des richesses, d'abus de pouvoir, de contestation ouvrière, de baisse de compétitivité sur les marchés internationaux due aux coûts croissants de la main-d'œuvre, de manque de personnel qualifié dans l'industrie de pointe, d'accès limité aux hautes technologies et de structure de gestion dépassée. Pour surmonter ces problèmes, la Corée, autant les entreprises que la nation en général, devra faire face à d'importants défis : restructurer les *chaebol*, renforcer la politique industrielle, rencontrer les exigences de la globalisation, mettre en valeur la compétitivité des petites et moyennes entreprises et restructurer le marché du travail.

Mais comment la Corée peut-elle adopter une libéralisation des capitaux et du marché en évitant des dislocations macro-économiques sévères et en évitant une diminution de la compétitivité de ses industries ? Les pays occidentaux avancés aimeraient voir une libéralisation plus rapide des marchés en Asie. En revanche, les pays asiatiques, incluant la Corée, voudraient toutefois faire en sorte que ce mouvement vers la libéralisation ne crée pas de déséquilibres sociaux ou macro-économiques. Ces pays entendent changer le modèle de leur économie de façon graduelle.

La restructuration des entreprises

Fusion des valeurs traditionnelles et occidentales

Certains économistes prétendent que dans l'ensemble les valeurs confucéennes ne correspondent pas au progrès économique. En effet, certains aspects du confucianisme tels qu'un code d'éthique rigide et un dédain envers la démocratie et l'égalité peuvent retarder la croissance économique. Cependant, même les plus critiques à l'égard de ces valeurs culturelles peuvent difficilement nier que le succès économique du pays a été facilité par le travail assidu, la diligence et l'autodiscipline basés sur les valeurs culturelles coréennes. C'est la combinaison des valeurs confucéennes traditionnelles et de la nouvelle technique pragmatique — incluant le savoir-faire technique et scientifique, la main d'œuvre qualifiée, la présence de technocrates d'élite et de leaders entrepreneuriaux — qui a transformé le Japon et la Corée en pays industrialisés[4].

À la lumière de la crise actuelle et d'un environnement global en rapide mutation, la Corée reconnaît le besoin d'adapter sa façon de faire du commerce. La réforme économique du pays suppose la libéralisation complète du marché financier, une révision du système de régulation qui accorde des droits préférentiels à des entreprises particulières, une réduction de la dette corporative, une restructuration des entreprises et une transparence accrue dans tous les secteurs de l'économie coréenne. Plus concrètement, en janvier 1998, le nouveau président élu, Kim Dae-Jung, et les plus grands *chaebol* ont signé un accord pour réformer la structure des entreprises. Cet accord faisait suite, d'une part, à une demande faite par le FMI dans le cadre de son programme de restructuration et, d'autre part, aux nombreuses critiques portées à l'encontre des *chaebol*, aussi bien en Corée qu'à l'étranger, critiques qui les accusaient d'être en partie responsable des difficultés économiques du pays. Cependant, il s'est avéré que ces directives n'ont pas vraiment été suivies. Il était pourtant urgent de restructurer les secteurs financiers et corporatifs de façon intégrale, étant donné le lien complexe entre ces deux secteurs.

Restructuration du secteur financier

En ce qui a trait à la réforme du secteur financier, l'objectif premier est basé sur la notion que les institutions financières fonctionnent comme des entités recherchant le profit plutôt qu'elles ne sont des instruments pour les politiques industrielles. En ce sens, les institutions financières doivent avoir des portefeuilles constitués d'actifs solides et d'un capital de base sain.

Ce qui importe, c'est que le système financier soit assuré contre les risques systématiques et l'instabilité qui tendent à augmenter dans un contexte de libéralisation financière et de globalisation. De plus, la réglementation et la supervision doivent être renforcées étant donné qu'une supervision relâchée constitue une des causes principales de la crise financière actuelle.

La modalité de base de cette restructuration est, d'une part, d'injecter des nouveaux capitaux dans les institutions financières viables et, d'autre part, de fermer ou de fusionner celles qui sont peu performantes. Ce qui a donné un résultat encourageant à ce secteur qui était le plus problématique lors de la crise.

---

4. Richard M. Steers, Y. K. Shin et G. R. Ungson, *The Chaebol*, New York, Harper Business, 1989, p. 13.

Restructuration du secteur corporatif

L'objectif de la restructuration du secteur corporatif est de réduire la dette corporative et d'améliorer les standards de la gestion. La dette corporative actuelle ne peut en effet pas être soutenue. Le but est de réduire le ratio d'endettement à des niveaux internationaux acceptables jusqu'à la fin de 1999. Afin d'y arriver, le secteur corporatif doit soit hausser le nombre d'actions disponibles sur le marché, soit vendre ses avoirs et ses biens subsidiaires. Étant donné l'ampleur des besoins financiers et la faiblesse actuelle du secteur financier coréen, le marché des capitaux devrait être le lieu le plus important pour une recapitalisation corporative. Les marchés boursiers domestiques sont maintenant pleinement ouverts aux investisseurs étrangers de même que les instruments des marchés monétaires à court terme.

Eu égard à la gestion corporative, la transparence et la responsabilité seront facilitées par l'exigence d'états financiers consolidés à partir de 1999 et par le droit accordé aux actionnaires d'exercer pleinement leur pouvoir de vote. Des changements légaux sont aussi apportés afin que les pratiques comptables soient conformes aux standards internationaux.

Les mesures concrètes de la restructuration

Depuis le début de la crise financière en 1997, plus de 20 000 petites et moyennes entreprises ont déposé leur bilan et la moitié des filiales des conglomérats classés entre la sixième et la trentième place ont été liquidées. Toutefois, les cinq premiers conglomérats du pays, les « Big Five », sont restés pratiquement intacts et le montant total de leurs emprunts auprès des banques a même augmenté. La restructuration volontaire autour de sept secteurs d'activité n'a en fait pas répondu aux attentes du gouvernement.

Par conséquent, en usant du pouvoir gouvernemental de supervision financière comme outil de restructuration forcée, le président Kim a lancé un dernier avertissement contre toute nouvelle procrastination. Il peut paraître étrange que, dans un pays qui défend les principes de l'économie de marché et de la démocratie, le gouvernement oblige les propriétaires des *chaebol* à signer un document qui les force à se retirer d'une grande partie des industries dans lesquelles ils sont présents.

La forte dépendance des *chaebol* vis-à-vis des prêts bancaires, illustrée par un ratio d'endettement sur capital pouvant atteindre dans certains cas 800%, est bien entendu la raison première de leur soumission aux exigences de l'environnement global. Cependant, leur prise de conscience que le changement est inévitable les résout enfin à accepter leur restructuration interne ou même leur désintégration. Ils savent que les mesures de réforme ont été prises non seulement pour guérir les maux économiques du pays mais aussi pour leur permettre de repartir sur de nouvelles bases[5].

Face aux pressions exercées par le pouvoir politique et la société, les *Big Five* se sont entendus, le 7 décembre 1998, sur une série de programmes de réformes qui mettront un terme à leurs opérations tentaculaires et redessineront le paysage industriel de la Corée. L'accord de restructuration contient vingt programmes d'actions dressés par les *chaebol* dans cinq domaines différents. Les engagements des conglomérats incluent :

1. la concentration sur seulement quelques secteurs d'activité;

2. l'élimination des crédits entre filiales;

3. l'amélioration de la structure du capital;

4. la transparence dans la gestion;

5. le droit accordé au gouvernement d'inspecter la mise en œuvre de ces décisions.

L'accord appelle chacun des cinq conglomérats à se concentrer sur quelques secteurs d'activité uniquement. Parce qu'ils sont lourdement endettés, les *chaebol* doivent collecter 23 000 milliards de wons par la vente de biens privés des propriétaires et par la liquidation des filiales peu rentables et marginales. De plus, ils sont également appelés à rassembler 20 000 milliards de wons dans le but d'augmenter leur capital et d'injecter 30 000 milliards de wons provenant d'investissements étrangers. Les fonds seront utilisés afin d'améliorer la santé financière des *chaebol* qui auraient à réduire leur ratio d'endettement sur fonds propres de 200% avant la fin de 1999 et à se débarrasser des garanties de paiement interne au groupe jusqu'à mars 2000.

Il fixe également les grandes orientations pour un réalignement industriel dans sept secteurs : pétrochimie, aéronautique, matériel roulant, production d'énergie, moteurs de bateaux, semi-conducteurs et raffinage du pétrole. Ces mesures, ainsi que les échanges appelés « *Big deals* », ventes, fusions et acquisitions entre les cinq plus grands *chaebol*, réduiraient le nombre total des filiales de ces cinq conglomérats, les faisant passer de 264 à 130.

---

5. « Point de vue : Un nouveau départ pour les chaebol », *Le Courrier de la Corée*, 12 décembre 1998.

L'intégration de l'économie globale et la mondialisation

Les efforts gouvernementaux pour la restructuration de l'économie du pays après la crise économique signifient l'adoption de la forme de la mondialisation économique. La pression intense et compétitive de l'ère globale force la Corée à initier les changements radicaux de ses structures économiques traditionnelles, sociales, politiques et même culturelles. La Corée a commencé sa restructuration économique et un certain progrès a déjà été fait dans les secteurs financier et corporatif. Le niveau de la mondialisation en Corée diffère d'un secteur à l'autre. Une étude faite en 1993 estime que le niveau de mondialisation des sociétés coréennes s'élève à 30 par comparaison à 100 aux États-Unis. Si l'on calcule le niveau de mondialisation par domaines, il arrive à 42 dans le domaine économique et à 29 dans le domaine socioculturel[6]. La politique de restructuration en cours dans les secteurs financier et corporatif élèvera encore plus le niveau de la mondialisation économique. Il est certain que, dans le processus de mondialisation générale en Corée, la mondialisation économique fait avancer celle des autres domaines[7].

Il est illusoire de penser que tout ce qu'il faut pour créer une économie industrielle moderne est la déréglementation. Les facteurs culturels et politiques sont considérés comme ne s'appliquant pas à l'économie ou subordonnés aux forces économiques. Cela est tout à fait faux. C'est la culture nationale qui détermine la forme que l'économie prendra. Chaque société a son mode de vie. L'erreur est de croire que le capitalisme occidental peut être implanté partout et qu'il peut fonctionner de la même façon qu'il le fait en Amérique ou en Europe. Nul ne peut nier que l'Asie a besoin d'une bonne dose de discipline sur ses marchés pour assurer une guérison soutenue et à long terme. Mais un régime intensif de réformes pour un libre marché, imposé, semble-t-il, de façon gauche et avec l'intention d'en profiter, ne fera qu'élargir le fossé entre l'Est et l'Ouest.

Les réformes et la restructuration dans le domaine économique devraient être accompagnées par des changements nécessaires dans le domaine socioculturel afin que la guérison soutenue se fasse sans soulèvements sociaux. Cette transformation socioculturelle majeure nécessitera probablement plus d'une décennie pour s'accomplir. Tandis que la mondialisation économique est intégrée, la culture globale a une tendance à la fragmentation. La propagation de la culture globale comme la politique à suivre est nécessairement le corollaire de l'économie globale et

---

6. Gil-Sung Park, *Globalization : Capital and Culture in Change*, Séoul, Nanam Publishing House, 1996, p. 252.

7. *Ibid.*, p. 254.

du marché global, mais il y a aussi un mouvement opposé qui conduit à une division et une fragmentation croissante[8].

Exposés depuis plusieurs années aux cultures et aux intérêts des pays développés tels que les États-Unis, les Coréens ont été aliénés de leurs racines culturelles. Affaiblis par de telles dominations, ils ont eu tendance à considérer leur culture comme un anachronisme embarrassant qui a gêné la modernisation du pays. Ils ont maintenant besoin de redéfinir leur identité nationale. Il faut toutefois admettre que la perception des Coréens sur leur propre culture commença à changer avec l'amélioration de la situation économique du pays. Le respect des valeurs traditionnelles et la quête des racines culturelles s'expriment de plus en plus. Dans le processus de la mondialisation du pays, la population semble avoir compris l'importance de prendre conscience de ses traditions, valeurs et héritage, et à les apprécier. Les changements sociaux qui, en ce moment, émergent en Corée affecteront la nature profonde de ses valeurs et de ses coutumes. Quoique les valeurs confucéennes aient pu être une force dans le premier stade du développement économique, on peut se demander si ces valeurs traditionnelles peuvent être encore valables et supporter les nouveaux efforts de la restructuration que la Corée vient d'entamer surtout à la suite de la crise économique.

C'est la culture nationale qui détermine la forme que l'économie prendra. Au fur et à mesure que l'économie globale s'intègre, la culture globale se fragmente. Les réformes et la restructuration devraient être entreprises de façon graduelle. Les changements précipités risquent d'aggraver les conflits sociaux et d'élargir l'écart entre les pays qui sont aptes à bénéficier du marché global et ceux qui ne le sont pas.

Des ajustements fondamentaux dans les structures économiques doivent aussi être accompagnés de changements nécessaires de la mentalité des Coréens. Une structure institutionnelle réussie basée sur le marché implique aussi ce que certains appellent une destruction créatrice. La Corée ne peut s'attendre à avoir une économie véritablement dynamique et flexible en appliquant seulement les standards internationaux. Une certaine créativité et de nouvelles habiletés doivent combler l'écart entre l'ancienne et la nouvelle façon de faire les choses. Ce processus va inspirer des règles du jeu plus justes et une plus grande adaptabilité aux standards internationaux alors que la Corée fait des progrès dans sa réforme au niveau domestique. Nous n'évoluons pas vers une culture universelle, mais plutôt vers un monde composé de cultures différentes, et celles-ci devront identifier leurs éléments communs pour apprendre à coexister.

8. Sherif Hetata, « Dollarization, Fragmentation, and God », in *The Culture of Globalization*, Durham, Duke University Press, 1998, p. 282.

Médias ethniques coréens au Québec

PERSPECTIVES DES IMMIGRANTS DANS LE PROCESSUS D'INTÉGRATION

Yim Seong-Sook

Le présent texte cehrche à dégager les points de vue des immigrants coréens sur les médias ethniques dans le processus d'intégration à la société dominante dans le cadre de la théorie de communication dite de « réception active ». Nous étudions plus spécifiquement les modes de fréquentation quotidienne des médias ethniques des immigrants coréens dans le processus d'intégration à la société québécoise, société majoritairement francophone. Nous présentons ici les discours recueillis auprès de quatre groupes d'immigrants coréens (gens d'affaires, travailleurs, étudiants et personnes âgées) qui font face tous les jours à différents contextes de communication interculturelle. Nous en dégagerons les points saillants qui montrent des perspectives, parfois divergentes, parfois convergentes, sur les aspects suivants : motivations de fréquentation des médias, places ou rôles des médias ethniques par rapport à ceux des médias dominants dans le processus d'intégration des Coréens à la société québécoise, qualité du contenu des médias et enfin, impact de la culture d'origine des immigrants sur le décodage des messages véhiculés dans les médias. Et afin de mieux contextualiser les discours de nos informateurs, nous examinerons également l'évolution et la structure organisationnelle de la communauté des immigrants coréens au Québec.

DE FAÇON GÉNÉRALE, plus la distance culturelle entre l'émetteur et le récepteur est grande, plus la réception des biens communicationnels se révélera difficile. Dans le cas des immigrants coréens au Québec, l'orientation de l'intégration est davantage déterminée par la dynamique de l'interaction avec le milieu d'accueil *in situ*. Cependant, le partage de rôles dans l'interaction semble plus ou moins stable. Les immigrants coréens sont pour la plupart arrivés récemment et constituent plutôt un groupe minoritaire, qui doit s'adapter et se soumettre à différents degrés à la société québécoise. Par rapport aux autres territoires nord-américains, le Québec présente un environnement distinct par sa culture francophone qui s'éloigne beaucoup de la culture coréenne. Bien qu'ils n'aient jamais été colonisés par les Occidentaux, les Coréens sont pour la plupart familiers avec la « culture américaine » en raison de l'enseignement de l'anglais comme langue seconde depuis l'école secondaire et en raison de l'abondance de produits culturels et de biens communicationnels américains disponibles et accessibles en Corée depuis l'établissement de relations avec les États-Unis après la guerre de Corée (1950-1953). Aussi l'observation du mode de la fréquentation des médias chez les immigrants coréens dans le processus d'intégration à la société québécoise majoritairement francophone pourra-t-elle nous révéler une information plus significative en ce qui concerne la communication interculturelle, c'est-à-dire la communication entre des personnes issues de cultures différentes (Samovar, Porter et Jain, 1981). C'est à travers les communications interpersonnelles ou sociales avec les médias de tous les jours, où des immigrants coréens affrontent leurs cultures, perspectives et intérêts plus ou moins divergents, parfois même conflictuels, que les immigrants et les natifs[1] parviennent à construire ou à renouveler un équilibre homéostatique, c'est-à-dire un ordre social et un cadre de coexistence acceptables et profitables pour tous moyennant des changements et des transformations de part et d'autre.

Pour devenir fonctionnel dans la société d'accueil, un immigrant coréen doit ajuster *a fortiori* son mode de communication par rapport à celui du nouvel environnement, sous peine de se retrouver inefficace (J. Kim, 1980; Y. Kim, 1987; Min, 1990). De ce fait, la place que les immigrants coréens occupent dans la communication interculturelle avec la société d'accueil québécoise est celle du récepteur plutôt que celle de l'émetteur. Toutefois, si ces rôles sont définis par la structure apparente de la société, organisée souvent en faveur du groupe dominant, et restent stables (Langlais, Laplante et Joseph, 1990), le rapport de force entre l'émetteur et le récepteur peut varier selon la manière dont le récepteur décode le message et réagit en conséquence. Le sens des comportements du récepteur résulte d'un décodage conformément à son mode de communication, et doit donc être appréhendé par rapport à sa culture, c'est-à-dire à l'ensemble de références symboliques et de valeurs intériorisées chez lui et sous-jacentes à sa logique de communication.

L'approche de la réception active proposée et étudiée par Thayer (1968) et par Ravault (1986, 1990, 1991) ainsi que par d'autres auteurs, dont S. Hall (1980), propose ainsi d'accorder aux « actes sémantiques » du récepteur une attention plus particulière qu'à ceux de l'émetteur. En effet, la

---

1. Tout au long du présent travail, le terme « natifs » est employé pour désigner la population francophone et anglophone qui habite sur le territoire canadien depuis au moins trois générations. Les Amérindiens sont, incontestablement, les plus anciens natifs; mais ils ne semblent pas impliqués à ce titre dans les discussions au sujet de l'intégration des immigrants, pour des raisons politiques complexes dont nous ne nous discuterons pas dans le présent article.

communication peut réserver des surprises à un émetteur inconscient de la dynamique du récepteur, puisque la communication peut être considérée comme un ensemble de tactiques spatiotemporelles. Sous cet angle, les acteurs sociaux, tels que les immigrants dans le processus d'intégration, sont définis comme ceux qui doivent nécessairement communiquer avec le nouvel environnement culturel, comprendre celui-ci et structurer des tactiques significatives selon leur raisonnement et leur intérêt du moment. Ils ont donc une capacité d'agir et de réagir face au nouvel environnement en l'interprétant selon les « schémas de typification » de leur culture d'origine (Goffman, 1991), si bien que la signification accordée par l'immigrant aux messages médiatiques dans un processus d'intégration ne peut être valable que dans une situation de communication où celle-là est posée et produite. Dans ce contexte, l'immigrant est un acteur actif et dynamique dans le nouvel environnement culturel et il doit structurer la relation avec d'autres participants de la communication ayant une culture différente de la sienne. Autrement dit, le monde social qu'un individu construit et reconstruit est fondé sur la culture de celui-ci mais peut être interprété autrement en fonction de la culture de l'autre. La culture est donc une entité qui peut générer à tout moment de la communication une double situation : identité et diversité. La théorie de la réception active a donc contribué à introduire un changement de paramètres dans des recherches en communication, en démontrant que le sens d'un acte communicationnel est déterminé par le décodage et l'interprétation du message plutôt que par la production et la diffusion de celui-ci. Les chercheurs en réception active accordent une attention particulière aux significations du message produites par le récepteur et au mode de communication de celui-ci lors du décodage.

Conformément à l'approche adoptée, nous définissons, tout au long de notre étude, l'« intégration » comme étant l'aboutissement d'un processus continu qu'un immigrant doit accomplir quotidiennement à travers un ensemble de « pratiques sociales », parmi lesquelles figure la fréquentation des médias. Étant donné que la fréquentation des médias ethniques ou dominants fait partie des pratiques de réorganisation de la vie des immigrants dans un nouvel environnement, dont les fondements culturels peuvent présenter plus ou moins de différences par rapport à ceux de son environnement d'origine, nous pouvons concevoir ces pratiques comme autant de pratiques de la communication interculturelle. De plus, l'intégration n'est pas un processus déterminé par un seul côté « intégrant » ou « intégrateur », rôle habituellement réclamé par la société d'accueil. Il est donc peu pertinent d'examiner le mode de la fréquentation des médias chez les immigrants uniquement d'un point de vue « dominant ». Bien qu'ils se trouvent souvent en position d'« objet » ou de récepteur, les immigrants n'en jouent pas moins un rôle actif dans la détermination du sens de cette pratique sociale.

Dans cet article, nous avons donc pour objectif d'étudier, en nous appuyant sur la théorie de la réception active, les discours de 42 immigrants coréens que nous avons interviewés pour comprendre leurs perspectives sur la place des médias ethniques coréens dans le processus d'intégration à la société québécoise majoritairement francophone. Nous tenterons notamment de répondre aux questions suivantes : Que signifient les médias ethniques dans l'organisation de la vie quotidienne des immigrants coréens ? Quelle importance ceux-ci accordent-ils aux médias ethniques par rapport aux médias dominants ? Comment décrivent-ils leurs pratiques de fréquentation des médias dans leur propre langage ? Et comment conçoivent-ils les rôles des médias ethniques dans le processus de leur intégration à la société québécoise ? Avant de présenter notre analyse des médias coréens au Québec et des discours saillants recueillis dans ces 42 entrevues, nous décrirons la situation de l'immigration des Coréens au Québec et la structure organisationnelle de la communauté coréenne.

Immigration coréenne au Québec

La province de Québec est une société nord-américaine qui, de par son origine française et sa population majoritairement francophone, aspire à un statut distinct par rapport à d'autres provinces au sein du Canada. Pendant plus d'un siècle (de 1840 à 1960), le Québec a assisté à l'arrivée des immigrants au Canada, mais presque toujours au profit de la communauté anglophone. Pour faire face à ces vagues migratoires qui, à la longue, risquent de détruire l'équilibre démographique entre les francophones et les anglophones au Canada et d'entraîner la disparition graduelle de la communauté francophone, le Québec pouvait seulement compter sur un taux de natalité très élevé, sous la pression d'une idéologie nationaliste soutenue par le clergé. Après la Révolution tranquille (1960-1966), suite à une série d'ententes bilatérales signées par les gouvernements canadien et québécois[2], il a été conclu, en 1978, un accord d'une importance particulière, soit l'accord Couture-Cullen, qui confère désormais au

2. Il s'agit de l'entente Cloutier-Lang de 1971 qui autorise la présence d'agents québécois à l'étranger pour donner des renseignements aux candidats à l'immigration, et de l'entente Bienvenue-Andras de 1975 qui porte sur l'obligation de consultation du Québec en matière d'immigration (Langlais, Laplante et Joseph, 1990).

gouvernement du Québec des pouvoirs réels en matière de sélection des immigrants. Le Québec peut ainsi exercer un contrôle important sur l'immigration et met progressivement en place un appareil étatique moderne pour appliquer une politique d'immigration et d'intégration. Depuis les années 1980, chaque année le Québec accueille environ 15 à 20% du nombre total des immigrants admis au Canada (MCCI, 1991a, p. 18 et 1992, p. 20). Ainsi, de 1980 à 1990, le Québec a reçu 257 154 immigrants, ce qui représente 17,5% de la population totale d'immigrants reçus au Canada et plus de 20% de la population d'immigrants qui ont été reçus au Québec depuis la Seconde Guerre mondiale[3]. Le Québec a reçu surtout des immigrants originaires d'Europe tels que Français, Anglais, Italiens, Polonais, Ukrainiens, Tchèques, Hongrois, Lituaniens, Estoniens. Cependant, le nombre de ces immigrants européens diminue d'année en année. Du nombre total de 34 171 immigrants admis au Québec en 1989, 22,2% ont déclaré avoir pour dernière résidence le continent européen (MCCI, Direction des communications, 1991), tandis qu'en 1993 ce taux est descendu à 19,7% des 44 385 immigrants admis au Québec (MAIICC, 1995, p. 73).

En contraste avec le nombre décroissant des immigrants d'origine européenne, les immigrants d'origine asiatique, africaine et latino-américaine sont de plus en plus nombreux à arriver au Québec. Par exemple, le nombre d'immigrants provenant de l'Asie en 1982 était de 4 238, soit 26% du nombre total de 16 300 immigrants reçus au Québec, tandis qu'en 1989 ils étaient 16 959 sur 34 171, soit 49,6% de la population immigrante totale admise au Québec pour cette année (MCCI, 1991). Cette proportion a été maintenue jusqu'en 1993, où les Asiatiques représentent 49% du nombre total des immigrants admis, soit 21 764. Parmi ces 21 764 immigrants d'origine asiatique, 17,1% sont de l'Asie orientale (MAIICC, 1995), c'est-à-dire des Chinois ou des Coréens, tandis que le reste vient d'autres régions de l'Asie. En août 1999, le ministère des Relations avec les citoyens et de l'Immigration révèle que le nombre total des immigrants asiatiques vivant au Québec en 1996 est de 169 035. Il est à noter que la population asiatique au Québec se trouve concentrée dans la région montréalaise. Ce phénomène de concentration des Asiatiques dans les zones métropolitaines se retrouve également dans d'autres provinces : Toronto en Ontario, Vancouver en Colombie-Britannique et Edmonton

---

3. La période qui suit la Seconde Guerre mondiale est marquée par la fin du critère discriminatoire pour la sélection des immigrants, d'une part, et, d'autre part, par l'émergence d'une politique québécoise autonome en matière d'immigration.

en Alberta. De même, les principales communautés coréennes se sont développées dans les plus grandes villes du Canada. Regardons spécifiquement l'évolution démographique de la communauté coréenne au Québec. Les émigrants coréens ont commencé à s'installer sur le sol du Canada seulement après la guerre de Corée (1950–1953). Surtout, la période entre 1967 et 1977 a été celle où le Canada a accueilli le plus grand nombre d'immigrants coréens, selon les données du recensement de 1986 fournies par Statistique Canada (1989, 1990) et par le bureau de la KOICA (Korean International Cooperation Agency)[4], à Toronto en 1993, qui est un organisme du gouvernement sud-coréen qui est responsable de la politique d'émigration. L'augmentation marquée des nouveaux arrivants coréens entre 1967 et 1977 semble avoir un rapport direct avec l'ouverture des portes du Canada aux Asiatiques depuis 1968, année où le critère de sélection discriminatoire des immigrants a été aboli à la suite des modifications apportées, entre autres, à l'article 61 de la Loi concernant l'immigration. Cette loi, adoptée en 1952, refusait en effet le droit d'entrée aux candidats immigrants jugés « incapables de s'assimiler » à la société d'accueil[5]. Les premiers immigrants coréens au Québec qui appartenaient à la catégorie « main-d'œuvre » étaient surtout des infirmières et des ouvriers. Ils venaient d'Allemagne de l'Ouest, et leur nombre était fort restreint. À l'époque, le principal motif de ces premiers immigrants sud-coréens au Canada était la recherche de la démocratie, car

4. La KOICA offre ainsi des services d'information sur les « pays-receveurs » des immigrants étrangers et les critères et conditions de sélection, et des services d'assistance aux candidats émigrants dans toute leurs démarches administratives précédant leur départ de Corée. La KOICA, qui a plusieurs bureaux outre-mer, dont un à Toronto (jusqu'en 1994), assiste également les nouveaux arrivants coréens dans divers pays étrangers, depuis les formalités d'entrée jusqu'à l'installation dans la société d'accueil. Ainsi, par exemple, lorsqu'il existait, le bureau de la KOICA à Toronto s'occupait des émigrants coréens dans toute l'Amérique du Nord. Dans ce bureau, le personnel faisait le suivi démographique de la population coréenne des États-Unis et du Canada et organisait des programmes spécifiquement conçus pour favoriser le succès socio-économique des émigrants coréens. La KOICA de Toronto a même mis sur pied une école de gestion d'entreprises destinée aux gens d'affaires coréens au Canada et a coordonné les cours en collaboration avec des institutions financières et économiques et avec les organismes gouvernementaux du Canada. Outre ce mandat relié à l'émigration, la KOICA est un organisme qui a également, et surtout, pour mission d'aider le tiers-monde sur divers plans. En ce sens, la KOICA est comparable à l'Agence canadienne de développement international (ACDI).

5. Voir la Loi concernant l'immigration, 1952, 1, Elizabeth II, chap. 42. Voir aussi à ce sujet, Rogel (1989); Bauer (1993).

ils avaient fui un régime de dictature dirigé par le gouvernement militaire de Pak Chung-Hee.

À partir de 1978, la population de nouveaux immigrants coréens a sensiblement diminué. Cette diminution semble s'expliquer par la grande croissance économique de la Corée, d'une part, et, d'autre part, par l'adoucissement du régime de dictature après l'assassinat du président Pak Chung-Hee en 1979. Au Canada, la population totale des immigrants coréens en 1986 est de 29 705. Selon le bureau de KOICA à Toronto, ce nombre a sensiblement augmenté depuis 1986, année où les gouvernements canadien et québécois ont lancé le programme d'investisseurs étrangers dans le but de favoriser l'arrivée d'immigrants susceptibles d'amener des capitaux frais[6]. Depuis 1986, la Corée du Sud commence ainsi à devenir une source d'immigration importante pour le Québec (Yim, 1992). Non seulement le nombre de candidats s'accroît d'année en année mais, de plus, il s'agit maintenant surtout d'immigrants appelés « immigrants entrepreneurs » ou « immigrants investisseurs étrangers ». Ainsi, en 1989, sur un total de 34 171 nouveaux arrivés au Québec, les immigrants coréens occupaient déjà la 14e place en nombre (MCCI, 1991a, p. 20).

Notons que selon la définition administrative, les « immigrants entrepreneurs » sont ceux qui sont arrivés au Québec pour mettre sur pied ou acheter une entreprise qu'ils vont gérer par eux-mêmes ou en embauchant un citoyen canadien ou un résident permanent. Ils sont sélectionnés à partir de l'approbation du projet d'affaires qu'ils soumettent au bureau d'immigration. Une fois sélectionnés, les immigrants entrepreneurs reçoivent le visa provisoire d'immigrant. Pour obtenir le visa permanent, ils doivent remplir la condition imposée par le gouvernement du Québec, soit posséder une entreprise à l'intérieur des trois ans suivant leur arrivée et participer à la gestion de celle-ci directement ou indirectement selon les cas. Il est à noter que le gouvernement semble favoriser, lors de la sélection des immigrants entrepreneurs, les candidats qui ont déjà des parents au Québec capables de les aider[7]. Quant aux « immigrants investisseurs étrangers », le document officiel les définit comme ceux qui ont satisfait à une des trois exigeantes conditions financières établies par le gouvernement du Québec : (1) avoir une expérience d'au moins trois ans en gestion (dans une entreprise agricole, commerciale

---

6. Voir à ce sujet MCCI (1990c, 1990f, 1990g).

7. Voir à ce sujet MCCI (1991b); Gouvernement de la République de Corée, ministère des Affaires étrangères, direction de l'émigration d'outre-mer (1992, p. 33-37).

ou industrielle rentable et licite; pour un gouvernement, l'un de ses ministères ou organismes; pour un organisme international); (2) disposer d'un avoir d'au moins 500 000 $CAN qu'il a accumulés par des activités économiques licites; (3) venir s'établir au Québec et y investir conformément aux dispositions du Règlement sur la sélection des ressortissants étrangers. L'immigrant investisseur sélectionné par le Québec peut obtenir un visa d'immigrant provisoire à la condition de déposer une somme de 500 000 $CAN pour une durée minimale de 3 ans, ou d'une somme de 350 000 $CAN pour une durée minimale de 5 ans (depuis 1993) dans des institutions financières telles qu'un bureau de courtage, la Société de fiducie ou dans une corporation. À la différence du placement de la somme pour 5 ans, la somme placée pour 3 ans n'a aucune garantie de remboursement total ou partiel à part la garantie d'un remboursement possible sous forme de sûreté sur un bien dont la valeur est variable, et ce, de la part de l'institution financière qui a accepté l'investissement de la somme. Dans tous les cas, une fois placée, la somme ne peut être retirée ou utilisée pendant la durée du placement exigée par le gouvernement, que ce soit pour l'obtention d'un prêt ou à titre de garantie pour un prêt ou pour toute autre activité de même nature (MCCI, 1991a; MCCI, 1993a). La somme ne peut être récupérée que lorsque l'immigrant a rempli ses obligations au regard des règlements et obtenu le statut de résident permanent, et ce, en général, sans grand profit financier. Cela veut dire que les immigrants investisseurs doivent vivre pendant 3 ou 5 ans sans compter sur la somme déposée. Il leur faut alors compter sur d'autres économies pour s'établir au Québec et commencer une nouvelle vie avec leur famille. Eu égard à cette condition financière exigeante de la part du gouvernement du Québec, on devine que les immigrants investisseurs représentent une source importante d'« argent frais » pour le développement économique du Québec[8]. Étant donné que le Québec n'a pu mettre sur pied le programme des immigrants investisseurs[9] qu'en 1990, nos informateurs investisseurs sont répartis en deux groupes : ceux qui ont été sélectionnés par le Québec et ceux qui ont été admis, avant 1990, dans le cadre du programme du Canada pour les gens d'affaires.

Selon les données statistiques de la KOICA (1991), la communauté coréenne au Québec comptait 3 058 personnes en 1991. Ce nombre est passé en 1993 à 3 960, soit 4% du total de la population coréenne au

---

8. MCCI, Direction des communications, Programme immigrant-investisseur (1993a).

9. Il s'agit de « l'entente Canada-Québec concernant les immigrants investisseurs étrangers » (MCCI, 1990f).

Canada estimée à 99 000 personnes. En revanche, la communauté coréenne en Ontario et celle en Colombie-Britannique en représentaient respectivement 49% et 34%. Ces chiffres fournis par le bureau de KOICA résultent de son analyse des données statistiques des familles coréennes enregistrées par les communautés coréennes au Canada et par Statistique Canada. Précisons que le recensement du bureau de KOICA a pour objectif d'établir le nombre total de la population des résidents temporaires et permanents d'origine coréenne au Canada, et à cette fin l'évaluation de la KOICA sur la situation démographique réelle des Coréens au Canada tient compte non seulement du nombre des nouveaux arrivants (immigrants et résidents temporaires) mais aussi de la population de la deuxième génération, c'est-à-dire ceux qui sont nés au Canada, ces derniers n'étant généralement pas dénombrés comme immigrants coréens lors du recensement officiel. Il est à noter aussi que selon l'estimation de la Fondation des résidents coréens d'outre-mer, un organisme gouvernemental à Séoul, la population des résidents temporaires et permanents d'origine coréenne au Canada s'élève en juillet 1999 à 111 041 (*Korea Times*, 1999).

La communauté coréenne au Québec atteignait environ 4 100 personnes en 1994, dont plus de 70% possèdent la citoyenneté canadienne. Mais elle décroît rapidement lors du référendum d'octobre 1995 sur l'indépendance du Québec. Aujourd'hui, la communauté coréenne québécoise compte environ 2 700 personnes dont 99% habitent à Montréal. Si nous regardons la composition des groupes d'âge lors de l'immigration, elle s'avère diversifiée mais se résume en deux groupes : celui de la première génération et celui dit de la « génération un et demi » ou « génération 1,5 », c'est-à-dire ceux qui sont arrivés à l'âge scolaire ou préscolaire. La population de la génération 1,5 était la plus nombreuse dans les familles qui ont choisi de s'installer au Québec plutôt que dans d'autres provinces. Bien que la communauté coréenne au Québec soit historiquement la plus jeune, l'âge moyen de la population active dans la communauté montréalaise est plus élevé que celui des communautés coréennes dans d'autres provinces. De plus, les immigrants coréens au Québec ont une meilleure situation économique que ceux des provinces.

Structure organisationnelle de la communauté coréenne au Québec

Comme nous l'avons dit plus haut, les immigrants coréens sont pour la plupart arrivés au Québec après 1960. Ils font partie de ceux qui ont quitté la Corée lorsqu'elle était en train de devenir un pays économiquement riche et développé[10]. C'est ce qui est considéré comme une vague d'émigration dite « contemporaine ». À la différence des immigrants coréens qui sont arrivés en Amérique du Nord dans les vagues d'émigration précédentes pour fuir la pauvreté et le désastre de l'après-guerre en Corée, ceux qui partent pour des pays étrangers avec la vague contemporaine le font de plein gré et poursuivent souvent un projet familial ou personnel planifié.

Deux motifs semblent prédominants dans la décision de l'« émigration contemporaine » : jouir d'une meilleure qualité de vie et permettre aux enfants d'avoir une bonne éducation dans un environnement international, sans pour autant qu'ils aient à subir une pression psychologique et sociale dans un système de compétition quasi inhumaine comme celui que l'on peut observer en Corée comme au Japon. À la différence de ce que l'on peut constater dans le cas d'autres immigrants asiatiques comme les Chinois, les Cambodgiens ou les Vietnamiens, il n'y a guère de Coréens qui aient pris le chemin de l'immigration, à l'heure actuelle, pour échapper à la pauvreté ou pour trouver un asile politique. En effet, selon un ex-président de la Communauté coréenne du Grand Montréal [CCGM], non seulement les immigrants coréens ont une situation économique relativement aisée, mais de plus, nombreux sont ceux qui ont un niveau de scolarisation très élevé ou exerçaient une profession avant de venir ici. Au niveau des motifs d'immigration, une comparaison est possible avec les immigrants chinois provenant de Taiwan.

La communauté coréenne au Québec se caractérise par son histoire récente, sa taille restreinte et sa concentration dans la région montréalaise, surtout dans les quartiers anglophones tels que Notre-Dame-de-Grâce et Côte-Saint-Luc. En outre, la communauté coréenne, composée en grande majorité d'« immigrants entrepreneurs » et d'« immigrants investisseurs », est une communauté hautement scolarisée : 75% des hommes et 43% des femmes détiennent des diplômes universitaires. Cependant, sur le plan socio-économique, plus de 80% des immigrants coréens travaillent dans de petits commerces ou des entreprises de style familial (Yim, 1992, 1994). Dans les annuaires publiés par la CCGM en 1993 et en 1995, on dénombre plus de 200 dépanneurs (petites épiceries de quartier) tenus par des immigrants coréens, ainsi que quelques dizaines d'épiceries et de restaurants coréens dans la région de Montréal. On trouve aussi, en plus petit nombre, des cordonniers, des fleuristes, des courtiers d'import-export, des propriétaires de fruiteries, de boutiques de vidéo et de photos,

---

10. Voir à ce sujet J. Pezeu-Massabuau (1981), P. Lorot et T. Schwob (1986) et B.-N. Song (1990).

des agents immobiliters, des agents de voyage, et même des pépiniéristes. Ainsi la plupart des immigrants coréens sont-ils des commerçants et des gens d'affaires.

Beaucoup d'immigrants coréens au Québec ont, en raison de leur bon niveau de scolarité, au moins une connaissance de base en anglais et ils préfèrent par conséquent s'installer dans les quartiers ou dans les municipalités anglophones ou bilingues. Notons sur ce point qu'il n'y a pas lieu de déduire hâtivement de ces faits que les Coréens seraient antipathiques aux Québécois francophones ou à la langue française car, dans le cas des immigrants en général, bien des choix sont déterminés d'abord par les besoins de survie et par le principe du moindre effort lorsqu'il existe une solution de rechange. La tendance chez les Coréens à utiliser plus souvent l'anglais que le français s'explique parfois par l'absence de besoins incontournables : en famille, on parle le coréen; avec les clients ou les fournisseurs, on peut toujours se débrouiller en anglais. Pour qu'un immigrant se résolve à faire un effort de plus pour apprendre une troisième langue dans ce contexte, il lui faudrait une motivation qui dépasse les simples nécessités de la vie quotidienne, surtout s'il s'agit d'un immigrant de la première génération.

L'arrivée de nombreux immigrants coréens depuis 1986, dans le cadre du programme d'entrepreneurs et d'investisseurs étrangers mis sur pied par le gouvernement du Québec, a attiré aussi l'attention des banquiers coréens aussi bien que celle de plusieurs grandes compagnies coréennes. En 1989, la Korean Exchange Bank a établi une succursale à Montréal, avenue Monkland; et les compagnies telles que Samsung, Hyundae, Seonkyung, Tongkuk, Kumho et Hydro-Corée ont étendu les fonctions de leurs succursales à Montréal. Malheureusement, ces compagnies ont dû fermer leurs bureaux de Montréal après la crise financière de la Corée en décembre 1997.

En outre, ayant pris conscience que le nombre des immigrants investisseurs coréens s'accroît chaque année de façon importante, le gouvernement québécois a décidé, en 1991, d'autres enjeux économiques aidant aussi, d'accorder plus de ressources à la Corée du Sud en y établissant un bureau de la Délégation du Québec, section provinciale de l'Ambassade du Canada, pour, entre autres objectifs, attirer davantage l'attention des investisseurs coréens et pour accélérer les démarches administratives d'immigration.

Bien qu'elle soit encore au stade de pionnière, la communauté coréenne au Québec commence déjà à se doter de certaines organisations qui assurent son développement. Dans cette section, nous allons présenter succinctement les aspects organisationnels de la communauté coréenne.

Dans la région de Montréal, on compte en décembre 1999 quarante-trois associations communautaires qui peuvent être regroupées selon leur nature et leur mandat comme suit : 9 associations à caractère socio-économique[11], 9 associations à caractère culturel et sportif[12], 14 associations à caractère religieux[13] et 11 associations à caractère commémoratif[14]. Ces associations ont, pour la plupart, leur siège dans l'Ouest de Montréal. Parmi elles, l'organisme central est sans aucun doute la Communauté coréenne du Grand Montréal. La CCGM a pour objectifs de favoriser le

11. 몬트리얼한인회 [Communauté coréenne du Grand Montréal, CCGM], 실협인협회[Association des gens d'affaires], 한인퀘벡 사업육성회 [Société coréenne et québécoise pour la promotion des gens d'affaires], 대한노년회 [Association des personnes âgées coréennes],청년회의소 [Club de commerce pour la jeunesse], 청년회 [Association des jeunes], 불우아동후원회 [Association pour les enfants handicapés], 교민생활연구소 [Club de recherche sur la vie des Coréens], 민주평통자문위원회 [Conseil consultatif de réunification démocratique et pacifique].

12. 골프협회 [Association du golf], 축구협회 [Association du football], 볼링협회 [Association des quilles], 한국민속무용협회 [Association de la danse folklorique coréenne], 테니스협회 [Association du tennis], 바둑협회 [Association du go], 미술협회 [Association de la peinture], 몬트리얼문학동호회 [Association des amateurs de littérature de Montréal], 몽레알청년교향악단 [Orchestre des jeunes musiciens coréens de Montréal].

13. 한인천주교회 [Église catholique des Coréens], 한인연합교회 [Église unie des Coréens], 중앙연합교회 [Église centrale et unie], 순복음교회 [Église du Plein Évangile], 참빛장로교회 [Église presbytérienne de Vraie Lumière], 한인장로교회 [Église presbytérienne des Coréens], 제일장로교회 [Première Église presbytérienne], 한인감리교회 [Église méthodiste des Coréens], 한인사랑교회 [Église d'Amour pour les Coréens], 한인성결교회 [Église de Sainteté pour les Coréens], 몬트리얼성결교회 [Église de Sainteté de Montréal], 온누리침례교회 [Église baptiste de Nation entière], 교회협의회 [Conseil associatif des Églises], 외항선교센터 [Centre missionnaire pour les marins à l'étranger].

14. 625참전동지회 [Association des camarades du 25 juin (guerre de Corée)], 해병전우회 [Association des amis de guerre pour les marins], 이북오도민연합회 [Association des anciens habitants des cinq provinces nord-coréennes], 고려대동창회 [Association des anciens élèves de l'Université de Koryo], 연세대 동창회 [Association des anciens élèves de l'Université de Yŏnsei], 서울대 동창회 [Association des anciens élèves de l'Université nationale de Séoul], 이화여대동창회 [Association des anciens élèves de l'Université féminine d'Ewha], 서울부고 동창회 [Association des anciens élèves de l'École secondaire de Séoul], 용산고 동창회 [Association des anciens élèves de l'École secondaire de Yongsan], 대광고동창회 [Association des anciens élèves de l'École secondaire de Taegwang], 경기고 동창회 [Association des anciens élèves de l'École secondaire de Kyŏngki].

« développement de la communauté coréenne au Québec, le rapprochement avec la société d'accueil, la conservation de la culture d'origine, le développement du bien-être des femmes et la coopération entre la Corée et le Canada » (CCGM, 1993). Conformément à ses objectifs, la CCGM organise diverses activités en collaboration avec d'autres associations communautaires ainsi qu'avec des organismes publics ou parapublics. Les principales sources financières sont, d'une part, les cotisations et donations des membres, des associations communautaires et du gouvernement coréen et, d'autre part, les subventions des gouvernements québécois et canadien, plus précisément du ministère des Affaires internationales de l'Immigration et des Communautés culturelles et du ministère du Patrimoine du Canada. Si les subventions accordées par les gouvernements provincial et fédéral du Canada sont destinées surtout à encourager l'intégration des immigrants coréens au milieu francophone du Québec dans le cadre de différents programmes[15], celles octroyées par le gouvernement de la Corée du Sud sont, en revanche, destinées à l'organisation des activités favorisant l'attachement des immigrants coréens à leur pays d'origine. La communauté coréenne entretient, en effet, des contacts étroits avec le Consulat général coréen à Montréal, lesquels se manifestent notamment à l'occasion des festivités nationales de la Corée du Sud.

Les nombreuses associations contribuent, chacune à sa manière, à développer la solidarité entre les membres de la communauté coréenne ou à consolider leur identité coréenne, et ce, en organisant diverses activités collectives. Surtout les dix Églises coréennes, dont une catholique et neuf protestantes, qui jouent un rôle non négligeable sur les plans psychologique et moral auprès des membres de la communauté dans le processus de leur établissement, de leur adaptation et de leur intégration au Québec; toutes ces Églises possèdent depuis longtemps une organisation interne leur permettant de fournir des services d'accueil et d'assistance aux nouveaux arrivants. À part ces associations, il existe aussi trois écoles communautaires qui fonctionnent le samedi ou le dimanche et où l'on enseigne la langue coréenne aux jeunes générations. L'une d'entre elles offre même des cours de coréen accrédités par le ministère de l'Éducation du Québec. Dans cette école coréenne, il existe également d'autres programmes culturels tels que des cours de danse traditionnelle ou de taekwondo.

---

15. Il existe actuellement une dizaine de programmes, dont les principaux sont d'accueil et d'établissement des immigrants (PAÉI), d'aide à la francisation des immigrants (PAFI), de relations intercommunautaires (PRI) et de soutien à l'insertion en emploi (PSIE). Voir MAICC (1995).

Tableau 1. — Médias ethniques coréens au Québec

Type	Nom du média	Durée	Tirage	Mode de diffusion
Journal local	Hanöl sinmun [Journal de l'âme coréenne]	1990–1995	1 500/sem.	Restaurants, épiceries, églises
	Hanin sosik 한인소식 [Nouvelles des Coréens]	1989–1996	800/sem.	Restaurants, épiceries, églises
	Moraeal 모래알 [Grains de sable]	1986–	300/sem.	Restaurants, épiceries, églises
	Hanin hoepo 한인회보 [Journal de la communauté coréenne]	1994–	400/mois	Restaurants, épiceries, églises
	Québec Hanin simun 퀘벡한인신문 [Journal coréen au Québec]	1995–1997	800/sem.	Restaurants, épiceries, églises
	Abacus 아바쿠스	1996–	600/sem.	Restaurants, épiceries
	Segye Yōhaeng 세계여행 [Voyage autour du monde]	1998	400/sem.	Restaurants, épiceries
	Journal Forum 저널포럼	1997–1998	600/sem.	Restaurants, épiceries
Télévision	Télé-Corée	1991–	30 min./sem. (avec deux retrans- missions)	Canal ethnique de Vidéotron (CJNT depuis 1998)
Vidéo	Un distributeur de films et émissions télé- visuelles coréens en vidéocassette	1988–	70 items (toutes catégories confondues)	Location privée

Médias ethniques coréens

Depuis la création d'une communauté coréenne au Québec, sept journaux imprimés ont vu le jour. Ces journaux, dont six sont privés et un communautaire, sont tous gratuits. Ils sont diffusés principalement dans la région montréalaise. Le tirage varie de 300 à 1 500 exemplaires comme le montre le tableau 1.

Au niveau du financement, le journal communautaire compte sur la cotisation et les dons des membres, tandis que les journaux privés s'appuient essentiellement sur les publicités. Au moment où nous écrivons ces lignes, il n'y a que trois journaux, soit Moraeal, Hanin hoebo et Abacus, qui continuent l'impression et la diffusion locale, les autres ayant dû arrêter le tirage en raison du problème de financement. Outre ces trois journaux locaux, il existe une émission de télévision bimensuelle Télé-Corée, réalisée par un producteur coréen. Chaque émission coréenne est diffusée par la station ethnique de Vidéotron (réseau de câblodistribution) à Montréal, laquelle a transféré depuis 1998 le droit de gestion à CJNT, le regroupement des producteurs des communautés ethniques au Québec. Dans les médias ethniques coréens, nous devons inclure également des produits culturels importés de Corée, mais distribués en polycopie par des immigrants mêmes à Montréal. Ce sont des films ou reportages coréens sur vidéocassettes ou des copies vidéo de téléromans et de spectacles télévisés. Ce secteur de vidéocassettes en location payante semble s'accroître rapidement. Il est à noter également que les films et les chansons coréens sur DVD ou VCD disponibles au magasin de vidéo et sur Internet constituent un secteur des nouveaux médias de plus en plus populaire parmi les jeunes.

Il est donc évident qu'il n'y a aucune comparaison entre ces médias et les médias dominants de la société québécoise, tant en ce qui a trait au contenu et à la forme qu'au tirage, d'autant plus que les journaux coréens sont gratuits. Toutefois, ces médias ethniques assurent la circulation de l'information correspondant aux intérêts communs des immigrants coréens et ont une signification particulière pour eux dans la mesure où ils représentent pour la plupart une source unique d'information. D'ailleurs, ces médias ethniques locaux ont tous vu le jour après 1986, l'année où il y a eu une arrivée massive d'immigrants coréens. Cette émergence du média ethnique peut être interprétée comme le besoin d'un « agent du développement » de la communauté pour reprendre l'expression de E. Rogers (1976).

Les journaux ethniques hebdomadaires ou mensuels et les téléromans sur vidéocassettes rejoignent la majorité des membres de la communauté coréenne. Si les sujets traités dans les journaux coréens sont assez variés, on y retrouve une pratique semblable. Par exemple, la répartition des espaces accordés aux rubriques : les actualités de la communauté coréenne (25%), celles des régions du Québec et du Canada (10%), de la Corée même (60%) et du monde (5%). Ainsi, l'information sur la communauté coréenne et la Corée est offerte systématiquement dans tous les numéros des journaux et cela sous différents angles.

En comparaison avec les journaux ethniques et les vidéocassettes de films et de séries télévisées importées de la Corée, la télévision ethnique locale Télé-Corée est peu écoutée, à cause de l'horaire et de la courte

Tableau 2. — Médias semi-ethniques coréens au Québec

Type	Nom du média	Durée	Tirage	Mode de diffusion
Journal semi-local	*Hankuk Ilbo* 한국일보 [Quotidien de la Corée]	1981–	6 000/jour	Envoi postal aux abonnés
	Joongang Ilbo 중앙일보 [Quotidien central]	1991–	4 000/jour	Envoi postal aux abonnés
Radio semi-locale	Radio internationale de la Corée	1988–	2 hre/jour	En direct sur ondes courtes

durée de sa diffusion : 15 minutes, qui ont été prolongées à 30 minutes depuis mars 1999, une fois toutes les deux semaines.

Il est à noter qu'en dehors de ces médias ethniques locaux, il existe aussi des médias « semi-ethniques » qui sont en partie ou en totalité produits en Corée mais qui sont diffusés localement à travers Canada. Parmi ces médias semi-ethniques payants, citons le journal *Hankuk Ilbo* [Le Quotidien de la Corée] et le *Joongang Ilbo*, dont le contenu est réédité à Toronto à partir de l'information reçue de la Corée par satellite et diffusée aux lecteurs du Canada qui s'y abonnent. Selon un de nos informateurs, environ 220 Coréens du Québec se sont abonnés au journal *Hankuk Ilbo* et environ 50 au *Joongang Ilbo*. Comme le montre le tableau 2, ces journaux semi-ethniques, tirant respectivement à 6 000 et 4 000 exemplaires par jour, donnent une information plus complète sur la Corée que les journaux ethniques, ce qui entraîne une différence de quantité d'information entre les journaux ethniques et les journaux semi-ethniques. En effet, les premiers ont très peu de pages et sont édités sur papier de format tabloïd ou de format lettre (8,5 × 11 pouces), tandis que les seconds sont plus épais et utilisent un papier de grand format (24 × 13,5 pouces). Les médias semi-ethniques comprennent également la radio internationale de la Corée, dont les émissions sont diffusées sur les ondes courtes.

Nous constatons que certains types de médias ethniques abondamment disponibles semblent plus fréquentés par les immigrants coréens que les médias dominants du même type (Yim, 1994). Par exemple, dans le cas des immigrants au Québec, les journaux et les vidéocassettes en coréen sont respectivement, comme l'illustre le tableau 3, plus lus et regardées que les journaux et les vidéocassettes en anglais ou en français; par contre, c'est l'inverse en ce qui concerne la radio et la télévision.

Tableau 3 — Taux de consommation des médias ethniques et dominants par la population coréenne

Type de média	Adultes	Jeunes		Personnes âgées
		École primaire et secondaire	Cégep* ou université	
Radio				
– française	25,4	33,5	16,4	15,9
– anglaise	65,2	62,3	83,0	61,6
– (semi-)ethnique	—	—	—	2,0
Télévision				
– française	21,3	32,2	12,4	16,6
– anglaise	66,0	62,5	80,9	50,0
– (semi-)ethnique	12,7	4,0	5,2	31,3
Journal				
– français	5,9	23,3	11,2	—
– anglais	34,6	38,8	58,6	5,1
– (semi-)ethnique	66,6	36,2	30,2	94,2
Vidéo				
– française	0,5	0,4	1,3	—
– anglaise	9,7	48,5	54,0	0,7
– (semi-)ethnique	89,8	40,5	43,7	99,3

*Collège d'enseignement général et professionnel. D'après Yim, 1994[16].

Dans ce tableau, il est intéressant de remarquer que le taux de fréquentation des médias dominants en français est le plus élevé chez les élèves du secondaire et non chez les étudiants à l'université. Ce fait s'explique sans doute par l'effet de la Loi 101, établie en 1976 par le gouvernement du Québec pour promouvoir l'unilinguisme français, qui rend la fréquentation de l'école française obligatoire pour les enfants dont les parents n'ont pas reçu l'éducation en anglais au Canada[17]. De plus, selon nos enquêtes, la consommation fréquente des médias français a créé chez les élèves du secondaire un intérêt, voire un penchant, pour la culture francophone, contrairement à ce qu'on constate chez les immigrants coréens d'autres groupes d'âge.

Pourtant, le taux élevé de la consommation du média ethnique est souvent vu comme une menace au média dominant de la société d'accueil, si bien que le gouvernement québécois a décidé en 1991 de ne plus accorder d'aide financière aux producteurs des médias ethniques. Si cette mesure a eu un impact sur leur budget, elle ne semble, en revanche, pas modifier le comportement de la consommation médiatique chez les

16. Ces données sont reconstituées à partir du résultat d'une enquête effectuée en 1992 au moyen des questionnaires préconstruits distribués à 514 répondants, dont 115 étudiants, 153 adultes non-étudiants et 93 personnes âgées.

17. Voir les articles 72–79 de la Charte de la langue française.

immigrants coréens à Montréal. Paradoxalement, il y a eu la création de nouveaux journaux ethniques après 1994 et le renforcement du marché des médias semi-ethniques tels que les téléromans ou les films en vidéo-cassettes. Cela nous laisse supposer que le choix du produit médiatique est déterminé par les valeurs qu'il véhicule et non pas uniquement par sa disponibilité. Selon A. Floras (1983), la multiple émergence des médias ethniques s'explique par le fait que les minorités ne s'identifient pas dans les médias dominants qui véhiculent des images stéréotypées des minorités ethniques et des valeurs et croyances des groupes dominants.

Discours saillants des immigrants coréens sur la fréquentation des médias dans le processus d'intégration

Nous allons présenter les discours des immigrants coréens recueillis au moyen d'entrevues en profondeur. Les entrevues avec nos 42 informateurs-immigrants coréens ont été effectuées, selon la volonté de ceux-ci, soit à la maison soit sur le lieu de travail au début de 1996. Pour ne pas alourdir la description, nous ne présentons ici que les discours saillants des immigrants en les regroupant en quatre catégories : les gens d'affaires, les travailleurs, les jeunes étudiants et les personnes âgées à la retraite. Étant donné que les différents comportements de consommation des médias chez les immigrants semblent en rapport avec leur statut social, nous procéderons à une description en profondeur des discours pour chaque groupe au moyen de la contextualisation et de l'interprétation des arguments des informateurs. Car ces arguments nous révèlent explicitement ou implicitement leurs « raisonnements pratiques ». Dans un souci de clarté et de concision, nous nous en tenons à présenter ici la synthèse des discours par thème.

Gens d'affaires

Les gens d'affaires sont les immigrants qui possèdent au moins un établissement commercial, acheté ou créé de façon autonome ou avec des associés, ou bien qui sont arrivés au Canada en tant qu'« immigrants entrepreneurs » ou « immigrants investisseurs étrangers ». Dans notre analyse, ils sont donc désignés par « investisseurs » ou par « entrepreneurs ». Les entrepreneurs sont divisés en trois catégories selon l'établissement commercial qu'ils exploitaient au moment de l'entrevue : les « dépanneurs », les « commerces de produits coréens[18] » et « autres commerces »[19] tels que fleuristes, cordonnerie, nettoyeur, cafétéria, bar laitier.

---

18. La majorité des clients de ces commerces sont des Coréens. Les commerces de

Étant donné l'importance de la somme que le gouvernement du Québec exige, ce n'est pas n'importe quel Coréen qui peut envisager l'émigration dans la catégorie d'investisseurs. En effet, nos informateurs faisaient tous partie de la classe sociale supérieure-moyenne et avaient des expériences en tant qu'hommes d'affaires, entrepreneurs ou gestionnaires de grandes compagnies, ou bien des expériences professionnelles importantes. Agés de 50 à 55 ans, nos informateurs-investisseurs ont précisé qu'à cause de la méconnaissance des procédures administratives complexes, ils ont fait une demande d'immigration par l'intermédiaire du KOICA, l'organisme de l'émigration du gouvernement coréen. Ils ont mis l'accent sur le fait qu'au cours de la préparation à l'immigration au Québec, la chose la plus importante et la plus émotionnelle à faire fut la liquidation des biens qu'ils possédaient en Corée.

En général, le mode de consommation des médias chez les gens d'affaires est caractérisé par l'usage informationnel sélectif pour les médias dominants de la société d'accueil, d'une part, et par l'usage affectif pour les médias ethniques, d'autre part, ce qui reflète leur manière d'organiser

produits coréens de différentes natures sont, entre autres, l'épicerie coréenne, la librairie coréenne, le commerce de photos et de films coréens sur vidéocassettes, le restaurant coréen, la galerie d'œuvres d'art coréennes, la salle de billard coréenne, le karaoké coréen [bar de chansons coréennes], le journal coréen privé, le salon de coiffure, l'école privée de mathématiques, de langues, d'informatique et d'art martial taekwondo pour les enfants et adultes coréens. Ces entrepreneurs importent et distribuent des marchandises fabriquées en Corée, et satisfont les besoins spécifiques de leur clientèle majoritairement coréenne grâce à leurs connaissances, leurs compétences acquises en Corée et les réseaux formés là-bas. Ils contribuent ainsi, en quelque sorte, au fait pluriculturel de la société québécoise.

19. Ces établissements commerciaux se distinguent des dépanneurs dans la mesure où ils doivent respecter un « horaire régulier » établi par les règlements provinciaux (Voir la Loi sur les heures et les jours d'admission dans les établissements commerciaux, L.R.Q., chapitre H-2.1.), c'est-à-dire, en général, entre 8h30 et 18h00 du lundi au mercredi, entre 8h30 et 21h00, du jeudi au vendredi, et entre 8h30 et 17h00, le samedi et le dimanche. Il faut aussi noter qu'un trait important qui distingue ces « exploitants d'autres commerces » de ceux de dépanneurs transparaît dans le choix d'établissement. Les premiers sont réticents au commerce de dépanneur ou de produits coréens. Pour eux, le choix du type de commerce est déterminé par le souci d'une vie « plus humaine » et de façon à faciliter l'intégration socio-économique à la société d'accueil, plutôt que dans le seul objectif de gagner l'argent. L'un d'entre eux nous disait : « Savez-vous que le travail à la cordonnerie est beaucoup plus humain que dans un dépanneur. Moi, je ne veux pas être prisonnier du travail du matin jusqu'à la nuit en négligeant la vie familiale. C'est inhumain » (M. Kim).

les communications sociales avec le milieu d'accueil et avec le groupe ethnique. Notre informatrice investisseur Mme Hong[20] exprime sa grande volonté de consommation des médias dominants :

> Même si je ne comprends pas tout, je pense que, quand on est immigrant, c'est important de prendre l'habitude de lire les journaux d'ici (Mme Hong).

À la différence des informateurs investisseurs, les entrepreneurs, notamment les « exploitants de dépanneurs », consomment les médias dominants de façon superficielle, c'est-à-dire sans trop chercher à comprendre le sens véhiculé par ceux-ci. Étant donné que la plupart des dépanneurs vendent les journaux et revues, nos informateurs se contentent de feuilleter les pages des principaux journaux anglais à l'étalage et de lire rapidement les gros titres. Par ailleurs, une tierce personne peut les aider à comprendre les principaux événements de l'actualité de la société d'accueil. Par exemple, Mme Ju apprend les nouvelles à l'aide de son fils :

> Lorsque je regarde le journal à la télévision, c'est mon fils qui traduit le contenu en coréen (Mme Ju).

De même que les « exploitants de dépanneurs », les « commerçants des produits coréens » ont pour principales sources d'information sur l'actualité de la société dominante les médias ethniques et non les médias dominants. Le fait que les médias dominants soient très peu consommés tient à la barrière linguistique :

> Comme je ne connais pas bien la langue, lire le journal d'ici ne me donne pas grand chose (M. Shin).

> Je ne lis pas de journaux d'ici et je ne regarde pas le téléjournal d'ici. C'est que je sais que je ne comprendrais pas grand-chose (M. Ham).

Parmi les entrepreneurs, seuls les exploitants d'« autres commerces » se rapprochent beaucoup des investisseurs sur le plan du média fréquenté. La raison pour laquelle ils consomment les médias dominants est avant tout pour pratiquer une des langues officielles du Canada, soit l'anglais soit le

---

20. Pour préserver la confidentialité de nos informateurs, nous utilisons des noms fictifs à la place de leurs noms réels.

français. Cependant, dans la plupart des cas, les médias dominants anglais sont consommés davantage que les médias français :

> Pour perfectionner mon anglais, je me suis abonné à *The Gazette* et je lis quelques fois *Maclean's* (M. Ku).

Pour revenir aux propos de Mme Hong portant sur le choix des médias dominants, ils confirment non seulement sa volonté de s'informer mais surtout ses raisonnements pratiques guidant son choix. Cependant, même si elle désire améliorer son français et connaître la culture québécoise, elle ne s'est pas abonnée à un journal en français mais au journal de langue anglaise *The Gazette*. Et de temps à autre elle achète *Le Devoir*. Par contre, elle écoute régulièrement le téléjournal en français, les émissions de la télévision internationale francophone TV5 et les films français pour pratiquer la langue. Elle précise :

> Pour pratiquer la langue, j'écoute les épisodes dramatiques en anglais et les films français dont le sujet concerne la famille (Mme Hong).

En dehors de cet usage des médias dominants anglais et français comme instruments éducatifs, elle surveille tous les jours les prévisions météorologiques afin de mieux organiser sa journée du lendemain en tenant compte de la santé de son mari. Également, il y a l'intérêt informationnel que Mme Hong porte aux médias dominants. Cet intérêt témoigne de ses préoccupations quotidiennes, dont l'analyse des risques ou des bonnes occasions pour le placement de la somme qu'elle avait confiée à une institution financière pour l'obtention du visa de résidence permanente au Québec. En effet, Mme Hong lit avec intérêt l'information économique. À la question « Qu'est-ce que vous lisez dans le journal ? », elle répond :

> D'abord, la première page, ensuite l'économie et les annonces classées. J'aime lire les articles concernant le marché financier, l'économie politique du Canada et le taux de change du dollar US (Mme Hong).

Nous remarquons très peu de variantes dans le mode de consommation des médias entre Mme Hong et d'autres investisseurs. Ils font eux aussi un usage sélectif des médias dominants et ethniques. Les principaux médias dominants consommés sont la télévision et les journaux. Ils sont utilisés comme des outils éducatifs et informationnels. M. Jin dit écouter :

L'information du soir et les émissions sportives. Et pour pratiquer la langue, j'écoute de temps en temps des émissions de la CBC et de la CTV[21] (M. Jin).

En ce qui concerne les sujets qui intéressent d'autres investisseurs, leur attention porte non seulement sur l'économie mais aussi sur le sport et la politique du Québec. Sur ce point, nous pouvons différencier Mme Hong des autres informateurs de la catégorie « investisseurs ». En revanche, peu d'entre eux ont manifesté un intérêt informationnel pour d'autres sujets que ceux-là, ni d'autres usages du média dominant. Ce mode d'utilisation assez restreint des médias de la société d'accueil laisse supposer qu'il n'y a pas beaucoup d'émissions qui invitent nos informateurs à la consommation. En revanche, chez les « exploitants de dépanneurs », nous remarquons un manque d'intérêt pour les contenus informationnels des médias dominants. Par exemple, une des rubriques que les exploitants de dépanneurs surveillent le plus attentivement est l'économie. Mais, selon nos informateurs, les journaux dominants ne couvrent que les grands sujets économiques qui sont rarement utiles pour de petits commerçants :

> Avant je jetais un coup d'œil de temps en temps sur les articles concernant l'économie, au moins sur les titres. Mais maintenant je ne les lis plus. Dans les journaux d'ici, il n'y a que des contenus qui portent sur les grosses affaires. Ils sont donc peu profitables pour les gens d'affaires comme nous (M. Huh).

> Je veux avoir l'information utile pour mes affaires. Mais, les journaux d'ici ne m'en fournissent pas vraiment. Je préfère lire attentivement des journaux coréens qui traitent des sujets qui m'intéressent et qui me touchent (M. Choi).

Aucun « exploitant de dépanneur » ne s'est abonné à un des journaux anglais ou français non plus qu'aucun « commerçant de produits coréens ». Mais ils sont pour la plupart abonnés à un des journaux coréens. Par contre, les « exploitants d'autres commerces » tels que fleuriste ou cordonnier semblent fréquenter consciencieusement les médias dominants. Parmi les journaux, *The Gazette* est en tête des abonnements. Pour la radio et la télévision, les émissions en anglais sont les plus

---

21. CBC et CTV sont les deux principales chaînes de télévision canadiennes anglophones, l'une publique et l'autre privée.

écoutées ou regardées. En raison de l'éducation des enfants, la plupart des familles coréennes ne se sont pas abonnées à la câblodistribution. Selon nos informateurs, ils regardent la télévision en moyenne une ou deux heures par jour, surtout les chaînes anglaises telles que CBC; et ils louent des films occidentaux sur vidéocassettes environ deux ou trois fois par an. Dans les médias dominants, ce qui intéresse le plus les « autres commerçants », ce sont les actualités, les thèmes sociaux tels que l'éducation, les sports, les animaux et la nature, la science-fiction, etc. Il y en a qui continuent à suivre à la télévision les dramatiques qu'ils aimaient déjà en Corée, comme *General Hospital*. En revanche, les gens d'affaires pensent qu'ils fréquentent des médias ethniques à cause de leurs fonctions divertissantes et affectives. Par exemple, Mme Hong, chrétienne pratiquante, s'est abonnée à un journal catholique coréen « *Pyeongwha* 평화 [Paix] » qui est publié à New York. Et, comme beaucoup d'immigrants coréens, elle consomme le téléfilm en vidéocassette, à raison d'au moins une cassette par semaine. À la question « Pour quelle raison regardez-vous les vidéocassettes coréennes, en vivant ici ? Pourtant, ici aussi, il y a des films en vidéocassettes qui sont intéressants », elle répond :

> Oui, c'est vrai, mais ce n'est pas pareil. Je pense que je regarde les drames coréens par nostalgie (Mme Hong).

Mme Hong a déjà la nostalgie du pays natal après à peine deux ans de vie au Québec, et préfère louer les vidéocassettes coréennes plutôt que celles produites par le milieu d'accueil. Elle demande donc à ses enfants d'aller chercher les vidéocassettes dans les magasins coréens situés dans l'Ouest de Montréal, malgré les 60 kilomètres qui séparent sa résidence à La Prairie de Montréal. Surtout, Mme Hong loue souvent les drames historiques qu'elle regardait en Corée. Cette pratique de consommation du média ethnique laisse supposer qu'il lui permet de reprendre l'ancienne habitude de communication qu'elle avait dans le pays d'origine et de s'y retrouver. Par ailleurs, Mme Hong précise aussi, par l'expression « c'est pas pareil », la « signification » qu'elle accorde au média ethnique et la fonction particulière qu'elle y voit, et qu'elle ne voit pas dans le média dominant. Notons cependant que d'autres investisseurs tels que M. Thae utilisent les journaux ethniques locaux non seulement pour apaiser la nostalgie mais également comme un outil informationnel important pour leur intégration à la société d'accueil. M. Thae consomme les médias ethniques pour savoir ce qui se passe dans la communauté coréenne et dans la société québécoise :

Je ne les lis pas souvent. Les journaux coréens d'ici ne sont
pas de grands journaux. Mais, je dois les lire pour les
nouvelles de la communauté coréenne et celles de la société
d'ici (M. Thae).

Nos informateurs recourent aux médias ethniques pour des besoins
psychologiques et affectifs reliés à la nostalgie du pays d'origine, tandis
qu'ils utilisent les médias dominants pour des besoins informationnels
filtrés. En même temps, certains informateurs investisseurs sont
conscients que le média ethnique peut avoir un effet négatif en rendant
l'apprentissage des langues française et anglaise moins nécessaire, ce qui
ne favoriserait pas l'intégration. Dans le même sens, les médias dominants
s'avèrent bénéfiques. Nos informateurs entrepreneurs insistent sur le fait
que les journaux ethniques leurs sont précieux dans la mesure où ils les
aident à comprendre la situation de la société d'accueil :

Avec nos journaux coréens, on peut mieux comprendre ce
qui se passe ici (M. Huh).

Les journaux coréens sont importants pour nous. Sans ça, il
nous est difficile de connaître la société d'ici (M. Shin).

Il est à remarquer que l'emploi d'« ici » et de « ce » pour désigner la société
québécoise par opposition à la communauté coréenne traduit un
sentiment de déracinement ou d'identité étrangère de nos informateurs. Il
faut aussi indiquer la fonction informationnelle des journaux ethniques
dans le processus d'intégration de nos informateurs : ayant confiance en
ces journaux et ayant particulièrement besoin d'eux, ils ont la volonté de
les lire malgré leur petit tirage et leur diffusion limitée à quatre ou cinq
endroits. Le degré de dépendance relatif à l'information des journaux
ethniques semble plus élevé chez les exploitants de dépanneurs que chez
les investisseurs. Surtout, citons M. Huh qui est attaché au pays d'origine
et ne peut se passer du journal publié en Corée :

La Corée me manque. Ça fait sept ans que je me suis abonné
au journal *Hankuk ilbo* [Le Quotidien de Corée]. Je suis
toujours intéressé par les nouvelles de Corée (M. Huh).

Les médias ethniques locaux permettent à nos informateurs
« exploitants de dépanneurs » de se tenir au courant non seulement des
actualités de la société québécoise mais aussi de la situation du pays

d'origine. En ce sens, les médias ethniques répondent à des besoins aussi bien affectifs qu'informationnels. Comme dans le cas des investisseurs, les exploitants de dépanneurs consomment beaucoup de films ou de téléromans coréens en vidéocassettes. En consommant ainsi les médias provenant de la mère patrie, les immigrants coréens se retrouvent dans leur identité nationale et culturelle. Dans le cas des « commerçants de produits coréens », leur usage des médias ethniques répond davantage à un besoin informationnel qu'à un besoin affectif, étant donné que c'est là leur unique source d'information sur la société d'accueil. Aussi soulignent-ils tous l'utilité et l'aspect bénéfique des médias ethniques pour eux :

> Pour les gens comme nous, les journaux coréens sont indispensables. C'est qu'ils me permettent de comprendre non seulement ce qui se passe dans cette société mais aussi la situation de la société des Coréens et celle de la Corée (M. Park);

> Je pense que c'est utile. Surtout, pour moi qui ne sais bien lire ni anglais ni français, le journal coréen, c'est le seul moyen de me maintenir en contact avec le monde réel (M. Nam);

> Même si les journaux coréens ne sont pas nombreux, je pense qu'ils jouent un rôle important pour faire connaître des nouvelles d'ici. Surtout, comme la plupart des compatriotes coréens ont le problème de la langue, je pense que les journaux et les vidéos coréens les aident beaucoup (M. Choi);

> En vivant ici, on a parfois envie de lire des choses en coréen. Mais souvent, comme il n'y a pas grand-chose à lire à la maison, moi je lis au moins le journal coréen régulièrement (Mᵐᵉ Li).

Les commerçants de produits coréens sont ainsi entièrement dépendants des médias ethniques pour leur vie quotidienne dans le nouvel environnement. La plupart d'entre eux ne consomment aucun média dominant. De plus, ils construisent leur réseau de communication interpersonnelle essentiellement avec les membres de la communauté coréenne. Leurs magasins étant souvent les lieux de distribution des médias coréens tels que les journaux et les livres, nos informateurs ont facilement accès à l'information sur la communauté ethnique et sur leur pays d'origine. Par exemple, M. Park vend dans son magasin une trentaine de périodiques populaires coréens et loue environ 400 copies de vidéocassettes de films, de téléromans et d'émissions télévisées produites en Corée. M. Nam a autant de vidéocassettes qu'il prête aux membres du groupe ethnique. Durant l'entrevue de trois heures, nous avons remarqué une quinzaine de clients coréens qui venaient louer ou rendre des vidéocassettes. Et dans une pièce attenante, il y avait plusieurs appareils que M. Nam utilisait pour copier des films sur vidéocassettes. L'information ethnique étant facilement disponible, nos informateurs commerçants de produits coréens suivent de près l'actualité de la communauté coréenne et de la Corée du Sud, et ils s'intéressent aux nouvelles concernant la réunification des deux Corées plutôt qu'à celles concernant l'indépendance du Québec. Autrement dit, les nouvelles de leur pays d'origine les préoccupent plus que celles de la société d'accueil.

Quant aux informateurs « autres commerçants », la majorité consomme non seulement les médias dominants, mais aussi des journaux et vidéocassettes coréens. Nos informateurs disent qu'ils recourent aux médias ethniques lorsqu'ils veulent oublier la vie du nouvel environnement culturel et les ennuis qui s'y rattachent, les frustrations et le stress quotidien causés par les différents incidents dans les interactions avec les natifs. Surtout, la lecture des journaux coréens aide les nouveaux arrivants à retrouver leur équilibre psychologique dans les moments de déception et de regret, après constatation d'un écart entre l'image ou l'imaginé et la réalité de la vie dans la société d'accueil. Ainsi, à force d'avoir des conflits linguistiques avec des clients francophones, M. Ku a pris l'habitude de se défouler en dévorant le journal coréen dans ses moindres détails, y compris la publicité :

> Si j'ai des stress dans la journée avec mes clients, je lis tout, tout, tous les articles, toutes les publicités. Ça m'arrive même de relire les mêmes journaux coréens, surtout lorsque j'ai beaucoup de problèmes dans la vie ici (M. Ku).

Nos informateurs consomment les médias ethniques pour des besoins affectifs et informationnels liés au pays d'origine. Lorsqu'ils souffrent de nostalgie ou veulent suivre les nouvelles de Corée, ils recourent aux médias ethniques et semi-ethniques. Toutefois, nos informateurs sont conscients du fait que l'attachement aux médias ethniques ne favorise pas l'adaptation et l'intégration au nouvel environnement culturel. Certains d'entre eux décident de diminuer la consommation du journal coréen et s'obligent à lire le journal anglais en s'y abonnant. Cette volonté de s'intégrer à la société d'accueil se heurte souvent à des obstacles dans la réalité lorsqu'ils voient qu'il leur est impossible de saisir toutes les nuances des discours des médias dominants. Pensant que la consommation des médias ethniques ralentit ses progrès dans la langue dominante, M. Ku a décidé de ne plus louer les films coréens en vidéocassettes, et a demandé à sa femme d'en faire autant. Mais, s'apercevant que celle-ci ne peut regarder les films non coréens avec autant de plaisir que lorsqu'elle regarde les films coréens, M. Ku a dû adoucir sa décision :

> Avant, je louais une cassette coréenne par semaine. Depuis que j'ai décidé de me familiariser avec la culture d'ici, je n'en loue plus. Dans cet objectif, j'ai même interdit à ma femme de regarder les vidéocassettes coréennes. Mais, cette interdiction n'a pas été appliquée sévèrement. En fait, je l'ai annulée par pitié pour ma femme qui n'a pas d'autres divertissements que ça. Elle passe sa journée à s'occuper du magasin, tandis que moi, je sors prendre l'air avec des amis au terrain de tennis ou ailleurs (M. Ku).

Quant à la perception de nos informateurs sur la société québécoise, elle s'appuie souvent sur les images négatives des immigrants ou sur les aspects qui leur paraissent contradictoires par rapport à la culture d'origine ou à ce qu'ils ont acquis pendant le processus de socialisation en Corée. Regardons le cas de nos informateurs investisseurs qui utilisent les médias dominants dans un but spécifique. Ce mode de communication sociale avec la société d'accueil semble les aider à se forger une opinion sur le Québec. À partir des contenus des journaux ou des émissions de télévision, Mme Hong a construit la signification de la société québécoise comme suit :

> Je trouve que le Québec est dans une situation économiquement difficile mais un peu contradictoire. C'est qu'à la télévision on voit que le Québec offre au tiers-monde l'aide publique ou reçoit des immigrants réfugiés politiques. Alors, je me demande souvent, si le Québec est si riche pour les aider, pourquoi il se montre si exigeant face aux immigrants investisseurs comme nous, pour les conditions de placement. Aussi, le Québec me paraît une société socialiste, car la télévision montre trop souvent des images extrêmement violentes reliées à la pauvreté, à la guerre pour convaincre le public (Mme Hong).

Avant de juger la pertinence de son propos, il est intéressant de noter le mode d'appropriation du contenu du média chez Mme Hong par l'intermédiaire des valeurs de la culture d'origine. Avant son immigration, Mme Hong avait une perception positive du Québec. Elle savait que le Québec est une société développée qui possède un bon système social et éducatif. Maintenant, Mme Hong définit le Québec comme une société socialiste et économiquement en difficulté. Comment une telle perception s'est-elle formée ? Contextualisons le discours de Mme Hong. Premiè-rement, l'interprétation de la situation économique du Québec est fondée sur sa propre expérience et son raisonnement pratique : d'un côté, il y a un Québec qui a besoin des immigrants investisseurs étrangers pour son développement économique au point de les contrôler par diverses mesures excessivement complexes et, de l'autre côté, il y a un autre Québec qui veut aider des pays pauvres pour des raisons humanitaires. Ces deux Québec ne sont pas, aux yeux de Mme Hong, compatibles car, dans sa mentalité, un pays riche n'utilisera pas l'immigration comme moyen de développement économique et un pays pauvre cherchera à régler d'abord ses propres problèmes au lieu de penser à aider d'autres pays pauvres. Deuxièmement, l'interprétation selon laquelle le Québec serait une société socialiste renvoie à la situation politique des deux Corées dont l'une est un pays démocratique et l'autre un pays communiste. La Corée du Sud a longtemps contrôlé et utilisé les médias et l'éducation pour empêcher la pénétration idéologique du communisme de la Corée du Nord[22]. À l'école et dans les médias sud-coréens, on présentait la Corée du Nord comme un pays ennemi violent qui ne cherche qu'à mettre la Corée du Sud sous sa tutelle; de plus, on professait également qu'il n'y avait pas de différence entre le communisme totalitaire de l'Est et le socialisme des démocraties occidentales qui s'opposait donc au capitalisme, seul garant de la liberté et de la richesse. Depuis la fin du régime militaire en 1992, les médias et l'école ont commencé enfin à employer la définition neutre du communisme, sans couleur politique et qui correspond à la réalité du monde d'aujourd'hui. Étant de la génération qui a connu la guerre de Corée, notre informatrice perçoit le caractère socialiste du Québec dans les médias de masse qui, selon son point de vue, sont utilisés pour persuader le public par la diffusion fréquente d'images extrêmement violentes de pauvreté et de guerre. Quant à l'avenir du Québec reflété dans les médias, Mme Hong n'en déduit aucune signification particulière pour elle et affiche son indifférence, qui est justifiée par ses droits et

---

22. Voir à ce sujet H.-D. Kang (1991) et J.-B. Pang (1991).

libertés d'immigrante, quel qu'en soit le résultat. Elle exprime ce sentiment de détachement à l'égard du Québec en disant :

> Puisque je peux quitter le Québec quand je veux, je suis indifférente à ce sujet. Mais, selon un agent financier, l'indépendance entraînera un impact négatif sur l'économie du Québec (Mme Hong).

De plus, ayant constaté une différence entre les films coréens et des films québécois ou français quant à l'expression, Mme Hong nous décrit cette différence comme suit :

> Ici, les dialogues entre les personnages des films sont trop directs et forts et même choquants. Mais, je préfère les films coréens où les personnages emploient des expressions indirectes. Elles me touchent davantage (Mme Hong).

Contextualisons ce discours qui nous paraît très intéressant. Les expressions indirectes employées dans les films coréens indiquent, en fait, des techniques de dialogues ou de structuration des séquences d'images, qui consistent à exprimer indirectement ce qui concerne la description des sentiments et des émotions des personnages. L'emploi des expressions indirectes a pour effet de laisser participer les téléspectateurs à l'interprétation de ce qui n'est pas montré et exprimé à l'écran et de maintenir leur intérêt pour le contenu implicite. Puisque le film est un reflet de la réalité, les expressions indirectes représentent en effet une des particularités de la langue coréenne. Notre informatrice préfère les films coréens dont les contenus sont truffés d'expressions indirectes, parce qu'elle peut s'identifier à ces films, ce qui indique son attachement au pays d'origine.

Les informateurs entrepreneurs qui fréquentent très peu les médias dominants français sont intéressés par la question de la politique linguistique au Québec plutôt que par le contenu médiatique même. Certains discours de nos informateurs laissent même deviner qu'ils ne saisissent pas clairement la différence entre la politique linguistique du Québec et le bilinguisme du Canada :

> Je communique en anglais avec les gens que je rencontre ici au Québec dans la vie quotidienne. Je pense donc qu'ici, il suffit de savoir parler une des deux langues officielles afin de s'adapter à la société d'ici (M. Kim).

Les « autres commerçants » comme M. Kim sont tous allés, au début de leur séjour au Québec, apprendre le français aux COFI (Centre d'orientation et de francisation des immigrants). Pour améliorer rapidement leur compétence linguistique en français, ils se sont même donné comme principe de ne pas consommer de médias ethniques. Seulement, après le cours des COFI, le niveau du français de nos informateurs n'était pas suffisant pour faire face à toutes les situations et satisfaire tous les besoins de la vie au Québec. En fait, leur connaissance du français est bien inférieure à celle de l'anglais qu'ils ont appris en Corée pendant leurs études secondaires et universitaires. C'est pourquoi ils se sentent plus à l'aise en anglais et veulent l'améliorer à l'aide des médias anglais. De plus, ils ne manquent pas de remarquer l'efficacité de l'anglais pour leur vie quotidienne en Amérique du Nord et l'utilité limitée du français :

> Dans la société nord-américaine, l'usage du français est peu répandu. C'est seulement ici qu'on insiste sur le français. Mais, ailleurs, on utilise partout l'anglais. Pour vivre en Amérique du Nord, il vaut mieux parler l'anglais. Pour les enfants, le français n'est pas suffisant. Il faut qu'ils apprennent l'anglais aussi pour pouvoir trouver du travail partout au Canada et aux États-Unis (M. Mun).

C'est par ce raisonnement pragmatique de mobilité professionnelle que nos informateurs immigrants de la première génération accordent beaucoup d'importance à l'apprentissage de l'anglais par leurs enfants. Par ailleurs, les médias ethniques et semi-ethniques représentent également une source d'information importante pour les entrepreneurs, qui ont besoin de comprendre les principaux événements de l'actualité de la société d'accueil au cours de leur établissement. Étant donné la barrière linguistique qui s'impose à la plupart de nos informateurs, les journaux coréens deviennent ainsi une source qui donne à la fois des nouvelles de la société d'accueil et du pays d'origine, bien que la proportion soit plutôt déséquilibrée : en moyenne, les deux tiers de l'espace d'un journal sont consacrés aux nouvelles du pays d'origine.

TRAVAILLEURS SALARIÉS ET PROFESSIONNELS

Nous réunissons dans ce groupe des informateurs qui travaillent dans d'autres secteurs que le commerce ou l'investissement. Ce sont soit des salariés de divers types d'entreprises ou institutions, soit des professionnels indépendants tels que consultants et médecins. Certains de ces informateurs sont arrivés au Québec en tant qu'immigrants indépendants[23]; d'autres ont fait de deux à dix ans d'études ici avant de demander le statut d'immigrant indépendant; d'autres encore sont venus ici à l'âge scolaire ou préscolaire. Fréquemment, les travailleurs et professionnels de la première génération jouent un rôle actif dans l'organisation de la CCGM, en tant que membres influents ou leaders d'opinion, et sont considérés comme faisant partie des « immigrants coréens bien intégrés à la société d'accueil », surtout aux yeux des « exploitants de dépanneurs ».

Le mode de consommation des médias dominants et ethniques chez nos informateurs travailleurs est caractérisé par l'exploitation maximale des médias dominants et la fréquentation occasionnelle des médias ethniques. Par exemple, M. Han, arrivé en 1992, est un des informateurs qui consomme le plus les médias dominants. Ce sont ces médias dominants, et non les médias ethniques, qui lui fournissent l'information importante et nécessaire pour mieux comprendre la situation socio-politique du nouvel environnement et mieux s'y adapter[24]. M. Han dit :

> Pour moi, il est important de lire des journaux d'ici tous les jours pour améliorer mon français et mon anglais et pour comprendre ce qui passe dans cette société (M. Han).

Conséquemment, M. Han va tous les jours à la bibliothèque municipale lire les principaux journaux québécois anglais et français. D'autres travailleurs étant aussi très motivés à comprendre la société québécoise et canadienne, ils lisent un des journaux importants au Québec dont *La Presse, Le Journal de Montréal* et *The Gazette*. En général, ils regardent aussi la télévision au moins une à trois heures par jour. Pour se perfectionner dans les deux langues dominantes, ils regardent autant les émissions anglaises que les émissions françaises. Les informateurs qui vivent depuis longtemps au Québec, comme M. Wu, Mme Pang et M. Seo, utilisent les médias dominants de façon irrégulière en y consacrant au maximum une

---

23. Il est à noter que la catégorie Immigrants indépendants a été créée, selon le personnel du MCCI que nous avons rencontré en juin 1992, dans le but de combler le manque de main-d'œuvre qualifiée dans certains secteurs professionnels au Québec. La liste des types de main-d'œuvre à combler est mise à jour suivant les besoins du monde du travail. Par exemple, de 1988 à 1990 le Québec a connu une pénurie de programmeurs en informatique et a privilégié la sélection des immigrants possédant des expériences pertinentes en la matière. Pendant la même période, les candidats immigrants qualifiés pour l'enseignement en sciences humaines se voyaient, à l'inverse, presque systématiquement refusés.

24. Voir à ce sujet D. Lee, 1984; J. Ryu, 1980.

heure à une heure et demie par jour. De plus, ils mentionnent qu'ils ne consomment pas les journaux ou la télévision dans l'intention de faire un apprentissage linguistique mais comme divertissement ou comme loisir :

> Je regarde de temps en temps la télévision. [...] avant, quand j'étais étudiant, je passais souvent trois heures par jour devant la télé. Mais, maintenant, c'est difficile de le faire, à cause de mon travail. Je regarde la télé environ une heure par jour. Surtout, s'il y a un film canadien, je le regarde (M. Wu).

> Je regarde le journal d'information à la télévision quand je me trouve à la maison. Sinon je me contente de jeter un coup d'œil sur le journal. Mais la rubrique du jardinage, je la lis toujours, parce que j'aime cultiver des plantes (Mme Pang).

> Tous les jours, j'essaie de regarder le téléjournal du soir, et de lire les articles des journaux qui m'intéressent (M. Seo).

En fonction de l'intérêt personnel et du temps disponible, nos informateurs sélectionnent les rubriques des journaux ou les émissions de télévision. Les sujets auxquels ils accordent l'attention varient d'une personne à l'autre : reportages, sports, vulgarisation scientifique, films canadiens, économie, jardinage, annonces classées, etc. Certains informateurs évoquent les émissions de la télévision consacrées à la promotion de la beauté de la nature dans la région :

> La télévision d'ici fait des efforts pour améliorer l'image du Québec en montrant souvent les beaux paysages et les images du bel environnement naturel (M. Han).

Mais les informateurs travailleurs confirment unanimement que lire les journaux français ou anglais constitue un moyen efficace pour améliorer leur compétence linguistique :

> Les journaux d'ici m'ont beaucoup aidée à perfectionner mon français et à me familiariser avec le système québécois. Au début de mon séjour, je les lisais plus minutieusement. Mais maintenant, je n'ai plus le temps pour le faire, je me contente de lire les gros titres (Mme Ko).

Bien que les travailleurs fréquentent ainsi activement les médias dominants, un certain nombre d'entre eux expriment leur insatisfaction face à la présentation des « images négatives » des immigrants en général. Par exemple, M. Wu donne son opinion critique du contenu télévisuel sur les immigrants comme suit :

> Sur la télé d'ici, on ne montre que les images négatives des immigrants comme les réfugiés politiques pauvres. Il y a des points de vue exagérés et biaisés. Pourquoi les journalistes ne s'intéressent-ils pas à des immigrants comme les Coréens qui sont *helpful* pour le Québec ? (M. Wu).

Alors qu'ils consomment les médias dominants avec plus ou moins d'intérêt pour le contenu, nos informateurs travailleurs recourent aux médias ethniques de façon symbolique, c'est-à-dire sans se préoccuper trop de la sélection de l'information. La consommation des journaux coréens par nos informateurs peut être considérée comme un acte symbolique, comme le précise le discours de Mme Pang :

> Oui, de temps en temps, lorsque je peux le trouver. Par exemple, lorsque je vais à l'église coréenne, je prends une feuille du journal coréen. Mais, je ne m'y intéresse pas particulièrement (Mme Pang).

Certains informateurs travailleurs sont déçus par la pauvreté des médias ethniques sur le plan de la quantité et de la qualité du contenu informationnel en les comparant avec les médias dominants. Notamment, des informateurs de la première génération, comme M. Seo, déplorent l'absence de médias ethniques de qualité qui, selon eux, pourraient servir d'outils d'intégration à la société d'accueil :

> Dans les journaux coréens, il n'y a pas grand-chose à lire. Les contenus sont très peu utiles. Souvent, ce n'est pas ces contenus qui peuvent nous aider à vivre ici. Je remarque un grand écart entre les journaux coréens et les québécois. C'est incomparable. Il manque le sens de professionnalisme au média coréen (M. Seo).

Toutefois, les informateurs récemment arrivés utilisent les médias ethniques autant que les médias dominants afin de mieux comprendre le fonctionnement du système de la société d'accueil. M. Han précise que les journaux coréens lui permettent de compléter sa connaissance sur celle-ci :

> Même si la quantité d'information n'est pas énorme, je pense que les journaux coréens sont des choses qui doivent exister pour les nouveaux immigrants qui ne connaissent rien de cette société (M. Han).

Il est à noter également que la plupart apprécient bien certains types de médias ethniques, dont les vidéocassettes coréennes pour les films, les téléromans ou les clips, etc. C'est le cas de M. Wu et de M. Hyun. Alors que M. Wu consomme régulièrement ce type de médias ethniques lorsqu'il se trouve avec des amis coréens, M. Hyun regarde plutôt en famille des films coréens en vidéocassettes :

> Lorsque je rencontre mes amis coréens ou mes cousins, nous louons des films coréens et des clips en vidéocassettes pour nous amuser ensemble à la maison. Des fois, on loue sept ou huit cassettes en une seule fois (M. Wu).

> Il y a des jours où je loue des films coréens en vidéocassettes, surtout le week-end. Je regarde des films avec ma famille. Je pense que c'est nécessaire de temps en temps pour soulager la nostalgie (M. Hyun).

Autrement dit, les vidéocassettes coréennes sont utilisées comme un outil qui favorise la communication et la cohésion entre les membres. De ce fait, nous pouvons souligner la fonction de « rassembleur » spécifique au média ethnique.

JEUNES ÉTUDIANTS

Nous incluons dans ce groupe les informateurs de moins de 25 ans. Il s'agit des jeunes de la génération « 1,5 » ou de la deuxième génération, qui fréquentent actuellement un établissement d'enseignement primaire, secondaire, collégial ou universitaire. Strictement parlant, l'expression « immigrant de la deuxième génération » n'a pas un sens très rigoureux. Ceux qui sont nés au Canada possèdent automatiquement la citoyenneté canadienne et, par conséquent, ne sont plus des « immigrants », ou alors les Canadiens francophones et anglophones devraient tous être considérés comme des immigrants de « nième » génération. Toutefois, compte tenu de divers facteurs, dont nous n'allons pas discuter ici, tels que le sentiment d'appartenance, la catégorisation sociale fondée sur la physionomie, l'origine des parents ou une certaine ancienneté conventionnelle (par exemple, trois générations), il nous paraît pertinent de compter parmi nos informateurs les « immigrants de la deuxième génération » qui sont nés au Québec.

Les jeunes étudiants consomment les médias dominants plus que les médias ethniques. Parmi ceux-là, la télévision semble être leur favori. Dans le cas de M. Sangku, c'est même un objet de passion auquel il pourrait consacrer sa journée entière s'il n'y avait ses études collégiales :

> J'adore la télévision. Avant, je passais souvent toute la journée du matin au soir devant la télé. Mais, ces jours-ci, je n'ai pas le temps à cause du travail scolaire. C'est que cette année je me suis inscrit à un collège anglophone, tandis que jusqu'au niveau secondaire j'ai fréquenté les écoles francophones. Surtout, les cours du domaine des sciences sociales que j'ai choisis sont difficiles à comprendre à cause des termes anglais qui ne me sont pas familiers. J'ai donc beaucoup de rattrapage à faire après l'école. Je travaille très tard à la bibliothèque. C'est pourquoi, sauf le week-end, j'ai à peine le temps de regarder le téléjournal (M. Sangku).

Si nos jeunes informateurs consomment tous activement les médias dominants, les contenus de préférence varient selon les niveaux d'études. Mais nous n'avons pas remarqué de variation significative selon le sexe. Par exemple, les étudiants de l'école secondaire tels que M. Kiha, M. Namsu aiment regarder différentes émissions de télévision dès qu'ils ont du temps libre. Étant arrivés récemment, ils soulignent aussi l'utilité de la télévision pour se perfectionner en anglais ou en français :

> Je regarde souvent les émissions anglaises telles que *Home Improvement*, *Seinfeld* afin d'améliorer mon anglais car, depuis cette année, je dois suivre des cours en anglais à l'université (M. Kiha).

> Comme je suis faible en anglais oral, je regarde principalement les chaînes anglaises telles que CBC, PBS, ABC ou la française Radio-Canada. Je pense que c'est assez efficace (M. Namsu).

Mlle Yena qui est arrivée à Montréal il y a un an et qui est une étudiante de l'école primaire publique depuis un an aime regarder régulièrement les dessins annimés à la télévision. Elle est fière des progrès de son français :

> Moi, j'aime bien regarder les émissions télévisuelles en français, surtout les dessins animés tels que *Les Simpsons*. Il y a 6 mois, je ne comprenais pas grand chose, mais maintenant, je comprends presque toute l'histoire. J'en suis très contente (Mlle Yena).

Quant aux étudiants au cégep ou à l'université, ils lisent les journaux dominants, d'une part, pour suivre les actualités et, d'autre part, pour améliorer leur compétence linguistique :

> Pour pratiquer la lecture en anglais, je me suis abonné à *The Gazette*. Tous les jours, j'essaie de lire le plus de contenus possible (M. Kiha).

> Je me suis abonné à *The Gazette* pour me familiariser avec les vocabulaires de différents domaines (M. Namsu).

> Comme j'étudie en sciences sociales, j'achète et m'efforce de lire des journaux français et anglais comme *Le Journal de Montréal* ou *The Gazette*. Malheureusement, je n'ai pas beaucoup de temps libre (M. Sangku).

> Je m'intéresse beaucoup à la mode. Chaque mois, j'achète la revue *Elle* (Mlle Suci).

Le choix du média dominant dépend ainsi des intérêts, des besoins personnels et de la disponibilité. Sur ce plan, les jeunes et les travailleurs ont des comportements similaires. En ce qui concerne la consommation des médias ethniques, ce sont les vidéocassettes coréennes que nos informateurs aiment le plus. Surtout, les jeunes de la deuxième génération, comme Mlle Mihi, utilisent les vidéocassettes pour approfondir leur connaissance de leur culture d'origine :

> Je loue deux ou trois vidéocassettes par semaine. J'aime beaucoup les émissions d'humour en vidéo. C'est grâce aux vidéocassettes que je peux comprendre la culture coréenne autant que la culture québécoise (Mlle Mihi).

D'autres informateurs consomment non seulement les vidéocassettes coréennes mais aussi les journaux ethniques. Par exemple, M. Kiha nous fait remarquer qu'ayant un grand attachement au pays d'origine, il loue régulièrement des vidéocassettes de téléromans et lit des journaux coréens :

> J'emprunte une vidéocassette coréenne par semaine pour suivre la série d'un téléroman sur la vie d'un médecin, et je lis souvent des journaux coréens. C'est que suivre les nouvelles de la Corée, c'est important pour moi. Je m'intéresse à ce qui se passe en Corée. Après tout, c'est mon pays natal (M. Kiha).

Les jeunes informateurs ont des opinions plutôt nuancées sur le rôle des médias ethniques, et ce, quel que soit leur niveau d'étude. Citons le discours de M. Sangku qui souligne même l'aspect positif de l'usage des médias ethniques par les immigrants de la première génération comme ses parents :

> Je pense que les journaux coréens sont nécessaires et utiles pour les immigrants de la première génération comme mes parents qui ne connaissent pas la langue d'ici. Les journaux leur permettent de connaître les nouvelles de cette société (M. Sangku).

En même temps, les jeunes recommandent unanimement la fréquentation des médias dominants pour améliorer la compétence linguistique dans l'une des deux langues de la société d'accueil :

> Si l'on utilise de façon efficace la télévision et les journaux anglais ou français, on peut avoir de grands progrès en peu de temps. C'est surtout pour les étudiants qui ont immigré au milieu des études, comme moi (M. Kiha).

Bien que nos jeunes informateurs reconnaissent la nécessité de fréquenter les médias dominants par les nouveaux immigrants pour se familiariser avec les langues officielles du Canada, ils n'oublient pas d'émettre des commentaires critiques sur les contenus de la télévision qu'ils regardent fréquemment. Par exemple, Mlle Mihi n'est pas tout à fait contente des médias dominants à cause de la fréquente diffusion des images stéréotypées des immigrants pauvres ou des réfugiés politiques et non des immigrants riches comme les Coréens :

> Je ne suis pas d'accord avec l'image que la télévision présente souvent. Il faut que la télé montre aussi l'existence des

immigrants riches comme les Coréens. Maintenant, il y a trop d'images des immigrants pauvres. Ça ne me plaît pas (Mlle Mihi).

Pour les immigrants, les médias dominants représentent non seulement une source d'information, un outil d'apprentissage des langues, mais aussi un miroir qui reflète l'attitude et la perception de la société d'accueil à leur égard. Cette pratique du « décodage au second niveau » liée à la consommation des médias dominants est d'autant plus observable que l'immigrant est un grand consommateur de ceux-ci, comme nos jeunes informateurs et, aussi, comme les travailleurs salariés et les professionnels.

PERSONNES ÂGÉES À LA RETRAITE

Nous regroupons ici les informateurs qui ont plus de 65 ans et qui ne travaillent plus. Ils ont immigré au Québec soit avec la famille, soit par parrainage, c'est-à-dire à l'invitation d'un membre de la famille qui est résident permanent ou citoyen naturalisé au Canada et qui se porte garant pour lui pendant 10 ans vis-à-vis du gouvernement canadien. Dans le cas de nos informateurs, les garants étaient souvent des enfants qui avaient préalablement immigré et s'étaient établis dans la région de Montréal. Ainsi, la plupart des personnes âgées à la retraite vivent avec leurs enfants sous un même toit. En ce cas, nous avons pu rencontrer aussi d'autres membres de leur famille qui sont de générations plus jeunes.

Étant donné l'âge et la motivation de l'immigration de ce groupe d'informateurs, il n'est pas difficile de remarquer chez eux le grand déséquilibre de consommation entre les médias ethniques et les médias dominants. Parmi tous nos informateurs, ce sont donc les personnes âgées qui fréquentent le moins les médias dominants, et qui manifestent le plus grand intérêt pour les médias ethniques, dont les journaux. M. Chang et M. Cho soulignent l'importance de se tenir au courant de ce qui se passe dans leur mère patrie en lisant différents journaux ethniques.

Pour moi, c'est important de connaître les nouvelles de la Corée, ma mère patrie. Comme j'ai le temps, je lis tous les journaux coréens disponibles à Montréal (M. Chang).

Comme je ne connais pas les langues d'ici, le journal coréen m'est précieux. Même s'ils sont petits, il faut que les journaux coréens continuent à exister. Sans ceux-ci, je me sentirais coupé du monde (M. Cho).

Les personnes âgées sont très attachées aux nouvelles concernant la Corée. Pour les suivre, ils recourent à divers moyens : journal, vidéocassette, radio (émission internationale diffusée par la station coréenne *Korea Broadcasting System* sur ondes courtes), etc. En décrivant leur fréquentation des médias, M. Chang et Mme Ha soulignent la place indispensable et irremplaçable que les médias ethniques occupent dans leur vie d'immigrant :

> Je lis les journaux *Hanŏl sinmun* [Journal de Corée], *Hanin sosik* [Nouvelles des Coréens] et *Moraeal* [Grains de sable]. J'écoute la radio de Corée à 6 heures du matin tous les jours. Comme ça, je peux me tenir au courant de ce qui se passe tous les jours en Corée. Et aussi, je loue en moyenne 3 à 4 vidéocassettes coréennes par semaine (M. Chang).

> Je dois regarder au moins une fois par semaine les drames coréens en vidéocassettes, et je lis les journaux coréens *Hanŏl sinmun* [Journal de Corée] et *Moraeal* [Grains de sable] (Mme Ha).

En fréquentant ainsi différents types de médias ethniques, nos informateurs cherchent à satisfaire leurs besoins informationnels et affectifs; en effet, la fréquentation des médias ethniques leur permet de soulager un peu la nostalgie du pays d'origine. Pour cela, M. Yu, âgé de 83 ans et ancien principal d'école secondaire en Corée, est allé jusqu'à éditer lui-même un journal coréen :

> Depuis 10 ans je publie une fois par semaine un petit journal [...] en espérant que ce journal servira à quelque chose à nos *kyomin* 교민 [compatriotes d'outre-mer] qui souffrent souvent de la nostalgie du pays natal (M. Yu).

Quant aux médias dominants, l'opinion de nos informateurs s'avère plutôt catégorique. Autant M. Yu et d'autres personnes âgées tiennent aux médias ethniques, autant ils se montrent indifférents aux médias dominants. Étant donné le problème de langue qui les empêche de profiter de ceux-ci, ils pensent que les médias ethniques sont bénéfiques pour leur adaptation au nouvel environnement, et pour les aider à comprendre la société d'accueil :

> Puisque je ne connais ni l'anglais, ni le français, je ne m'efforce pas de lire les journaux d'ici. La lecture des

journaux coréens me permet de comprendre la société d'accueil. Sans ces journaux coréens, je ne saurais quoi faire. Pour vivre ici, il m'est utile de lire les journaux coréens (M. Cho).

Ces discours favorables à l'usage des médias ethniques dans le processus d'intégration rejoignent ceux des informateurs commerçants de produits coréens. Toutefois, à la différence de la plupart de nos informateurs qui ne lisent jamais les journaux dominants, M. Chang fait une exception. En plus de regarder des émissions de télévision, il s'est même abonné aux journaux *The Gazette* et *La Presse* dans le but d'apprendre davantage les langues et la culture de la société d'accueil. En décrivant son intérêt pour les médias dominants, M. Chang exprime cependant son inquiétude en raison du contenu télévisuel qui porte trop souvent sur le divorce qui est, selon lui, une « mauvaise tendance de la société occidentale » :

Avant je me suis abonné à *The Gazette*, maintenant au journal *La Presse*. Et je regarde de temps en temps la télévision d'ici pour pratiquer la langue et connaître la société d'ici. Mais, à la télé, il y a trop de sujets concernant le divorce. C'est inquiétant, j'ai peur que les enfants imitent cette mauvaise tendance de la société occidentale (M. Chang).

Ce discours de M. Chang reflète la mentalité coréenne farouchement opposée au divorce. Dans la société coréenne, le divorce est considéré, même de nos jours, comme un échec total. Aussi, le divorcé et ses enfants deviennent l'objet de critiques et parfois se retrouvent exclus de la société; par exemple, certaines compagnies évitent d'embaucher les candidats issus de parents divorcés, en les considérant comme des déséquilibrés psychologiques. Fidèle à ce jugement de valeur coréen, M. Chang craint que ses enfants n'en arrivent à considérer le divorce comme quelque chose de normal à force de regarder la télévision occidentale.

Quelques remarques

Puisque chaque immigrant, tout comme n'importe quel individu, appréhende le monde social selon le mode de communication de la société où il a été éduqué et socialisé, la spécificité de la pratique communicationnelle dans une société ne se limite pas à la communication interpersonnelle mais est aussi reflétée dans les médias. En effet, dans un contexte social, les médias représentent bien les systèmes culturel et communicationnel de la société et, surtout, les nouvelles ou les actualités diffusées dans les médias sont en fait une réalité sociale perçue, filtrée, construite ou reconstruite, modelée ou remodelée d'une certaine manière. Par la voie de la « réflexivité », les images de la société ou de ses institutions construites et présentées dans les médias de masse font donc partie de la réalité sociale. La fréquentation d'un type de média plutôt que d'un autre laisse comprendre le degré de concordance entre les significations véhiculées par divers médias et celles construites ou décodées par les consommateurs. Par exemple, la forte consommation des vidéocassettes coréennes par des immigrants coréens de toutes les générations peut indiquer leur résistance aux valeurs culturelles véhiculées par les médias dominants. Les usages fréquents des médias ethniques ainsi que des vidéocassettes chez les minorités ethniques doivent être expliqués par les lacunes culturelle et linguistique des médias dominants.

D'ailleurs, F. Gutiérrez (1985) remarque que les médias ethniques sont comme une réaction légitime ou justifiée des minorités exclues de la société dominante et de ses médias majoritaires et que les médias dominants dans les sociétés nord-américaines couvrent rarement les communautés ethniques qui, pourtant, s'agrandissent d'année en année. Ces médias nord-américains, ne reflétant pas suffisamment la réalité de la diversité ethnique ou raciale, ne jouent donc plus leur rôle traditionnel de « rassembleur de la masse » mais isolent davantage les minorités ethniques de la société dominante. Ce qui rend légitime la création des médias ethniques par celles-ci qui cherchent, à leur tour, leur propre organisation formelle s'intéressant à leurs préoccupations quotidiennes. Au travers des films ou téléromans sur vidéocassettes, la majorité des immigrants adultes retrouvent le contexte culturel qui leur est familier et affirme leur identité culturelle d'origine. Pour les jeunes, les vidéocassettes constituent un outil additionnel qu'ils peuvent utiliser pour l'apprentissage et le perfectionnement de la langue et de la langue d'origine ou pour trouver éventuellement des stars avec qui ils peuvent s'identifier[25].

Dans le même sens, V. Saifullah Khan (1982) interprète la fréquentation des médias ethniques comme le signe d'un établissement réussi et celui d'un état psychologique équilibré de l'immigrant. Car pour les minorités ethniques menacées de « *culture clash* », les immigrants se trouvant *de facto* entre deux cultures, il est plus facile et plus efficace d'utiliser le média ethnique afin de faire l'ajustement culturel et de

---

25. Les travaux de C. Husband et J. M. Chouhan (1985) et de M. Jones et J. Dungey (1983) décrivent des comportements semblables chez différentes minorités ethniques en Angleterre.

comprendre le système de fonctionnement de la société dominante. Comme l'ont mentioné les auteurs tels que H. Giles (1977), H. Giles et B. Saint-Jacques (1979), R. Y. Bourhis (1984), J. A. Fishman (1985), les médias ethniques ou semi-ethniques permettent de mettre à jour la connaissance sur les actualités du pays d'origine et de renouer avec la langue et la culture d'origine des minorités. Par ailleurs, la fréquentation des médias ethniques en soi ne nuit guère à la construction du réseau extra-ethnique. Les médias ethniques fournissent plutôt des éléments utilisables lors de la construction des réseaux de communication avec les groupes dominants. Ce qui pourra donner lieu à la meilleure compréhension mutuelle et éventuellement à prévenir des conflits interethniques et interraciaux. Les medias ethniques sont donc une entité à la fois indispensable et créative dans l'infrastructure de la communauté ethnique.

Cependant, d'autres auteurs pensent que plus les médias ethniques se montrent développés et recherchés, plus les membres de la communauté risquent d'être en marge de la société d'accueil. C'est ce que des chercheurs tels que C. Selltiz, J. R. Christ, J. Havel et al. (1963), Y. Kim (1988) semblent suggérer dans leurs travaux, lorsqu'ils pensent que plus un immigrant a de communication sociale avec les médias dominants et de communication interpersonnelle avec les natifs de la société d'accueil, meilleurs seront son ajustement économique et sa stabilisation psychologique. La fréquentation des médias ethniques par les immigrants peut donc entraîner un impact négatif sur leur adaptation culturelle à la société d'accueil, parce que cette fréquentation fait maintenir des perspectives qui diffèrent des normes de celle-ci. De plus, Charles Husband (1985, p. 15-16) souligne, d'une part, que les médias des minorités ethniques sont souvent analysés comme un obstacle empêchant l'intégration des minorités ethniques dans la société dominante et, d'autre part, qu'ils constituent une force transnationale controversée.

Néanmoins, nous constatons au cours de l'analyse des discours de nos informateurs immigrants le fait que certains comportements de décodage sont simplement une manifestation de la culture d'origine de niveau primaire[26] incontrôlable et résistante, car celle-ci est acquise pendant le

---

26. E. T. Hall (1979) distingue les niveaux de culture primaire, secondaire et tertiaire. La culture de niveau primaire est composée de données fondamentales qui structurent le mode de pensée et fournissent des ensembles d'hypothèses de base face à un événement. Mais une personne est rarement consciente de ce niveau primaire de sa culture. Étant sous-jacente à notre comportement, la culture de niveau primaire est une dimension cachée, incontrôlable et non manipulable. En revanche, la culture des niveaux secondaire et tertiaire est plus ou moins représentée par des manifestations conscientes telles que le rapprochement

processus de socialisation et fonctionnait efficacement dans le pays d'origine des immigrants. Mais les décodages influencés par la culture d'origine peuvent constituer des réactions négatives ou positives aux messages médiatiques, nonobstant l'intention initiale de leurs interlocuteurs-émetteurs de la société d'accueil, créant ainsi une dynamique qui est grandement responsable de ce que l'on perçoit comme une situation plus ou moins problématique de l'intégration. Une telle pratique de consommation des médias dominants permet aux immigrants de se faire une opinion sur la société d'accueil ou sur l'image des immigrants véhiculée dans ces médias. Par exemple, un investisseur peut percevoir le Québec comme un pays « socialiste », tandis que des travailleurs et des jeunes expriment leur réticence à l'image stéréotypée et négative des immigrants diffusée à la télévision ou dans les journaux. Une telle perception du contenu des médias met en évidence la théorie de réception active de Ravault (1986, 1990, 1991) et les trois modes de décodage du message qu'ils pratiquent et qui ont été supposés par S. Hall (1980). Ces trois modes de décodage sont : (1) le mode par lequel le récepteur définit la situation telle que l'émetteur l'a proposée; (2) le mode par lequel le récepteur accepte le message comme un « code négociable », c'est-à-dire lorsqu'il y a à la fois un mélange d'adaptation à l'idéologie dominante à un niveau général mais aussi une certaine résistance lorsque vient le moment d'appliquer ce principe ou cette norme à un cas concret qui l'implique; (3) le mode par lequel le récepteur prend les informations qui lui sont présentées, mais les interprète selon un code qui lui est tout à fait personnel. Dans les modes de type 2 et 3, l'orientation d'un acte de communication dépend donc des significations accordées au message par le récepteur. Un écart possible entre le « dit » et l'« entendu » rend davantage incertaine l'issue d'une interaction.

Toutefois, à la différence de nos répondants « exploitants de dépanneurs », qui jettent au moins un coup d'œil sur les gros titres des journaux qu'ils vendent, nous observons chez les répondants des catégories « travailleurs » et « jeunes » une fréquentation plutôt harmonieuse des médias dominants et ethniques, ce qui favorise chez eux une transformation culturelle qui se manifeste par la conservation ou le rejet sélectif des valeurs de la culture d'accueil et de la culture d'origine. Une telle transformation donne naissance à un sentiment d'identité partagé entre

interpersonnel et la personnalité. Si la culture des niveaux secondaire et tertiaire est souvent sujette à transformation dans un nouvel environnement, la culture de niveau primaire résiste et parfois s'enracine ou s'endurcit davantage face à une autre culture. La culture de niveau primaire s'avère plus marquée dans un contexte de communication interculturelle que dans le contexte monoculturel ou intraculturel.

deux cultures. Mais la culture d'origine persiste toujours, même si les « travailleurs » et les « jeunes » parviennent à se construire une double identité culturelle. D'ailleurs, en dernière analyse, l'identité coréenne l'emporte toujours sur la nouvelle identité, et ce, indépendamment de l'âge et de la durée du séjour. En effet, tous les immigrants coréens tiennent à connaître, souvent par affection, des nouvelles du pays d'origine via les médias ethniques. De plus, certaines valeurs culturelles telles que le respect des personnes âgées, la piété filiale sont pratiquées, conservées et transmises, et ces valeurs ont justement pour effet de cimenter les immigrants coréens dans leur cadre d'origine.

Par conséquent, les membres d'un groupe abandonnent rarement les habitudes comportementales de communication façonnées par l'appropriation de leur culture d'origine, et ce, même s'ils vivent dans un autre environnement culturel et à l'extérieur du groupe (Katz, 1981). Ainsi, la culture du nouvel environnement constitue, aux yeux des étrangers comme des immigrants fraîchement arrivés, une information nouvelle qu'ils ne connaissent pas ou qui leur est peu familière. Les attitudes des immigrants dans la communication ne seront donc pas facilement changées au sein de l'environnement culturel de la société d'accueil, mais seront plutôt maintenues. Et aussi, certaines valeurs traditionnelles, qui peuvent s'opposer aux valeurs dominantes de la société occidentale, se trouvent perpétuées chez les immigrants asiatiques, par exemple, tant qu'elles continuent à leur servir de cadre de référence fonctionnel et efficace pour percevoir, filtrer et interpréter les messages dans leur nouvel environnement. Ce qui fait que la communication donne parfois lieu à un écart entre le « dit » et l'« entendu » qui crée des réactions en raison de préjugés, d'idées reçues et de points de vue ethnocentriques. Également, l'écart sémantique entre le « dit » et l'« entendu » peut résulter soit d'une simple discordance de compréhension, donc d'un malentendu, soit d'une manipulation intentionnelle du message, ce qui illustre d'une certaine manière l'aspect instrumental de la communication.

Enfin, il est également important de noter que les activités économiques dans lesquelles nos informateurs ont dû s'établir dès leur arrivée, avec plus ou moins de satisfaction, pour assurer la vie familiale, leur donnent des occasions inégales d'interaction avec les natifs et aussi déterminent le mode de fréquentation des médias dominants. Ainsi, les « investisseurs » ont comme interlocuteurs principaux des courtiers d'institutions financières qui gèrent leur capital; les « commerçants de produits coréens » ont moins de contacts avec les fournisseurs et clients natifs par rapport aux « exploitants de dépanneurs » ; les « travailleurs » et les « jeunes » semblent bénéficier d'occasions d'interaction plus variées et plus fréquentes avec les natifs, tandis que les personnes âgées retraitées ont des contacts presque exclusivement avec des membres de la communauté coréenne. Plus les immigrants ont des interactions avec les natifs, plus ils cherchent à fréquenter les médias dominants.

Cependant, la constatation qui nous frappe le plus porte sur la fragilité des réseaux que nos informateurs tentent de construire avec les natifs et, aussi, sur la fragilité des sentiments de confiance et de sympathie qu'ils éprouvent à l'égard de ces derniers. Surtout, cette fragilité ne semble pas tendre à disparaître avec le temps.

À la différence des réseaux avec les natifs, les réseaux interpersonnels entre les membres de la communauté coréenne s'avèrent indispensables, efficaces et très influents. Certains réseaux, comme ceux des Églises et des associations, sont établis préalablement à l'arrivée de nos informateurs et fonctionnent comme un véritable système d'accueil à l'égard des nouveaux arrivants; d'autres se construisent ou se développent au fur et à mesure que nos informateurs vivent leur expérience d'immigration dans la société d'accueil.

Aux dires de nos informateurs, les médias représentent ainsi des sources d'information importantes dans le processus d'intégration des immigrants coréens à la société québécoise. D'une façon générale, les médias ethniques sont fréquentés autant que les médias dominants, bien que les premiers soient beaucoup moins nombreux et diffusés plus localement que les seconds. C'est que les immigrants sélectionnent les types de médias selon leurs intérêts et leurs besoins. Nombreux sont nos informateurs qui consomment les médias ethniques par besoin affectif, pour apaiser la nostalgie du pays d'origine, ou par besoin d'information pratique sur le système de la société d'accueil, ou encore en raison de la connivence culturelle qui fait qu'ils s'y retrouvent plus facilement que dans les médias dominants. Autrement dit, les médias ethniques jouent un rôle positif dans le processus d'adaptation, d'intégration des immigrants et de socialisation ou re-socialisation au sein du nouvel environnement culturel. Ceux qui recourent davantage aux médias ethniques justifient leur faible fréquentation des médias dominants par la barrière linguistique ou par manque de connivence culturelle ou encore par les contenus informationnels jugés peu utiles pour la vie concrète des immigrants.

En revanche, certains immigrants considèrent les médias ethniques comme des solutions de facilité rendant inutile l'apprentissage des langues du pays d'accueil, donc défavorables à l'intégration. Par conséquent, ces immigrants fréquentent les médias ethniques seulement de façon sporadique ou irrégulière lorsque c'est disponible. Ils expliquent l'utilité des médias dominants souvent à titre de moyen éducatif pour apprendre les langues du pays d'accueil et autre chose, ou à titre de passe-temps sans beaucoup d'intérêt, mais rarement pour répondre à des besoins informationnels. Cependant, les médias ethniques, de même que les réseaux intra-ethniques, auxquels beaucoup de nos informateurs finissent par retourner après des tentatives insatisfaisantes avec les natifs, semblent plus efficaces et plus confortables. De la même façon, les médias ethniques, bien que considérés par certains chercheurs comme défavorables à l'intégration, occupent une place primordiale pour répondre aux besoins affectifs, informationnels et culturels des immigrants. Ils sont donc un outil indispensable pour les immigrants en processus d'intégration.

De ce qui précède, il ressort que l'existence de médias ethniques solides et forts constitue un facteur positif pour diminuer la marginalité des immigrants. De plus, il est certain que le développement des médias ethniques ira en accélérant avec l'avancement des nouvelles technologies de l'information et de la communication, ce qui pourrait entraîner et entraînera davantage la division entre les minorités ethniques et les groupes dominants de la société[27]. C'est pourquoi il est important de s'interroger sur la place des médias ethniques dans le processus d'intégration des immigrants et sur le type de société d'accueil que l'on veut construire.

---

27. Les journaux ethniques coréens recourent déjà à Internet pour diffuser l'information. Les adresses des sites web de ces journaux sont :

<http://ww.netaxis.ca/abacus/> ;
<http://www.koreatimes.net/ > ;
<http://www.joongangcanada.com/ >.

Bibliographie

Bauer, Julien, (1993) *Minorités et identités nationales au Canada et au Québec*, Note de recherche n° 44.

Bourhis, R.Y. (éd.) , (1984) *Conflict and Language Planning in Quebec*, Clevedon, Multilingual Matters.

CCGM, (1993) (Communauté coréenne du Grand Montréal 몬트리얼지구 한인회), *92-93 nyŏnto montreal hanin jusolok* 92-93년도 몬트리얼 한인주소록 [Annuaire des Coréens à Montréal 92-93], Montréal, CCGM.

Direction de la refonte des lois et des règlements, (1988). *Charte de la langue française. L. R. Q., chapitre C-11, à jour au 6 janvier 1988*, Québec, Éditeur Officiel du Québec.

Fishman, J. A, (1985) *The Rise and Fall of the Ethnic Revival*, Berlin, Mouton.

Floras, Augie, (1983) « Beyond the Mosaic : Minorities and the Media in a Multiracial / Multicultural Society », in *Communications in Canadian Society*, Benjamin D. Singer (dir.), Don Mills (Ont.), Addison-Wesley, p. 344-367.

Giles, H. (dir.), (1977) *Language, Ethnicity and Intergroup Relations*, Londres, Academic Press.

Giles, H. et B. Saint-Jacques (dir.), (1979) *Language and Ethnic Relations*, Oxford, Pergamon Press.

Goffman, Erving, (1991) *Les cadres de l'expérience*, trad. de l'anglais par I. Joseph avec M. Dartevelle et P. Joseph, Paris, Minuit.

Gutiérrez, Félix, (1985) *Minorities and Media : Diversity and the End of Mass Communication*, Beverly Hills, Sage Publications.

Hall, Edward Twitchell, (1966) *The Hidden Dimension*, Garden City (N.Y.), Doubleway.

————, (1979) *Au-delà de la culture*, trad. de l'américain par M.-H. Hatchuel avec le concours de Florence Graëve, Paris, Seuil, coll. « Points essais ».

Hall, Stuart, (1980) « Encoding/decoding », Center for Contemporary Cultural Studies, Stencilled Paper, n° 7, p. 128-139.

Husband, Charles, (1985) « Mass Media, Communication Policy and Ethnic Minorities : An Appraisal of Current Theory and Practice », in *Mass Media and the Minorities*, Unesco, bureau régional pour l'éducation en Asie et dans le Pacifique, p. 1-38.

Husband, C. et J. M. Chouhan, (1985) « Local Radio in the Communication Environment of Ethic Minorities in Britain », in *Discourse and Communication*, Teun A. van Dijk (dir.), Berlin, Walter de Gruyter.

Jones, M. et J. Dungey, (1983) *Ethnic Minorities and Television*, Center for Mass Communication Research, University of Leicester.

Kang, Hyeon-Dew, (1991) « Mass Media and Government », in *Media Culture in Korea*, Séoul, Séoul National University Press, coll. « The Institute of Social Sciences Korean Studies », p. 131-188.

Katz, Elihu, (1981) « Cultural Continuity and Change : Role of Media », in *Mass Media and Social Change*, Elihu Katz et Tamás Szecskő (dir.), Londres Et Beverly Hills (Calif.), Sage Publications, p. 65-81.

Kim, Jin-keon, (1980) « Explaning Acculturation in a Communication Framework : An Empirical Test », *Communication Monographs*, vol. XLVII, n° 3, p. 155-179.

Kim, Young-yun, (1987) « Facilitating Immigrant Adaptation : The Role of Communication and Interpersonalties », in *Communication Social Support : Process in Context*, Terrance C. Albrecht et Mara B. Adelman (dir.), Newbury Park (Calif.), Sage Publications.

————, (1988) *Communication and Cross-cultural Adaptation : An Integrative, Theory*, Clevedon et Philadelphia, Multilingual Matters, coll. « Intercommunication ».

Korea Times, (1999), <http://www.koreatimes.net/pa7/99071661.html>, 14 juillet.

Langlais, J., P. Laplante et L. Joseph (dir.) (1990), *Le Québec de demain et les communautés*, Paris, Le Méridien.

Lee, Dongshin (1984), « Mass Media and Political Socialization of Immigrants », thèse de doctorat, University of Iowa, Ann Arbor (Mich.), University Microfilm International.

Lorot, P. et T. Schwob (1986), *Singapour, Taiwan, Hong Kong, Corée du Sud, les nouveaux conquérants ?*, Paris, Hatier.

MAIICC (Ministère des Affaires internationales, de l'Immigration et des Communautés culturelles) (1995), *Rapport annuel 1993-1994*, Québec, Publications du Québec.

MCCI (Ministère des Communautés Culturelles et de l'Immigration) (1990a), *L'intégration des immigrants et des Québécois des communautés culturelles : document de réflexion et d'orientation*, Québec, Publications du Québec.

———— (1990b), *Au Québec pour bâtir ensemble : énoncé politique en matière d'immigration et d'intégration*, Québec, Publications du Québec.

———— (1990c), *Consultation sur les niveaux d'immigration : détermination des niveaux d'immigration pour le Québec en 1990 Antécédents et considérations (1)*, Québec, Publications du Québec.

———— (1990d), *Consultation sur les niveaux d'immigration : le cadre administratif et les aspects légaux et réglementaires de l'immigration au Québec (2)*, Québec, Publications du Québec.

———— (1990e), *Consultation sur les niveaux d'immigration : le mouvement d'immigration au Québec depuis 1980 (3)*, Québec, Publications du Québec.

———— (1990f), *Entente Canada-Québec concernant les immigrants investisseurs. Texte législatif*, Québec, Publications du Québec.

———— (1990g), *Profil de la population immigrée recensée au Québec en 1986.* Rapport Gagnon pour « Au Québec pour bâtir ensemble : énoncé de politique en matière d'immigration et d'intégration », Québec, Publications du Québec.

———— (1991a), *Rapport annuel 1989-1990*, Québec, Publications du Québec.

———— (1991b), *Recueil des lois et règlements du ministre des communautés culturelles et de l'immigration (1991. 6.19.)*, Québec, Publications du Québec.

———— (1992), *Au pluriel. Bulletin de liaison à l'intention des partenaires du MCCI*, vol. I, Québec, Publications du Québec.

MCCI, Direction des communications (1999), *Bienvenue au Québec : guide à l'intention des nouveaux résidents*, Québec, Publications du Québec.

MRCI (Ministère des Relations avec les citoyens et de l'Immigration) (1999), *Statistiques sur l'immigration au Québec*, Québec, Publications du Québec.

Min, Pyong-gap (1990), « Problem of Korean Immigrant Enterpreneurs », *International Migration Review*, vol. XXIV, n° 3, p. 436-455.

Pang, Jung-Bae 방정배 (1991), *Hankuk ŏnlon kaehyŏklon* 한국언론개혁 [Réforme du journalisme en Corée], Séoul, Nanam.

Pezeu-Massabuau, Jacques (1981), *La Corée*, Paris, Presses Universitaires de France, coll. « Que sais-je ? ».

Ravault, René-Jean (1986), « Défense de l'identité culturelle par les réseaux traditionnels de coerséduction », *International Political Science Review*, vol. VII, n° 3, p. 251-280.

——— (1990), « La communicologie, discipline hyper-révolutionnaire ou ultra-conservatrice ? », in *Technologies et symboliques de la communication*, L. Sfez et G. Coutlée (dir.), Grenoble, Presses Universitaires de Grenoble, p. 53-64.

——— (1991), « Le paradoxe de l'identité culturelle francophone dans les médias nord-américains », texte présenté au colloque *Médias francophones hors québec et identité culturelle*, Québec.

Rogel, Jean-Pierre (1989), *Le défi de l'immigration*, Québec : Institut québécois de recherche sur la culture, coll. « Diagnostic ».

Rogers, Evrette M. (1976), *Communication and Developpement : Critical Perspectives*, Beverly Hills, Sage Publications, coll. « Sage Contemporary Social Science Issues ».

Ryu, Jung-shig (1980), « Media Functions among Minorities : A Comparative Analysis of Media Uses », communication presentée au colloque de l'Association for Education in Journalism, Boston.

Saifullah Khan, V. (1982), « The Role of the Culture of Dominance in Structuring the Experience of Ethnic Minorities », in *Race in Britain : Continuity and Change*, Londres, Hutchinson.

Samovar, Larry A., Richard E. Porter et Nemi C. Jain (1981), *Understanding Intercultural Communication*, Belmont (Calif.), Wadsworth.

Selltiz, C., J. R. Christ, J. Havel *et al.* (1963), *Attitudes and Social Relations of Foreign Students in the United States*, Minneapolis, University of Minnesota Press.

Statistique Canada (1989), *Recensement Canada 1986 : profil des groupes ethniques*, Catalogue n° 93-154, Ottawa, Approvisionnement et Services Canada.

——— (1990), « Profils des minorités visibles et des autochtones : Coréens tels que définis, par l'équité en matière d'emploi (1). Recensement de 1986 — données-échantillon (20%). Analyse du janvier 1990 », Ottawa, Approvisionnement et Services Canada, 1990.

Song, Byung-Nak (1990), *The Rise of the Korean Economy*, Hong Kong, Oxford University Press.

Thayer, Lee. (1968), *Communication and Communication Systems*, Homewood (Ill.) Irwin.

Yim, Seong-Sook (1992), « Problèmes de la communication interculturelle : immigrants coréens », texte présenté au colloque de l'Association canadienne des communications, Charlottetown (PEI).

———— (1994), « Perception et la communication interculturelle : cas des immigrants coréens », texte présenté au Premier colloque international Corée-Québec. Montréal.

Yim, Seong-Sook, et Joseph H. Chung (1993), *Initiation à la société québécoise pour un immigrant / Québec iminsaenguahle philyohan chungpo*, Guide d'information en français et coréen, Montréal, Communauté coréenne du Grand Montréal.

Éléments du code culturel coréen

ÉTUDE DES RELIGIONS ET DES CULTES DE LA CORÉE ANCIENNE

Yoo Junghwan

L'école sémiotique de l'anthropologie contemporaine définit la culture comme le système de significations que partage l'ensemble des membres d'une société et qu'ils utilisent dans leurs relations et interactions pour communiquer, perpétuer et développer leurs connaissances et attitudes à l'égard de l'existence. Et le code culturel, clef de ce système de significations, s'articule à partir de la vision du monde qu'offre le système de croyance d'une société. En vue de dégager les éléments constitutifs du code culturel coréen, le présent texte analyse les croyances et les religions de la Corée ancienne, à savoir le chamanisme, creuset spirituel des Coréens et les trois religions importées de l'Empire chinois à l'époque des Trois Royaumes : le bouddhisme, le taoïsme et le confucianisme. Au terme de cette analyse, nous avons pu constater que le système de croyance coréen se caractérise par le syncrétisme, le sécularisme et l'anthropocentrisme et que l'anthropologie coréenne définit l'homme comme un être relationnel, familial et affectif.

IL EST GÉNÉRALEMENT ADMIS que la religion est à même de donner des réponses aux préoccupations métaphysiques fondamentales de l'être humain : qu'il s'agisse du rapport entre l'humain et le divin, l'humain et le naturel, l'existence et la mort, le monde sensible et le monde transcendantal. Toutes ces interrogations constituent pour une bonne part le fondement de l'éthique et de la morale et fondent une vision de monde où s'élabore une conception de l'existence humaine et de sa signification[1]. De ces éléments, qui apparaissent dans les analyses appliquées aux religions d'un peuple ou d'un pays, on peut dessiner un code culturel susceptible de maintes interprétations et explications.

Un observateur étranger sera évidemment frappé par la pluralité de croyances qui s'exprime au sein d'une population caractérisée par son homogénéité ethnique. Aujourd'hui, églises, temples protestants et même quelques mosquées côtoient les sanctuaires confucéens et les temples bouddhistes, exprimant ainsi une coexistence harmonieuse riche d'une

---

1. R. Robertson *et al.*, *Sociology of Religions*, New York, Penguin Education, 1978, p. 11–16.

longue histoire. Toutefois, il convient de noter qu'à certaines périodes, telle ou telle religion a su prendre le pas sur ses rivales sans pour autant remettre en question cette cohabitation spirituelle. Au terme d'un paradoxe plein d'enseignement, un même individu a pu le matin pratiquer ses dévotions à l'église ou au temple et le soir rendre hommage à sa famille dans le cadre des cérémonies propres au culte des ancêtres. Ce pluralisme et cet esprit de tolérance présupposent un mouvement de syncrétisme entre les divers courants religieux apparus à l'époque de l'importation en Corée des grandes religions de la Chine.

À l'exception du christianisme introduit et propagé à partir des dernières décennies du royaume de Chosŏn, les religions et croyances traditionnelles coréennes n'avaient pas de références théologiques : le bouddhisme, croyance d'une religiosité parmi les plus élaborées, n'entendait pas construire une vision de la divinité chargée d'un contenu théologique aussi puissant que celui apparu dans les religions monothéistes. Pour ces raisons, les analyses portant sur les religions en Corée ne sauraient mettre en lumière une définition théologique des croyances religieuses à l'image de celle exprimée par Durkheim (notion essentielle de sacré) et faire apparaître une communauté morale baptisée « église[2] ». Dans cette perspective, la réalité religieuse coréenne, à l'instar du confucianisme — système éthique — ou du taoïsme — élaboration d'un art mystique de vivre — ne doit pas être conçue en termes théologiques et, à plus forte raison, dans une optique monothéiste.

Dans le cadre de nos réflexions, nous souhaitons donc adopter une vision ouverte de ces phénomènes en définissant la religion comme « un système de croyance qui donne le sens et la signification à la réalité ultime de l'existence humaine des croyants[3] ». Nous allons procéder, d'abord, à l'analyse du chamanisme, qui constitue le fond le plus ancien du système de croyances des Coréens et, ensuite, à celle des trois religions importées de la Chine dès l'époque des Trois Royaumes, pour identifier les éléments constitutifs du code culturel coréen.

2. E. Durkheim, *Les formes élémentaires de la vie religieuse*, Paris, P.U.F, 1968, p. 65.

3. R. Bellah, *Tokugawa Religion : The Values of Preindustrial Japan*, Glencore, Free Press, 1957, p. 6–7.

Culte autochtone : chamanisme

La « religion » la plus ancienne en Corée, comme dans d'autres pays d'Asie, se révèle être le chamanisme. Différentes formes de chamanisme sont apparues dans telle ou telle région du monde. Cependant, le chamanisme, dans son sens le plus pur, est né, selon Mircea Eliade, dans les steppes de Sibérie et les étendues désertiques de Mongolie[4]. Dans ces contrées reculées, pourvu d'une double fonction — celle de magicien et de prêtre — le chaman jouait un rôle central dans la société. Il était naturel que la Corée, située aux confins de ces régions, fût largement touchée par ces influences chamanistes dont le rayonnement perdure jusqu'à nos jours.

S'il a gardé des traces de ses origines mongoles et altaïques[5], le chamanisme coréen a créé ses propres spécificités nées, d'une part, du contact avec le sol coréen et, d'autre part, d'un dialogue syncrétique avec d'autres croyances apparues ultérieurement dans le creuset coréen. Sans entrer dans le détail de l'examen de ces spécificités, il conviendrait néanmoins d'en retracer les grands traits : le changement du rôle social du chamanisme en tant que croyance ; la domestication du culte ; la féminisation des pratiques.

Le chamanisme était à même de donner une explication cosmologique du lien intime tissé entre les trois mondes liés les uns aux autres : le monde céleste, le monde des morts et le monde d'ici-bas. Ce lien est symbolisé par la montagne et la rivière, lieux qui font l'objet d'une célébration spécifique dans les pratiques des chamans. En s'appuyant sur cette théorie, le pouvoir politique tirait sa légitimité à travers des mythes constitutifs de la fondation de dynasties[6]. Dans cette perspective, les fêtes et réunions religieuses ou spirituelles, comme Tongmaeng 동맹／ 東盟[7], assuraient la solidarité entre membres de la communauté et également la prospérité du royaume en accordant une place prépondérante aux cultes naturalistes évoqués précédemment.

Parallèlement, le chamanisme s'est transformé en moyen d'implorer des divinités la santé, la longue vie, la fortune et le bonheur des membres d'une famille. Cette dimension invocatrice du chamanisme s'est tellement

4. M. Eliade, *Shamanism*, New York, Bolligen Foundation, 1964, p. 4.

5. Ch. Haguenauer, *Origines de la civilisation japonaise*, Paris, Imprimerie nationale, 1956, p. 178–179.

6. Chumong, fondateur du royaume de Koguryŏ qui est né, selon la légende, d'une union du fils du dieu céleste et de la fille de la divinité de l'eau. On peut citer aussi le mythe concernant la naissance de Hyŏkgŏse, fondateur du royaume de Silla.

7. Li Ogg, *La Corée : des origines à nos jours*, Paris, Léopard d'Or, 1989, p. 50.

développée que l'imploration se pratique auprès de chacune des divinités dont le rôle protecteur se définit précisément : « pour la maison *sŏnju* 선주, pour le sol *t'ŏju* 터주, pour la longévité et les céréales *chesŏk* 제석, pour la cuisine et la nourriture *chohwang* 조왕, pour la fortune de la famille *ŏpwi* 업위, pour la récolte *nongsin* 농신, pour la naissance *samsin* 삼신, etc.[8] ».

Quant au phénomène de domestication, le chaman des temps jadis assurait une fonction de conseiller du prince sur les questions de croyance, assumant surtout la communication avec les deux mondes extra-terrestres. De nos jours, les *mudang* 무당[9], chamans, sont invitées chez les gens à organiser le *gut* 굿, la séance, afin de présenter une prière. Cependant, en cas de problèmes pour le paiement des services d'un *mudang*, ou bien lorsque l'objet de la prière est secondaire, il est couramment admis que ce soit le membre féminin le plus âgé d'une famille qui assume cette charge. Ainsi, le chamanisme joue un rôle essentiel au cœur de la vie familiale. Dans cette perspective, la féminisation du chamanisme s'est largement développée. On peut peut-être voir là une explication partielle de la coexistence du chamanisme avec une idéologie particulièrement rigoureuse, le confucianisme, philosophie faite par et pour le sexe masculin. À ce stade, il nous importe de mettre l'accent sur les influences exercées par ce chamanisme sur la pensée et le vécu des Coréens depuis des millénaires en ayant conscience des difficultés certaines de la démarche : en effet, ce chamanisme originel a connu un certain affadissement, a subi des transformations nées de sa rencontre avec des croyances différentes, au sein d'un système de pensée syncrétique. Aussi faut-il constater que nous ne disposons pas pour le chamanisme d'un corpus de textes cohérents à même d'établir des bases irréfutables dans la perspective d'une étude scientifique. En revanche, la tradition orale, perpétuée sous la forme de pratiques culturelles ou folkloriques[10], dessine une trame sur laquelle, faute d'éléments plus solides, nous sommes contraints de développer nos analyses.

Conscient de cet état des choses, nous réclamerons compréhension et indulgence de nos lecteurs, en nous appuyant toutefois sur une référence

---

8. *Ibid.*, p. 282.

9. Aujourd'hui les *mudang* 무당 [chamans] sont des femmes et les *Paksu mudang* 박수무당 [chamans masculins] sont très rares.

10. Pour les études folkloriques sur le chamanisme coréen, voir A. Guillemoz, *Les algues, les anciens, les dieux*, Paris, Léopard d'Or, 1983.

incontestée : Hahm Pyong-Choon dont les travaux ont fait largement progresser notre compréhension de la conception chamaniste du monde[11].

Un monde sans dieu

Dans la vision du monde, « *Weltanschauung* », chamaniste, la divinité n'apparaît ni au centre, ni comme centre de l'univers[12] : il n'existe pas de divinité transcendantale, abstraite, omnipotente à même de donner une signification à l'être humain ou un ordre à l'univers en tant que principe unificateur. Dans ces conditions, la vie humaine ne connaît ni point d'origine assigné, ni fin dernière : l'histoire n'est pas conçue comme une série d'étapes vers une eschatologie de la perfection humaine.

Au sein de l'univers chamaniste, l'homme existe comme une partie essentielle de l'ordre naturel, ce qui interdit d'envisager une nature hors de l'homme et un homme hors de la nature[13]. Dans la mesure où la nature perdure hors de toute temporalité, la naissance et la mort perdent leurs caractéristiques de départ et d'arrivée, catégories opératoires dans une dimension eschatologique de l'histoire. L'homme chamaniste, en situation d'équilibre par rapport aux forces naturelles dont il est issu, ne saurait éprouver une crainte quelconque d'être nié ou annihilé par son environnement. Parallèlement, il n'éprouve en aucune manière de désir de conquête ou de domination sur celui-ci. En dernière instance, l'homme chamaniste n'est pas en mesure de constituer devant ses yeux un objet de respect ou de vénération auquel il doit absolument rendre hommage : il incarne une interdépendance. Pour l'homme chamaniste, l'équilibre avec l'ordre naturel reste une préoccupation essentielle et primordiale. Par essence, il dépend d'une « humanisation » de l'homme capable de conserver son « caractère humain » donc sa spécificité[14]. L'absence d'appel divin vers une perfection supra-humaine laisse à l'homme chamaniste une référence unique : lui-même. Une vie pleine ne saurait se réaliser qu'ici et maintenant, loin de toute prétention à la transcendance.

Qu'en est-il de la vision de l'homme à l'œuvre chez les chamanistes ? On observera une discrimination entre les diverses composantes de la nature humaine, présentant toutefois un système partiel de distinctions

11. Hahm Pyong-Choon, « Shamanism : Foudation of the Korean World View » et « Religions and Law in Korea », in *Korean Jurisprudence, Politics and Culture*, Hahm Pyong-Choon, Séoul, Yonsei University Press, 1986, respectivement p. 318-345 et p. 152-179.

12. *Ibid.*, p. 318.

13. *Ibid.*, p. 319.

14. *Ibid.*, p. 324.

entre plusieurs principes dont l'intelligence, la sagesse, la logique, la raison, le sentiment, l'émotion, le désir et l'instinct. L'ensemble de ces attributs les assimile à des essences égales constitutives d'une nature humaine. Les hiérarchisations ou catégories morales dépréciatives sont des conceptualisations inopérantes dans un tel univers mental qui récuse les dichotomies âme/corps, raison/sentiment, volonté/désir, échos de la volonté divine et fruits du péché originel. L'homme dans sa plénitude vise essentiellement à une perfection de son humanité, à travers l'affirmation exacerbée des catégories présentées ici.

Ego, altérité, intersubjectivité

Dans ses rapports avec la nature, l'homme chamaniste s'est perçu dans une relation de complémentarité avec celle-ci et cette dimension de complémentarité réapparaît dans le dialogue entre ego et autrui. Cette perception interdit, à l'évidence, toute forme de personnalité privée de rapport avec les autres. Il s'agit ici d'un mode d'être où les consciences se mêlent dans un « emboîtement » visant un partage sous la forme d'une rencontre des subjectivités. Dans cette optique, les relations interpersonnelles prennent le pas sur l'affirmation d'un ego indépendant et autonome. Parmi celles-ci, on retiendra les liens de sang – rapports de parenté au sens large du terme. Ces liens permettant à l'homme chamaniste d'assurer son immortalité, dans la mesure où ils représentent l'extension de son existence, sa lignée lui vaudrait la vie elle-même. Aussi l'enfant porte-t-il une signification renforcée et quasi religieuse chez l'homme chamaniste : l'enfant incarne en effet la lignée en réaffirmant et en revitalisant l'existence de ses parents et de ses ancêtres[15]. L'enfant constitue une partie de ses parents et réciproquement, d'où un phénomène d'intersubjectivité quasi biologique.

Dans la structure familiale chamaniste, le *chŏng* 정/ 情 [affection[16]] fondé sur cette intersubjectivité s'apprend depuis la naissance de l'enfant par la permanence d'une présence parentale tout près de lui et par le contact physique donc chaleureux de tous les membres de la famille. À l'évidence, la mère est le premier vecteur de propagation de cet échange physique, sans pour autant que le père et d'autres membres de la famille

---

15. *Ibid*, p. 322.

16. Le *chŏng* 정 est un terme difficile à traduire dans une pensée occidentale. C'est un ensemble de sentiments que l'on éprouve, au bout d'une certaine durée, dans une relation interpersonnelle. Il comporte donc des sentiments positifs, tels, l'amour ou le sacrifice, mais aussi des sentiments négatifs telles la haine et la jalousie.

ne soient exclus de cette relation privilégiée et essentielle. Cette situation implique des effets positifs, en particulier la complémentarité avec un environnement affectif et chaleureux qui préfigure les relations futures de cet enfant avec la nature et le monde.

En la matière, le modèle occidental de la formation de la personnalité, c'est-à-dire la socialisation avec ses présupposés — dialectique de la tension entre les ego, affirmation d'une autonomie formatrice de la personnalité — ne s'appliquera en aucune manière à l'éducation chamaniste[17]. Jusqu'à l'âge de la puberté, l'enfant partage la même chambre que ses parents et ses frères et sœurs avec des contacts physiques d'affection. Ce qui exclut, par essence, toute insinuation à caractère sexuel : Œdipe est inconnu. Il semblerait donc que cet état de dépendance, maintenu vis-à-vis des enfants même à l'âge de raison, soit à la base du système. Mais il n'en est rien, si l'on considère que la notion même de dépendance ne saurait prendre sa signification qu'à travers une dialectique de la soumission entre deux êtres autonomes.

Dans le foyer chamaniste sont affirmées les notions d'intersubjectivité, d'interdépendance et de continuum existentiel entre membres. À l'inverse, l'autonomie impliquerait indifférence et froideur inhumaines, comportements rejetés par la conception du monde chamaniste. Ces conceptions interpersonnelles n'impliquent évidemment pas une « fusion des ego ». La subjectivité partagée représente, selon la formule de Hahm Pyong-Choon, la rencontre de deux personnes qui font « plus qu'une mais moins que deux personnes[18] ». Le cadre familial apparaît primordial dans l'expression de ce mode d'être dont la clef est représentée par le « *chŏng* » ou affection. Aussi un homme sans famille est perçu comme un individu perdu dont l'humanité est discutable.

Temporalité et vicissitudes

Pour l'homme chamaniste qui postule un continuum existentiel dans la notion même de lignée, le temps est conçu comme une continuité qui traverse le passé et le présent pour atteindre le futur. Comme hier fait partie d'aujourd'hui, demain n'est pas un autre jour, mais un présent potentiel, contenu en puissance dans la réalité du quotidien. Le temps existait toujours comme un rythme de la force présente dans la nature et il existera encore jusqu'à la fin des temps. Cette réflexion métaphysique sur la temporalité induit par essence une indifférenciation entre les phases

17. Hahm Pyong-Choon, « Shamanism : Foundation of the Korean World View », *loc. cit.*, p. 323.
18. *Ibid.*

temporelles : le futur ne saurait être apprécié dans une projection spécifique de l'ego. C'est la notion même d'historicité qui se voit condamnée par ces perceptions, comment en effet penser l'histoire dans un retour éternel de l'identique ? Ce principe théorique trouve un champ d'application dans les comportements eux-mêmes : créativité et inventivité sont de fait bannies. Aux yeux de l'homme chamaniste, il n'existera donc pas de dichotomie tranchée entre progrès et régression, développement et décadence, nouveau et ancien.

L'absence de *Theos*, organisateur de l'univers, de divinité démiurge à même de tracer une ligne de partage entre le Bien et le Mal interdit un jugement de valeur dualiste porteur d'une morale tranchée[19]. Toute réalité, sur le plan temporel et d'un point de vue éthique, est indifférente : tant qu'il n'y aura ni amélioration ni détérioration, il n'y aura que des vicissitudes. L'homme chamaniste est de ce fait soumis à un jugement circonstanciel, eu égard à cette « *epokhê* » [époque, littéralement « point d'arrêt »] des valeurs à l'œuvre dans son rapport au monde. En outre, la disparition d'une divinité pourvue d'un don de grâce efficiente renvoie l'homme chamaniste à une autonomie dans l'acquisition et la jouissance des biens matériels dont il reste le seul maître et dispensateur, qu'il s'agisse de vie, de liberté ou de propriété.

Par-delà le bien et le mal : la justice chamaniste

À partir des réflexions esquissées, il convient maintenant de souligner que l'homme chamaniste poursuit, dans ses rapports avec la nature, dans les relations interpersonnelles ou dans son ascèse de soi-même, une finalité unique : affirmer une humanité heureuse. Cette valeur-là, par excellence, détermine le critère de validité séparant le bien du mal, hors de toute inhibition dictée par un dieu démiurge, producteur de vérité. Ces comportements trouvent leur point d'origine dans le champ des relations interpersonnelles : le « *chŏng* » permet à l'être humain de nouer avec ses semblables un tissu de rapports intersubjectifs frappés du sceau de l'intimité. Les relations nées du processus de « *chŏng* » ne peuvent être que foncièrement émotionnelles. Les comportements purement rationnels sont le plus souvent perçus comme étrangers et même nuisibles.

Il serait pour autant hasardeux d'estimer que l'homme chamaniste est privé de toute capacité de raisonnement, ou d'appréciation objective d'une situation ou d'une relation. Le critère du jugement éthique est identique à l'humanité : les catégories abstraites et universelles, donc rationnelles, cèdent le pas à des considérations tangibles, particularistes et adaptées aux

---

19. *Ibid.,* p. 333.

circonstances[20]. Ainsi, le vol, le mensonge et la violence, étant des crimes universellement punis dans d'autres cultures sont susceptibles d'un pardon, voire même d'un éloge, si l'intention qui a présidé à ces méfaits manifeste de la bienveillance à l'endroit des victimes ou des tiers. Cette perception a eu pour effet de créer des conditions d'équilibre social, à travers le tissage de rapports d'intersubjectivité, éliminant, dans une certaine mesure, les risques de causer du tort à autrui qui est partiellement perçu comme son double.

Les religions importées, pourvues d'une doctrine plus élaborées ont posé des problèmes à cette tradition chamaniste. Le bouddhisme, à l'époque de Koryŏ, et le néo-confucianisme, à l'époque de Chosŏn, ont persécuté ces croyances chamanistes et ceux qui y adhéraient. Le discrédit porté à leur endroit était si fort que les chamans ont subi une dégradation sociale, les mettant au rang des bouchers, des prostituées et des histrions qui constituaient la lie de la société coréenne. Affrontant les persécutions acharnées, le chamanisme s'est pourtant maintenu comme une croyance populaire qui est encore vivace aujourd'hui en Corée. Les élites de Koryŏ et de Chosŏn, malgré leur dénégation, ont fait appel au besoin à l'intervention du chaman[21], dont la vision cohérente du monde ne peut se réduire à de simples pratiques folkloriques.

En conclusion, il reste essentiel d'affirmer que le chamanisme constitue une clef interprétative fondamentale pour comprendre la culture coréenne actuelle, que son influence, même souterraine, a produit des modèles de raisonnement et de comportement irréductibles à une analyse de type occidental.

Religions importées de Chine : bouddhisme, taoïsme, confucianisme

Constituant le trépied des religions étrangères, le bouddhisme, le taoïsme et le confucianisme ont tous été importés à l'époque des Trois Royaumes (du Ier siècle av. J.-C. au VIIe siècle de notre ère). Ces religions, qui caractérisaient une civilisation chinoise avancée, ont été, au départ, pratiquées par les élites coréennes avant d'être, par la suite, largement popularisées auprès de la masse coréenne. Avec leurs doctrines et concepts plus systématisés et plus élaborés, ces religions se sont élevées au-delà du rang de simples croyances pour accéder au statut de religion d'État.

20. *Ibid.*, p. 326–327.
21. Li Ogg, *op. cit.*, p. 188 et p. 282.

Le bouddhisme a connu une ascension exceptionnelle dès le royaume de Silla (57 av. J.-C.–918 ap. J.-C.), et ce jusqu'au royaume de Koryŏ (918–1392), étendant ainsi son influence sur plus d'un millénaire. Le confucianisme, pour sa part, en prenant le relais du bouddhisme, s'est constitué en idéologie officielle et en philosophie dominante durant les cinq siècles du royaume de Chosŏn. Ainsi, ces religions importées ont pu entrer en conflit avec le chamanisme qui perdurait, mais sans que soit exclu un processus de syncrétisation et d'endogénisation dont les effets se sont manifestés sur plus d'un millénaire. Ce processus a permis l'émergence d'un creuset religieux où se sont fondus, sans exclusivité, les différents courants religieux évoqués précédemment. Cette coexistence et pluralité des différentes religions présupposent une adaptation des concepts et des croyances liées à chacune de ces religions et un mouvement de modification du terreau chamaniste.

Une étude scientifique de ce processus et de ces effets serait précieuse pour nos analyses. Toutefois, nous nous contenterons ici d'esquisser les moments historiques déterminants pour chacune de ces religions et l'impact de cette « fusion » sur le vécu et la pensée des Coréens.

Bouddhisme

Le bouddhisme apparaît en 342 de l'ère chrétienne dans le royaume de Koguryŏ (partie nord de la Corée), puis en 384 dans le royaume de Paekche et, finalement, il pénètre en 528 dans le royaume de Silla (partie méridionale de la Corée)[22]. Ce bouddhisme parvenu en Corée à travers une médiation chinoise a été largement transformé par ce contact. Il s'agit donc de l'obédience bouddhique du « grand véhicule », érigée, dans l'Empire du milieu, en une des idéologies protectrices de l'État[23]. Il trouvera d'ailleurs le meilleur accueil dans le royaume de Silla, au VIe siècle de notre ère, où il se constituera en religion dominante, symbolisée par le Dragon[24]. Cette influence sera telle que le royaume lui-même sera baptisé du nom de *Pulkuk* 불국/ 佛國 [pays des Bouddhas].[25] Durant les VIIIe et IXe siècles, après l'unification de la péninsule opérée par ce royaume, le

---

22. *Ibid.*, p. 52.

23. Suh Kyong-Soo, « *Pulkyomunhwa-ga hankukin-ŭi yunrigwan-e mich'in yŏnghyang* 불교문화가 한국인의 윤리관에 미친 영향 [Influence de la culture bouddhique sur la vision éthique des Coréens] », in *Hankuk sasang-gwa yunri* 한국사상과 윤리 [Pensée et éthique coréennes], Séoul, Ch'ongmunyŏn, 1980, p. 48–54.

24. Li Ogg, *op. cit.*, p. 148.

25. *Ibid.*, p. 137.

bouddhisme gagne le statut de religion d'État : du monarque jusqu'au plus humble paysan, les habitants de Silla ont professé le bouddhisme. Les monuments de cette époque portent encore la trace de cet engouement religieux, comme en témoignent les temples de Pulkuksa ou le sanctuaire de Sŏkgulam. Parallèlement, des bonzes au nom célèbre, tels Wonch'uk ou Hyech'o, ont illustré cette période pour les croyances bouddhiques.

Sur le plan de la théorie, deux écoles se sont différenciées : l'école de *Kyo* 교/ 教 mettait l'accent, pour sa part, sur les études de doctrine et les recherches textuelles, alors que l'école de *Sŏn* 禪 (*Tch'an/Chan* en chinois ; *Zen* en japonais), importée au IXᵉ siècle, accordait une importance prépondérante à la méditation. Si les croyances bouddhiques jouaient un rôle essentiel dans le renforcement du pouvoir et de la noblesse, elle n'en offrait pas moins aux classes dominées un exutoire à leur existence difficile. Porteur d'espérance et de salut après la mort, le bouddhisme offrait la possibilité d'échapper à sa condition cyclique pour parvenir à « *Chŏngt'o* 정토 / 淨土 [terre pure]»[26], et accéder au paradis bouddhique.

Le roi Wang Kŏn, fondateur du royaume de Koryŏ, légua à ses successeurs un ensemble de préceptes en dix articles nommé « *Hunyosipjo* 훈요십조/ 訓要拾條[27] », dont le premier stipulait la protection du bouddhisme par l'État. Il convient ici de souligner l'importance prise par le phénomène d'institutionnalisation du bouddhisme proclamé religion d'État : l'examen de recrutement des bonzes organisé régulièrement par le gouvernement était de très haut niveau. Il impliquait également un effort de hiérarchisation et d'organisation sur lequel reposait l'édifice bouddhique. C'est à cette époque que le maître Taegak, fils du roi Munjong, a activement employé ses efforts pour unifier conceptuellement les deux doctrines évoquées plus haut, celle de *Kyo* et celle de *Sŏn*[28].

Pour résumer notre propos, nous remarquerons que les caractéristiques du bouddhisme, à l'époque de Koryŏ, apparaissent pleinement dans la fabrication des *Tripitaka Koreana* destinée à écarter le péril des invasions étrangères. On soulignera à travers ces manifestations le caractère apotropaïque du bouddhisme de Koryŏ et sa dimension séculière : les habitants de Koryŏ, se distinguant ici de leurs prédécesseurs de Silla, attendaient du bouddhisme la félicité tangible dans le monde d'ici-bas « à savoir, la prospérité de l'État, le bonheur durable pour la famille, une bonne récolte, la protection contre les calamités naturelles et autres »[29].

26. *Ibid*, p. 139.
27. *Ibid*, p. 154.
28. *Ibid*, p. 183.
29. *Ibid*, p. 181.

Cependant, des failles se profilent déjà dans cet univers. Le comportement des bonzes, dicté le plus souvent par des motifs matériels et des ambitions politiques, est largement critiqué par leurs rivaux, les confucianistes qui occupaient des postes dans l'administration séculière. En outre, le désir affiché par les bonzes de contrôler la terre les a conduits à manipuler à leur profit exclusif les théories géomanciennes, propositions hétérodoxes par rapport aux canons bouddhiques. En la matière, il convient d'esquisser un rapprochement avec les critiques portées et à la fin du Moyen Âge, à l'encontre de certains religieux décriés pour leur ambition et leur cupidité (cf. la théorie des indulgences et ses détracteurs). Paradoxalement, la Réforme, au sens occidental du terme, n'a pas lieu en Corée : ne pouvant se modifier par lui-même, le système a été renversé par une nouvelle élite dont l'idéologie était le néoconfucianisme.

Après la fondation du royaume de Chosŏn, Yi Sŏng-gye ordonna deux mesures qui furent fatales au bouddhisme : confiscation des biens appartenant aux temples et levée d'un impôt lié au choix d'une carrière dans le clergé bouddhique [toch'ŏp 도첩/ 度牒][30]. Pendant cinq siècles, le bouddhisme a connu en Corée une éclipse presque totale avec quelques rares moments de rétablissement, favorisés par le roi Sejo ou la reine douairière Munjong. Cette quasi-disparition entraîna les moines vers les montagnes, lieu privilégié de l'exil. En outre, ce fléchissement impliqua que les pratiques bouddhiques elles-mêmes ont été confondues avec les rites divinatoires des mudang ou des maîtres taoïstes. Pour conclure, on peut s'interroger sur les raisons profondes de la mutation du bouddhisme en Corée : capacité fondamentale de celui-ci à s'adapter au milieu ambiant ou existence d'un creuset coréen à même de transformer à son profit tous les systèmes de croyance ?

Il est à souligner que le bouddhisme, malgré tous ses avatars, a laissé une marque indélébile dans les croyances des Coréens. Le bouddhisme y occupe une place prépondérante en termes de « religiosité » : il présente une « communauté morale », au sens de Durkheim, composée d'un groupe ecclésiastique et pourvue d'une structure élaborée de vie monastique. Sur le plan doctrinal, le bouddhisme préconise un salut individuel avec une prise de connaissance radicale du caractère tragique de la condition humaine et présente un code universel d'éthique adaptée à l'ensemble des individus aux prises avec la même situation existentielle de souffrance.

Le bouddhisme développe également une conception métaphysique de l'au-delà où le comportement adopté par l'homme dans le monde visible

---

30. *Ibid*, p. 278.

aura des conséquences inéluctables pour le traitement qu'il recevra dans l'autre monde. Selon le bouddhisme, la vie humaine consiste en une étape, en un passage, au sein d'un cycle de la transmigration des âmes[31]. Cette étape terrestre fait apparaître les « cent huit soucis » et la souffrance perdurera pour l'éternité. Pour échapper à ce cycle, sorte de cercle vicieux, et atteindre la béatitude, il est nécessaire d'instaurer une rupture totale avec toutes les formes de son ego : le nirvana[32], le salut bouddhique, naîtra de la négation de soi. Ce salut, toutefois, ne s'apparente pas à une grâce de nature divine, mais se gagne grâce à la compréhension, à l'intellection poussée au prix d'un effort et d'une ascèse rigoureux et continus. Ainsi définie, cette doctrine se heurte à plusieurs points essentiels à la *Weltan-schauung* chamaniste : vision pessimiste de l'existence et optimisme, individualisme dans la tension vers le salut et la félicité familiale, éthique universelle et jugement de valeur particulariste.

L'existence humaine pensée par le bouddhisme est remplie de souffrances, Bouddha a cité cinq « *skandas* [source des souffrances] » : le corps, les sens, les idées, l'émotion et la conscience[33]. La perspective bouddhique exprime un désir de rompre avec ces puissances malignes qui sont au cœur de la démarche chamaniste vers la vie pleine. La seconde discordance que l'on notera entre ces deux écoles de pensée est la suivante : individualisme bouddhique en matière de salut et « familia-lisme », cadre par excellence de « *l'Eudaimonia* » chamaniste. Enfin, on percevra dans les deux doctrines un traitement radicalement différent de la condition humaine : le bouddhisme offre une universalité du système éthique pour transcender la condition humaine, le chamanisme prévoit toujours l'existence de jugement éthique, *hic et nunc*. Par son passage en Chine, la doctrine de Bouddha a emprunté aux conceptions chinoises un certain caractère séculier (lien étroit avec l'État[34]) qui a largement influencé les attitudes coréennes.

Dans le dialogue avec le chamanisme et le confucianisme, tous deux très marqués par la dimension familiale, le bouddhisme a abandonné une part non négligeable de sa dimension métaphysique. Cet aspect-là a néanmoins été conservé dans sa pureté originelle par les bonzes retirés dans le secret des montagnes et celui de leurs méditations. Parallèlement, un bouddhisme séculier, principe organisateur de la vie d'ici-bas, côtoie le

31. Fung Yu-Lan, *Chungkuk ch'ulhaksa* [Histoire de la philosophie chinoise], Séoul, Hyŏngsŏl ch'ulp'ansa, 1989, p. 305-307.

32. Hahm Pyong-Choon, « Religions and Law in Korea », *loc. cit.*, p. 166.

33. *Ibid.*

34. Suh Kyong-Soo, *op. cit.*, p. 48-54.

chamanisme, le taoïsme et le confucianisme dans le vécu et dans la pensée des Coréens.

Taoïsme

Aux yeux de certains commentateurs, le taoïsme passerait pour la philosophie la plus forte de l'espace culturel et idéologique chinois. Son influence aurait largement imprégné l'univers institutionnel de l'Empire du milieu au-delà même de celle exercée par le confucianisme[35]. Au moment de son introduction dans la Corée des Trois Royaumes, le taoïsme a assimilé de manière significative un certain nombre d'aspects doctrinaux du bouddhisme[36] et de croyances autochtones chinoises. Il convient de souligner encore ici l'extrême plasticité du taoïsme en matière de dogmes religieux peu affirmés. Cette ouverture même aux croyances locales a sans aucun doute favorisé sa diffusion au sein d'une population coréenne déjà habituée à un syncrétisme religieux et philosophique.

La Corée chamaniste et la Chine polythéiste ont su développer sur ces bases un dialogue serein à travers les pratiques taoïstes. Le *Tao* 道 [voie de la réalité ultime][37], présuppose dans sa démarche une tension vers un pouvoir suprahumain, à même de maîtriser la force cosmique de la nature. La seule puissance de la volonté permettrait, dans une vision extraordinaire, de susciter des phénomènes extra- ou paranaturels et de mettre ainsi en lumière une puissance mentale peu commune (perception des objets éloignés de mille lieues, déplacement en une enjambée sur une grande distance, capacité de créer sa propre invisibilité). Toute cette anticipation suprasensorielle n'a pas de visée autre que séculière (santé, force, richesse, fécondité, etc.). La capacité d'un maître taoïste à contrôler l'éther cosmique et la faculté du chaman de communiquer avec les esprits et les morts visent le même résultat utilitaire : la félicité ici-bas.

Pour revenir au taoïsme, on remarquera que la dimension d'ascèse se révèle une condition préalable et nécessaire. Les implications de cette « discipline » sont légion : arts martiaux, astrologie, acupuncture et médecine surtout. Parallèlement, en tant que système philosophique, le taoïsme se fonde sur le *Yi jing* 易經 [Livre des mutations], ouvrage de base pour les théories géomanciennes[38].

---

35. Fung Yu-Lan, *op. cit.*, p. 46–48.
36. *Ibid.*, p. 318.
37. Hahm Pyong-Choon, « Religions and Law in Korea », *loc. cit.*, p. 159.
38. *Ibid.*, p. 160.

En la matière, le taoïsme s'est révélé utile pour la recherche de *Myŏngdang* 명당/ 明堂, emplacement opportun, symbole de la force de la terre, et a été profitable aux élites et même aux monarques. En effet, pour les classes dirigeantes confucianistes, le taoïsme n'apparaît pas comme une idéologie d'essence étrangère dans la mesure où il partage le même système d'explication de l'univers : le *Yi jŭng*. Sur cette base, le taoïsme pouvait entretenir un dialogue avec le confucianisme sur les mouvements des astres et le positionnement idéal des sites. En outre, le taoïsme était à même de partager avec le bouddhisme les méthodes d'ascèse et les mystères de l'anachorétisme. Enfin, dans le creuset chamaniste, par sa capacité d'ouverture, le taoïsme jouait parfaitement son rôle de catalyseur de croyances.

Confucianisme

Bien que la religiosité du confucianisme soulève encore de nombreuses interrogations, il est toutefois admis que le confucianisme tiendrait plus d'un système éthique que d'une religion *stricto sensu*.[39] À l'appui de cette analyse, nous citerons volontiers Reichauer et Fairbank : « le confucianisme [...] est une grande institution éthique qui prendrait la place des lois et de la religion en Occident[40]. » En outre, le confucianisme a connu des périodes de réforme dans la Chine des Song, à travers les influences exercées à son égard par le bouddhisme et l'adoption des principes du *Yi jŭng*, qui lui fournira l'armature de son système métaphysique[41]. Avant cette période de réforme entreprise par Zhu Xi/Tchou Hi (1130-1200), le confucianisme se réduisait à un discours sur l'éthique de la société et à un ensemble de propositions concernant l'ordre social et politique (en particulier, les institutions).

Toutefois, au sein même du confucianisme « première manière », on trouvera un effort poussé visant à attribuer des significations à l'existence humaine dans ses réalités ultimes. Cet effort est fondé sur les cinq principes cardinaux des relations humaines dont l'élément primordial est constitué par la piété filiale. En la matière, le culte des ancêtres, dont la piété filiale [*hyo* 효/ 孝] est le noyau dur, prend une dimension religieuse particulièrement marquée. Dans cette perspective, le confucianisme ne

---

39. S. N. Eisenstadt, « Cultural Tradition and Political Dynamics : the Origins and Modes of Ideological Politics », *British Journal of Sociology*, vol. XXXII, n° 2, juin 1981, p. 164.

40. E. Reichauer et J. Fairbank, *East Asia : The Great Tradition*, Boston, Houghton Mifflin, 1960, p. 30.

41. Fung Yu-Lan, *op. cit.*, p. 332-345.

pouvait-il pas apparaître comme la religion de la famille par excellence, dont le prêtre est le *pater familias* ? À travers les rites de dévotion aux ancêtres, la famille confucéenne implorait sa prospérité symbolisée essentiellement par des descendants mâles.

Historiquement, il semble difficile de dater avec précision l'émergence du processus d'importation du confucianisme et de fixer avec précision scientifique les modalités d'enracinement de ce courant de pensée en terre coréenne. Cependant, il est établi qu'en 372 a été fondé un institut national baptisé « *Taehak* 태학/ 太學 », copie d'un modèle chinois, dans le royaume de Koguryŏ, et qu'en 682 fut créé le « *Kukhak* 국학/ 國學[42] », autre institut national, dans le royaume de Silla, où étaient enseignés les classiques confucéens. L'utilité manifeste de ces instituts consistait dans leur capacité à apprendre aux futurs responsables politiques et administratifs du royaume les idéogrammes chinois, source de la connaissance, donc du pouvoir des élites confucéennes. En la matière, le système bureaucratique chinois, né d'une fusion des principes confucéens, légistes et taoïstes dans l'empire des Han, faisait l'objet, dès l'époque des Trois Royaumes, d'une émulation entre les cours et leurs courtisans, c'est-à-dire au sein des élites coréennes.

Ce système complètement importé a fait l'objet d'une coréanisation presque totale, avec l'installation de trois ministères [*sŏng* 성/ 省] et de six départements [*pu* 부/ 府] dans le royaume de Koryŏ. Ce processus, calqué sur le modèle chinois, trouvait son point d'achèvement dans le système de recrutement des responsables de la sphère politico-administrative de Koryŏ. À cet égard, il convient de souligner un phénomène significatif : la partition des tâches entre le spirituel et le séculier. À ce propos, le célèbre savant de l'époque, Ch'oe Sung-no, s'exprimait en ces termes : « le bouddhisme sert de base à la vie spirituelle, mais le confucianisme est celle pour l'administration du pays ; la pratique morale concerne l'au-delà et l'administration est une obligation à accomplir maintenant[43]. » Cette dichotomie ressemblerait en quelque sorte à la division du travail entre le pouvoir ecclésiastique et le pouvoir temporel de la fin du Moyen Âge en Occident, à cette exception près qu'au sein de royaume de Koryŏ, bouddhisme et confucianisme servaient tous les deux le monarque et l'État.

Il conviendrait également de remarquer un point significatif dans le recrutement des élites : une tentative d'introduire une dimension mérito-cratique dans la sélection aristocratique des fonctionnaires d'autorité. Cela

---

42. Li Ogg, *op. cit.*, p.135.
43. *Ibid.*, p. 177.

ne signifierait-il pas que dès cette époque s'ouvrait une possibilité d'élévation ou de progression sociale par les études au sein du confucianisme montant ?

La future élite confucéenne de la fin du royaume de Koryŏ a été façonnée dans ces institutions. Dès cette époque, des normes éthiques confucéennes, fondées surtout sur la piété filiale, avaient été déjà largement vulgarisées auprès du peuple coréen : le familialisme et l'accent mis sur les relations interpersonnelles, propres au confucianisme, s'adaptaient parfaitement aux conceptions autochtones chamanistes. En tant que système éthique et moral, le confucianisme s'est révélé une idéologie critique du bouddhisme décadent de la fin du Royaume de Koryŏ. Les confucéens de l'époque reprochaient au bouddhisme d'être « nuisible à l'État et à la morale », exprimant ainsi leurs désirs de « tuer tous ceux qui avaient la tête rasée[44] ».

À cette époque, le confucianisme a connu deux transformations significatives : l'importation du néoconfucianisme réformé par Zhu Xi/ Tchou Hi et le changement des épreuves de recrutement des hauts fonctionnaires. De célèbres lettrés, tels An Hyang, Paek I-jong, U T'ak et Yi Che-hyun, ont introduit un confucianisme rénové, porteur d'une métaphysique à même de le transformer en une vision du monde complète. Pour ce qui est de l'examen de recrutement, l'art de la composition en chinois a peu à peu été remplacé par une exigence de connaissance des classiques chinois eux-mêmes. Ainsi, la connaissance des idéogrammes chinois, vecteur nécessaire d'émulation avec la civilisation chinoise, a cédé le pas à l'assimilation du système de pensée, le confucianisme lui-même. Le confucianisme s'installe dès lors au cœur de la vie quotidienne des élites politico-administratives qui construisent maintenant dans leurs demeures un *kamyo* 가묘/ 家廟[45], temple familial pour célébrer le culte des ancêtres. Ces changements conduisent les élites à concevoir un renouveau politico-social qui va se concrétiser par le coup d'État perpétré par Yi Sŏng-gye, fondateur du royaume de Chosŏn. Cinq siècles de domination confucéenne sans partage pèseront désormais sur le vécu et la pensée des Coréens.

Éléments constitutifs du code culturel coréen

Les trois religions venues de Chine ont dû s'adapter, comme nous l'avons vu, à un milieu spirituel chamaniste déjà présent en Corée. Même si elles

44. *Ibid.*, p. 231.
45. *Ibid.*

présentaient des doctrines et des concepts plus sophistiqués, ces religions ont dû faire un important effort d'adaptation aux réalités du pays. Dans le cas du taoïsme comme dans celui du confucianisme, on constatera qu'ils n'ont dû affronter qu'une résistance assez limitée de la part des croyances autochtones. En revanche, les réactions d'hostilité furent plus marquées à l'égard du bouddhisme qui rencontra également une forte opposition des défenseurs du confucianisme. Cependant, ces trois religions importées ont forgé à travers des interactions avec le chamanisme autochtone durant deux millénaires la dimension spécifique des pratiques religieuses coréennes.

Malgré dix siècles d'un bouddhisme prédominant et cinq siècles d'un confucianisme oppressant, l'ensemble des religions et des croyances abordées ici perdure jusqu'à nos jours avec des influences qui se font sentir dans la pratique quotidienne. Il est difficile, sinon impossible, d'attribuer à telle ou telle religion une influence spécifique qui serait clairement assignable. Toutefois, quelques lignes de force mériteraient, en la matière, d'être esquissées : le syncrétisme, le sécularisme, l'anthropocentrisme.

Le syncrétisme

Dans nos trois religions importées et dans le chamanisme, l'on percevra aisément l'absence totale d'un « *Theos* » jaloux de son monopole sur la foi et la dévotion. Ce qui écarte d'emblée les inquisitions sous toutes leurs formes, qu'il s'agisse du christianisme ou de l'islam, avec leurs grands prêtres et leurs dogmes porteurs d'exclusion. Cet état de fait exclut également les phénomènes de conversion forcée ou de chasse aux hérétiques ou aux hétérodoxes.

Dans le cas du bouddhisme, pourvu d'un cadre de préceptes solides et de principes établis, un risque d'exclusion, dû à sa religiosité, ne risquerait-il pas d'être envisagé ? Paradoxalement, cette religiosité du bouddhisme lui aurait permis de s'adapter et de vivre avec les autres croyances dans un climat de bonne entente. Le bouddhisme présente une appréciation nihiliste de l'existence humaine et en même temps formule l'idée d'un salut dans la contemplation d'un au-delà impersonnel et purement métaphysique[46]. Dans une telle optique, il n'est pas envisageable de tracer des perspectives concernant l'ordre sensible du monde d'ici-bas. La mutation du bouddhisme au sein d'une Chine séculière a impliqué une resécularisation de cette religion provoquée par un double mouvement significatif : le pouvoir politique protégeait le bouddhisme qui, à son tour

46. S. N. Eisenstadt, *loc. cit.*, p. 168-170.

et en retour, lui fournissait une légitimité idéologique et politique beaucoup plus élaborée[47]. Ce processus de resécularisation réapparaît dans le Royaume de Koryŏ à travers la division des tâches avec un confucianisme par essence séculier.

Même si le bouddhisme choisit de se retirer dans les montagnes après les cinq siècles de répression de la part du confucianisme, la religiosité qu'il a sécrétée a été capable d'attirer des épouses de *yangban* 양반/ 兩班, élites lettrées coréennes, ou des opprimés avides de spiritualité dans un univers éthique figé et appauvri. La rigueur du système éthique confucéen aurait favorisé insensiblement le maintien du taoïsme et du chamanisme, tenus par les lettrés confucéens pour des croyances superstitieuses et archaïques. Ce mépris a eu un effet paradoxal : celui de laisser à la disposition des couches moins avancées un système de croyance méprisé des élites. Analysant le comportement religieux des Chinois, Kazantakis s'est exprimé en ces termes : « le rapport entretenu par les Chinois avec Dieu est de nature commercial ; donnez-moi quelque chose pour que je puisse vous rendre quelque chose[48]. » Si l'on pousse cette logique à l'extrême, le commerce avec Dieu serait plus satisfaisant si l'on diversifiait ses « partenaires » divins, pourvoyeurs de biens et de services. En la matière, le polythéisme chinois trouvera un écho favorable dans le chamanisme autochtone coréen, ouvert au syncrétisme religieux.

Le sécularisme

Deux mondes extraterrestres font l'objet d'un postulat dans la pensée chamaniste ; le monde potentiel qui ferait l'objet d'une activation par le *tao* est conçu par le taoïsme comme différent des réalités d'ici-bas ; aussi, dans le cas du confucianisme, conçu comme un système éthique séculier, la notion de ciel représente-t-elle un certain ordre transcendantal supérieur à celui d'ici-bas[49]. Cependant, dans le cas du chamanisme et du taoïsme, contrairement aux postulats avancés par les grandes religions, les mondes extraterrestres ou potentiels ne recèlent aucune dimension de supériorité qui les privilégierait par rapport au monde terrestre. Dans cette perspective, se substituant à un fondement du système éthique, ces mondes apparaissent comme des sources de puissance suprahumaine avec laquelle il serait envisageable de susciter des phénomènes para- ou supranaturels, dispensateurs de bien, de santé, de force, et de longévité.

47. Suh Kyong-Soo, *loc. cit.*, p. 48-54.

48. N. Kazantakis, *Japan, China*, New York, Simon & Schuster, 1963, p. 208.

49. S. N. Eisenstadt, *loc. cit.*, p. 166.

Dans le cas du confucianisme, qui postule la voie céleste comme principe de l'ordre transcendantal, on assiste à une confusion des deux chemins, l'humain et le céleste. Ainsi, le confucianisme relativise la qualité transcendantale du monde supraterrestre. Dans le cas du bouddhisme, qui qualifie l'existence humaine de néant, la dimension dépréciative attachée à l'ordre d'ici-bas aurait dû se heurter aux perceptions religieuses séculières des Coréens. Pourtant, la capacité paradoxale d'adaptation d'un bouddhisme, foncièrement orienté vers l'au-delà, a su établir un dialogue fructueux avec les conceptions du chamanisme coréen. Doué d'un pouvoir exceptionnel d'appropriation de réalités étrangères, le chamanisme a su digérer et retourner à son profit certains éléments du bouddhisme. Il en a résulté, tout d'abord, une transformation dans la conception du salut religieux : celui-ci devient alors le domaine « réservé » des bonzes qui parviennent à cette fin grâce à un ensemble de pratiques rituelles ascétiques.

Ensuite, en ce qui concerne les laïcs, depuis le prince jusqu'au plus humble de ses sujets, la miséricorde de Bouddha et la grâce des saints intercesseurs bouddhistes leur sont consentis, notamment grâce aux efforts des bonzes qui les amènent à bénéficier de leurs dévotions. L'accent porté sur l'extase plutôt que sur le salut, sur le monde d'ici-bas plutôt que sur l'au-delà, telles sont les composantes qui constituent le fond de l'expérience chamaniste. Sur ce terrain, l'on a pu concevoir que le bouddhisme, réputé pour ses visées métaphysiques, pût avoir une dimension assez marquée de sécularisme.

Anthropocentrisme

Sans *Theos* démiurge, sans principe transcendantal capable d'apporter à l'univers son sens et sa cohérence, le monde d'ici-bas est laissé à l'homme dans une maîtrise presque totale. L'homme se trouvera donc au centre des croyances et religions coréennes avec trois caractéristiques qu'il convient ici de présenter.

L'HOMME RELATIONNEL

La dimension relationnelle de l'homme est présente dans le terme sino-coréen employé pour désigner l'homme *inkan* 인간 / 人間 [littéralement, « entre les hommes »]. La vie humaine, dans cette optique, consiste en un processus où un individu noue des relations interpersonnelles et diversifiées avec les autres. La réussite ou l'échec dans cette construction relationnelle détermine le succès ou l'insuccès d'une vie humaine : la relation interpersonnelle est donc la mesure même du système de valeur dans un tel univers. L'absence d'eschatologie dans les croyances, à l'exception du bouddhisme, interdit toute forme de jugement dernier dans la psyché coréenne. En lieu et place de cette eschatologie individuelle, l'homme est jugé par ses semblables en fonction d'un critère quasi unique et essentiel : la qualité des relations entretenues avec autrui[50].

L'HOMME FAMILIAL

Pour l'homme coréen, la famille joue un rôle primordial dans deux directions : c'est dans le cadre de la famille qu'il apprend l'art de la construction et du maintien des relations interpersonnelles. Les contacts ininterrompus sous plusieurs modalités entre les membres d'une famille permettent l'expérience de l'intersubjectivité. D'autre part, la famille, avec sa lignée, lui permet d'étendre son existence et d'éprouver par là même un certain rapport avec l'éternité. C'est un cadre qui permettra de surmonter le caractère imparfait de la vie et d'accéder à son propre accomplissement. Il est permis ici d'envisager une question : le sécularisme des croyances et convictions coréennes aurait-il pu être expliqué sans référence à ce cadre de nature quasi religieuse ?

L'HOMME AFFECTIF

L'intersubjectivité que l'homme intériorise et éprouve dans le cadre familial génère le « *chŏng* », l'affection, le capital le plus précieux qu'il investit dans ses relations interpersonnelles. Cette affection comporte non seulement des composantes « positives », l'amour ou le sacrifice, mais également des composantes « négatives », la haine ou la jalousie. Mener une vie pleine consiste à maîtriser l'art du bon dosage de ces différents éléments du « *chŏng* », pour entretenir un réseau de relations dans sa profondeur et dans son étendue. Au sein de ces relations interpersonnelles affectives, l'homme coréen éprouve à nouveau l'intersubjectivité de son enfance et puiserait en elle la source de sa catharsis. Si l'on met à part le bouddhisme qui se fonde sur une dépréciation de la nature humaine, le taoïsme et le chamanisme ne nous présentent pas une vision systématique de la nature humaine. Le confucianisme, quant à lui, constitue, à partir de l'homme, un véritable système philosophico-éthique, et présente l'une des analyses les plus complètes de l'humain dont l'essentiel consiste à réaffirmer les dimensions relationnelles, familiales et affectives de celui-ci.

---

50. Hahm Pyong-Choon, « Religions and Law in Korea », *loc. cit.*, p. 171.

En guise de conclusion

Notre analyse qui portait sur les croyances et les religions de nos ancêtres nous a permis de dégager un certain nombre d'éléments constitutifs du code culturel coréen, c'est-à-dire, du système de significations intégrées, dessinées à travers l'évolution historique du pays. En effet, l'analyse du chamanisme, creuset spirituel des Coréens et celle des trois religions importées de l'Empire chinois nous ont conduit à constater comme propriétés communes de ces systèmes de croyance le syncrétisme, le sécularisme et l'anthropocentrisme. Nous pensons que ces trois éléments dégagés sont susceptibles de fournir une meilleure compréhension non seulement du système de croyance des Coréens, mais aussi du système de significations dans le cadre duquel ceux-ci pensent et agissent dans leur vie quotidienne.

Bibliographie

Bellah, R., *Tokugawa Religion : the Values of Preindustrial Japan*, Glencore, Free Press, 1957.

Durkheim, Émile, *Les formes élémentaires de la vie religieuse*, Paris, Presses Universitaires de France, 1968.

Eisenstadt, S. N., « Cultural Tradition and Political Dynamics : the Origins and Modes of Ideological politics », *British Journal of Sociology*, vol. XXXII, n° 2, juin 1981, p. 150-177.

Eliade, M., *Shamanism*, New York, Bollingen Foundation, 1964.

Fung Yu-Lan, *Chungkuk ch'ulhaksa* 중국철학사/ 中國 哲學史 [Histoire de la philosophie chinoise], traduction en coréen par Chung In-Jae, Séoul, Hyŏngsŏl ch'ulp'ansa, 1989.

Guillemoz Alexandre, *Les algues, les anciens, les dieux*, Paris, Léopard d'Or, 1983.

Haguenauer Charles, *Origines de la civilisation japonaise*, Paris, Imprimerie nationale, 1956.

Hahm Pyong-Choon, *Korean Jurisprudence, Politics and Culture*. Séoul, Yonsei University Press, 1986.

Kazantakis, N., *Japan, China*, New York, Simon & Schuster, 1963.

Li Ogg, *La Corée : des origines à nos jours*, Paris, Léopard d'Or, 1989.

Reichauer, E. et J. Fairbank, *East Asia : The Great Tradition*. Boston, Hougton Mifflin, 1960.

Robertson, R. *et al.*, *Sociology of Religions*, New York, Penguin Education, 1978.

Suh Kyong-Soo, « Pulkyo munhwa-ga hankukin-ŭi yunrigwan-e mich'in yŏnghyang 불교문화가 한국인의 윤리관에 미친 영향 [Influence de la culture bouddhique sur la vision éthique des Coréens] », in *Hankuk sasang-gwa yunri* 한국사상과 윤리 [Pensée et éthique coréennes], Séoul, Ch'ongmunyŏn, 1980.

PRÉSENTATION DES AUTEURS

Alain Delissen est maître de conférences au Centre Corée de l'École des Hautes Études en sciences sociales (EHESS) à Paris. Il est diplômé de l'École Normale Supérieure et de l'INALCO et détient un doctorat en histoire de l'EHESS. Il a occupé ses fonctions de chargé de recherche au Centre National de la Recherche Scientifique (CNRS) et à l'Institut d'Asie Orientale du CNRS-Lyon 2. Il est aussi rattaché au Groupe de recherches sur l'économie et la société de la Corée à l'EHESS depuis sa création. Il est l'auteur de plusieurs études traitant la pensée architecturale et les paysages urbains de la Corée, ainsi que l'identité nationale des Coréens, la démocratie et le nationalisme en Corée aux XIXe et XXe siècles.

Robert J. Fouser est professeur associé au Département d'économie internationale à l'Université de Kumamoto Gakuen au Japon. Il est également chroniqueur des différents journaux et magazines coréens et japonais tels que *The Korea Herald*, *The Korea Economic Weekly*, *Kumamoto Nichinichi Shimbun*. Il est diplômé de l'Université de Michigan et candidat au doctorat en linguistique appliquée au collège Trinity à l'Université de Dublin. Ses principaux champs d'intérêts en recherche sont l'étude des aspects socioculturel et artistique de la Corée contemporaine et celle des problèmes didactiques de l'enseignement de l'anglais aux Coréens et aux Japonais.

Heo Man-Ho est professeur agrégé au département de science politique et de la diplomatie à la faculté des sciences sociales à l'Université nationale Kyungpook à Taegu. Il était chercheur de l'Institut coréen d'analyses de la défense, organisme affilié au Centre de recherche du contrôle des armements. Il a occupé des fonctions de membre exécutif à la Society for

Korean Political and Diplomatic History, Korean Political Science Association, Korean Association of International Studies et Taegu-Kyungpook Political Science Association. Il est diplômé de l'Université de Yonsei à Séoul et de l'Université de Paris I. Il détient un doctorat en études de paix à l'École des Hautes Études en Sciences Sociales. Ses principaux champs de recherche sont, entre autres, l'histoire politique coréenne et le processus de paix.

Lee Su-Hoon est professeur au Département de sociologie à l'Université de Kyungnam et directeur en affaires internationales à l'Institut d'Études de l'Extrême Orient à Séoul. Il a étudié à l'Université d'Alabama et il détient un doctorat en sociologie de l'Université Johns Hopkins. Ses champs d'intérêts dans les domaines de l'enseignement et de la recherches comprennent la théorie et la sociologie de l'environnement et de l'urbanisation, ainsi que la construction de l'État, y compris la dépendance économique dans les pays en voie du développement.

Lee Sung-Il est professeur au Département de littérature anglaise et directeur de l'Institut de traduction à l'Université Yonsei à Séoul. Il détient une maîtrise en littérature anglaise de l'Université California ainsi qu'un doctorat de l'Université de Texas Tech. Ses travaux de recherches portent essentiellement sur la structuration de la culture et de l'esprit dans la littérature coréenne. Il est l'auteur de plusieurs œuvres qui ont remporté le Grand Prix en traduction de Republic of Korea Literary Awards et Korean Literature Translation Awards commandité par la Fondation de la culture et des arts de Corée.

Li Ogg est professeur émérite à l'UFR de l'Asie Orientale à l'Université de Paris VII en France. Il est diplômé de l'Université Yonsei et il détient un doctorat d'État en histoire de l'Université de Sorbonne à Paris. Il a assumé pendant environ 30 ans la direction de la Section d'Études Coréennes de l'Université de Paris VII et celle du Centre d'Études coréennes au Collège de France. Également, il est co-fondateur de l'Association européenne des études coréennes (AKSE) avec Fritz Vos des Pays Bas et William Skillend de Grande-Bretagne. Il a rédigé de nombreux articles et ouvrages traitant l'histoire de la formation des États anciens sur la péninsule coréenne, notamment celle du royaume Koguryŏ, ainsi que les mœurs coréens et la représentation symbolique dans la société ancienne.

Geneviève Marchini est professeure au Département d'études internationales et au Centre Universitaire de Sciences Sociales et Humaines (CUCSH) à l'Université de Guadalajara au Mexique. Elle détient un doctorat en sciences économiques de l'Université de Paris XIII. Elle a occupé des fonctions de chercheur au Centre universitaire de recherches sur le bassin du pacifique à la faculté d'économie à l'Université de Colima. Elle a publié plusieurs ouvrages et articles portant sur les réformes financières des pays asiatiques et l'analyse macroéconomique de la crise économique au Mexique.

Bernard Olivier détient un doctorat en histoire de l'Université de la Californie du Sud à Los Angeles et il est chargé du cours au Centre d'Études de l'Asie de l'Est et au Département d'histoire à l'Université de Montréal. Il a aussi enseigné à Université d'État du Colorado, à l'Université de la Californie du Sud et au Collège Franklin de l'Indiana. Ses champs d'intérêt en recherche comprennent la minorité ethnique coréenne en Chine, la politique de la nationalité dans la région du Nord-Est de la Chine.

Alfredo Romero-Castilla est professeur en relations internationale et doyen de l'École des études supérieurs en sciences sociale et politique à l'Université nationale de Mexico. Il détient un baccalauréat et un doctorat en sciences politique et sociale de cette université. Il a également étudié à l'Université des langues étrangères Hanguk à Séoul. Il a aussi enseigné en El Salvador, en Corée et au Japon. Il a publié de nombreux livres et articles sur la théorie de relation internationale, l'histoire de l'Asie de l'Est. Actuellement, il prépare la publication d'un livre sur l'histoire de l'immigration des Coréens au Mexique tout en poursuivant ses efforts pionniers pour l'établissement des études coréennes dans son université.

Yang Tae-Kyu est chercheur associé au Centre d'Études de l'Asie de l'Est à l'Université de Montréal. Il détient une maîtrise en science politique. Les antécédents professionnels de M. Yang lui ont permis d'acquérir une expérience tant en recherche que dans le domaine appliqué. Avant de se joindre à l'Université de Montréal en 1997, il a occupé des postes d'ambassadeur et de consul général de la République de Corée dans une quinzaine de pays. Il fut aussi représentant et ambassadeur de la République de Corée auprès de l'Organisation d'aviation civile internationale. Parmi ses principaux champs d'intérêt en recherche figure la culture organisationnelle en politique avec un accent spécial sur la politique coréenne face à la crise financière et la stratégie de mondialisation en Corée.

Yim Seong-Sook est professeure et responsable des études coréennes au Centre d'Études de l'Asie de l'Est et au Département des communications à l'Université de Montréal. Elle est également chercheure associée au

Centre d'études canadiennes de l'APEC et au Centre de recherche en communication sur l'Asie Pacifique UQAM-Concordia. Elle a étudié à l'Université féminine d'Ewha à Séoul et à l'École des Hautes Études en sciences sociales à Paris. Elle détient un doctorat en communication de l'Université du Québec à Montréal. Elle occupe depuis 1997 les fonctions de membre exécutif à l'Association canadienne des études de l'Asie de l'Est. Ses travaux de recherche portent sur le mode de communication des Coréens, l'évolution du média coréen et l'impact des nouvelles technologies de l'information et de la communication (NTIC) en Asie.

Yoo Jung-Hwan est professeur au Département de science politique à l'Université Chongju. Il a aussi enseigné au Centre de géopolitique à l'Université Paris VIII et au Centre d'Étude de l'Asie de l'Est à l'Université de Montréal. Il détient un doctorat en histoire de l'Université Paris VIII. Ses champs d'intérêt actuels en recherche comprennent la géopolitique de la péninsule coréenne et les traits distinctifs de la société coréenne.

La Corée possède une civilisation millénaire, une population deux fois et demie celle du Canada mais un territoire seulement un septième de celui du Québec, incrusté entre la Chine et le Japon. Onzième puissance économique du monde moderne, créé en moins de 50 ans sur les ruines et les cendres de la guerre, la Corée, c'est aussi un peuple encore divisé en deux entités politiques, le Nord et le Sud, le communisme et le capitalisme, le totalitarisme et la démocratie. Souvent à l'ombre des géants qui l'entourent, la Corée a surtout fait parler d'elle lors d'événements internationaux tels que les Jeux olympiques de 1988, l'Expo 93, la crise financière de l'Asie (1997–1998), la révélation de la menace nucléaire du Nord et, bien entendu, le sommet historique des deux Corées en juin 2000. Riche d'une longue tradition culturelle, le peuple coréen, étroitement lié, au long de son histoire, aux grands événements qui ont façonné le visage de l'Asie de l'Est, gagne à être connu à ce moment précis de son histoire, car dans la perspective d'un rapprochement des deux Corées, s'ouvre pour lui l'aube d'une ère nouvelle. D'où le présent livre que nous offrons à nos lecteurs.

AGMV
MARQUIS
Québec, Canada
2000